DIN

Monika Holfeld

Barrierefreie Lebensräume

Bauen und Wohnen ohne Hindernisse

2., überarbeitete Auflage 2011

Herausgeber:
DIN Deutsches Institut für Normung e.V.

Beuth Verlag GmbH · Berlin · Wien · Zürich

Herausgeber: DIN Deutsches Institut für Normung e.V.

© 2011 Beuth Verlag GmbH
Berlin · Wien · Zürich
Am DIN-Platz
Burggrafenstraße 6
10787 Berlin

Telefon: +49 30 2601-0
Telefax: +49 30 2601-1260
Internet: www.beuth.de
E-Mail: info@beuth.de

Titelbild: I.L.I.S., Hannover
Satz: Sabine Wasser, Berlin
Druck: AZ Druck und Datentechnik GmbH, Berlin
Gedruckt auf säurefreiem, alterungsbeständigem Papier nach DIN EN ISO 9706

ISBN 978-3-410-21939-2

Vorwort zur 2. Auflage

Barrierefrei Bauen ist nicht nur dem demografischen Wandel geschuldet, auch im Artikel 1 der UN-Konvention, welche sich für die Menschenrechte und Grundfreiheiten einsetzt, ist es eine Selbstverständlichkeit, Menschen mit Behinderung zu fördern und zu schützen.
»Zu den Menschen mit Behinderung zählen Menschen, die langfristige körperliche, seelische, geistige oder Sinnesbeeinträchtigungen haben, welche sie in Wechselwirkung mit verschiedenen Barrieren an der vollen, wirksamen und gleichberechtigten Teilhabe an der Gesellschaft hindern können.«

Dies war auch mit Anlass, die neue DIN 18040 so auszurichten, dass sie allen Behinderungen gerecht wird, was in der 2. Auflage auch in die Kapitel mit eingeflossen ist.
Im Gegensatz zu ihren Vorgängerinnen enthält DIN 18040 umfangreiche Anforderungen, die die Sicherheit von Menschen mit visuellen Einschränkungen sichern:
DIN 18040-1 betrifft öffentliche Gebäude und die dazugehörigen Außenanlagen
DIN 18040-2 betrifft Infrastruktur der Gebäude und Wohnungen.

Somit ist barrierefreies Bauen für jedes Alter, ob mit oder ohne Behinderung, Bestandteil unseres zukünftigen Lebens. Nicht zuletzt ist eine barrierefreie Umwelt für 10 % der Bevölkerung zwingend erforderlich, für 30 % bis 40 % notwendig und für 100 % komfortabel. Bei Neubau ist die Anwendung ein MUSS, und bei Modernisierungen und Umbau sollte diese sinngemäß zur Anwendung kommen.

Die vorlegende Publikation soll einerseits das Bewusstsein für dieses Thema schärfen und das Verständnis für ein barrierefreies Wohnen bei Planern, Bauherren sowie Investoren entwickeln. Vor dem Hintergrund der demografischen Entwicklung und einer steigenden Lebenserwartung kommt es häufiger vor, mit der Diagnose Demenz konfrontiert zu werden. So wurde das Kapitel Wohnraumanpassung für Demenz mit integriert.

Andererseits aber soll sie auch konkrete Hilfestellung in Ergänzung zu den bestehenden Rechtsvorschriften, DIN-Normen und Produkten geben.

Zeichnungen und Texte dieses Buches wurden in Schriftgrad und Layout so gestaltet, dass auch Sehbehinderte möglichst problemlos dieses Buch nutzen können.

Berlin, August 2011 Monika Holfeld

Autorenporträt

Dipl.-Ing. Monika Holfeld ist seit 1970 als Architektin in verschiedenen Planungsbüros tätig. Seit 1997 freischaffende Architektin mit eigenem Büro – ARCHITEKTUR UND FARBGESTALTUNG –

Architektur
Tätigkeitsbereiche: Airportplanung, Industrie- und Gewerbebau, Wohnungsbau, Sanierung denkmalgeschützter Gebäude, energiegerechte Sanierung von Wohngebäuden.
Planung und Erstellung von Leitfäden zum Thema: Wohnen im Alter, barrierefreie Planung im Bestand und Neubau.
Wohnberatung – Barrierefreie Planung u. a. Wohnanlage für Demenzkranke. Zusammenarbeit mit der Wohnungswirtschaft, Wohnraumanpassungen. Prüfung von Arztpraxen auf Barrierefreiheit und weitere Planungen.

Farbgestaltung
Tätigkeitsbereiche: Farbgestaltung von Wohnsiedlungen, Mitarbeit in Gutachterkommission, mehrfache Wettbewerbssiegerin bei Siedlungsgestaltungen, enge Zusammenarbeit mit der Bauindustrie in Bezug auf die Entwicklung neuer Produktkollektionen national und international, Innenraumgestaltung. Entwicklung neuer Produkte in Form, Farbe, Funktionalität für die ältere Generation in Zusammenarbeit mit der Industrie. Farbgestaltung und Ausstattung von Gebäuden für Demenzkranke.
Wohnberatung – Farbe. Farbgestaltung für Seniorentagesstätte Rostock. Farbkonzept und Einrichtung – Evangelisches Krankenhaus Potsdam, Farbkonzept für behindertengerechte Arztpraxis, Farbkonzepte für Senioreneinrichtungen mit Demenzabteilung.

Vorträge/Seminare
Sie hält regelmäßig Seminare und Vorträge zu diesen Themen und hat sich als Autorin durch zahlreiche Fachpublikationen im In- und Ausland einen Namen gemacht.
Gastdozentin an der HS Berlin und HS Magdeburg zum Thema Wohngruppengestaltung und Farbe bei Demenz. Seminare für Gesundheitseinrichtungen und die Fachschule Berlin sowie das Krankenhaus für Altersmedizin Potsdam. Gastdozentin an der Technischen Universität Berlin zum Thema Barrierefreie Planung.

Inhaltsverzeichnis

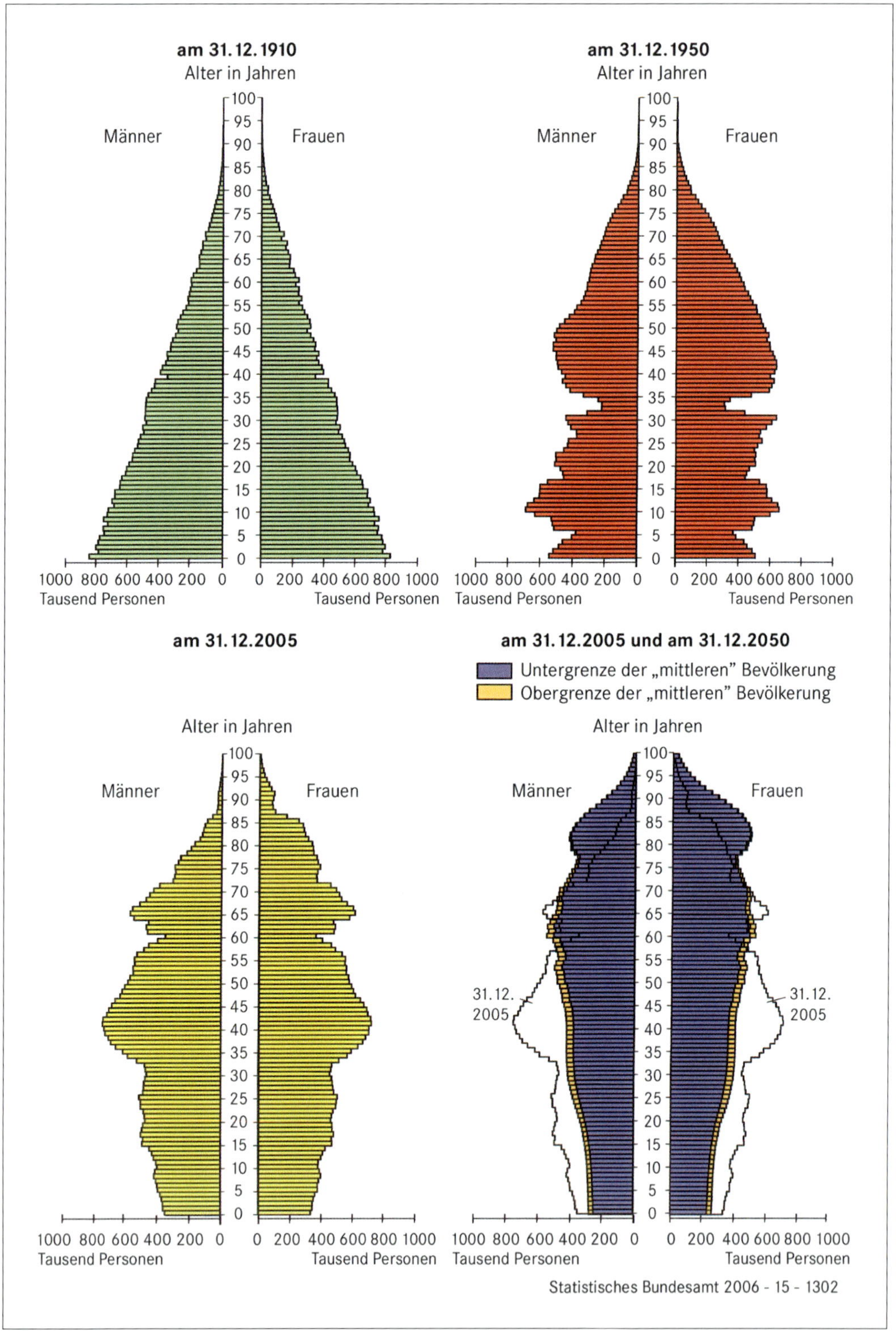

Abb. 1.1 Darstellung der demografischen Entwicklung in Deutschland

1 Demografische Entwicklung in Deutschland

Der demografische Wandel ist eines der prägenden Merkmale unseres neuen Jahrhunderts. Politik und Wirtschaft haben ihn von der Mitte der 70er-Jahre des 20. Jahrhunderts bis zu dessen Ende kollektiv weitgehend ignoriert und tabuisiert.

Erst in jüngster Zeit ist eine Versachlichung beim Betrachten dieser Entwicklung zu beobachten, welche die ihr innewohnenden Risiken und Chancen abwägt und zu einer differenzierteren Beschreibung gelangt. Unabwendbar ist jedoch die Tatsache, dass die Alterung der deutschen Gesellschaft nicht erst in 50 Jahren zu Problemen führt, sondern bereits in den nächsten beiden Jahrzehnten eine Herausforderung darstellen wird.

Die Zusammensetzung der Bevölkerung eines Landes wird im Wesentlichen von drei statistischen Faktoren bestimmt:

- Geburtenrate,
- Lebenserwartung,
- Migrationssaldo.

Die Alterspyramide weist diese Entwicklung auf, und somit stellt sich die Frage – wohin im Alter?

Die barrierefreie Gestaltung soll es allen Menschen ermöglichen, den Lebens- und insbesondere den Wohnraum ohne besondere Erschwernis und möglichst ohne fremde Hilfe zu nutzen. Denn die eigenen vier Wände erfüllen mehr als nur ein Grundbedürfnis, sie geben Sicherheit, Beständigkeit und fördern die Kommunikation mit den Familienangehörigen und Mitbewohnern. Die gewachsene Nachbarschaft, die Infrastruktur und Spazierwege im Stadtteil, all dies wird mit der Zeit Teil der persönlichen Geschichte. Deshalb ist ein unfreiwilliger Umzug eine entscheidende Veränderung im Leben, die vor allem für ältere Menschen oft nur schwer zu verkraften ist. Dazu kommen noch die finanziellen Probleme, denn häufig sind gerade Ältere nicht in der Lage, eine Neubauwohnung – barrierefrei – zu mieten.

Unter diesem Aspekt ist die Wohnungswirtschaft gefragt, Wohnraumanpassungen in ihrem Bestand durchzuführen, um den Bedürfnissen langjähriger Mieter Rechnung zu tragen. Letztendlich wird dadurch eine Wohnwertverbesserung erreicht und bei Neuvermietung reagiert jede Generation positiv auf die Veränderung.

Bei Neubauten sollte Barrierefreiheit Grundvoraussetzung sein und die Devise lauten: eine Komfortwohnung für Jung und Alt.

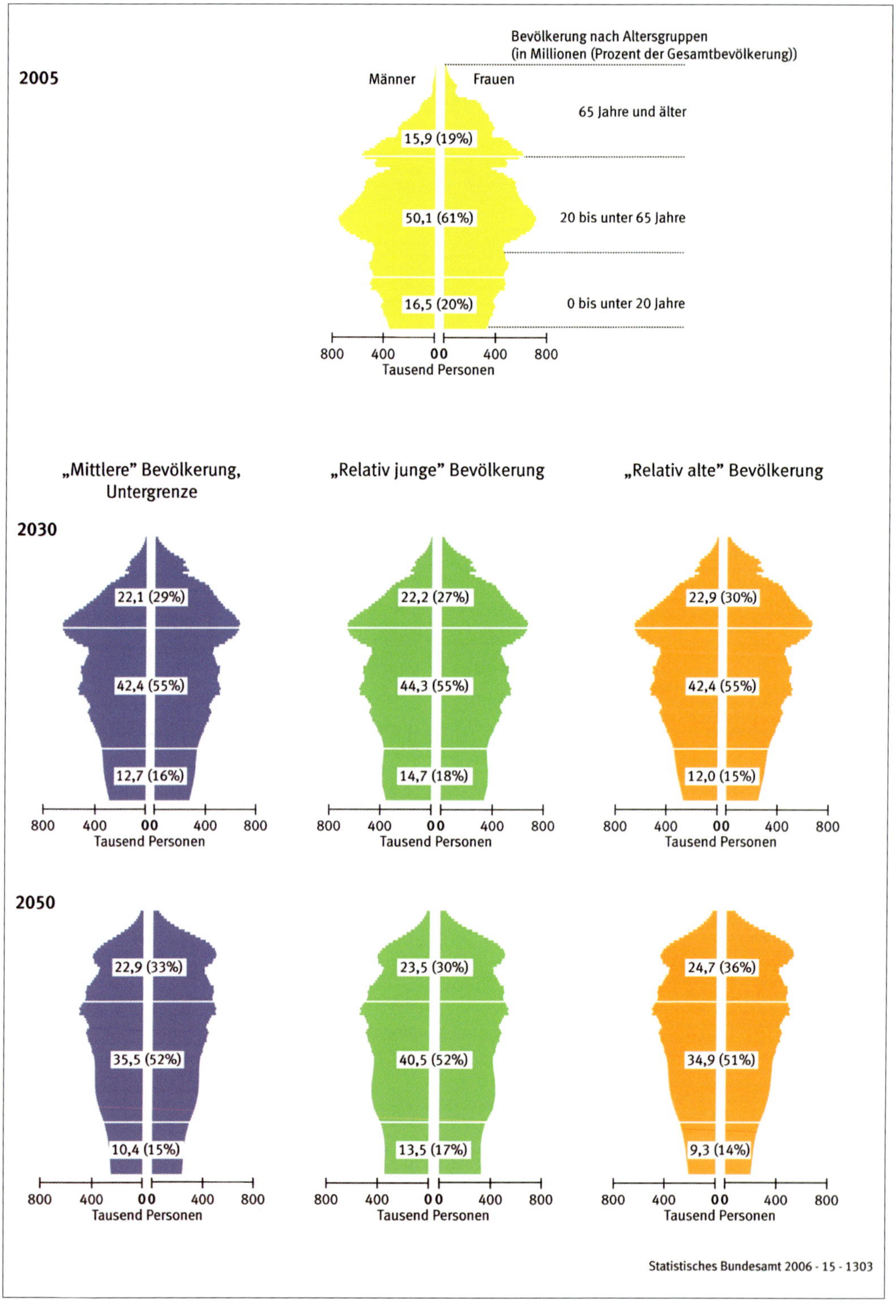

Abb. 1.2 Darstellung des Altersaufbaus der Bevölkerung nach unterschiedlichen Annahmen der 11. koordinierten Bevölkerungsvorausberechnung

2 Wohnformen im Überblick

Viele Faktoren spielen eine Rolle, wenn die Entscheidung für eine Wohnform getroffen werden soll. Da wären z. B. das familiäre Umfeld und die finanziellen Mittel, Gesundheitszustand und Pflegebedürftigkeit.
Der Wunsch der meisten Menschen ist es, solange wie möglich in den eigenen vier Wänden und damit in ihrem gewohnten Umfeld zu bleiben.

2.1 Mietwohnung, Eigentumswohnung, Haus

Die private Wohnung, auch das eigene Haus, erfordern eine weitgehend selbstständige Haushaltsführung, die durch ambulante Dienste (Hauswirtschaftshilfe, Essen auf Rädern, Pflegedienst) unterstützt werden kann.
Außerdem gibt es unter bestimmten Voraussetzungen die Möglichkeit, mit Mitteln des Ministeriums für Infrastruktur und Raumordnung, mit Hilfe der Pflegeversicherung, mit eigenen finanziellen Mitteln und der Kulanz der Wohnungsunternehmen Wohnraumanpassungsmaßnahmen vorzunehmen.

2.2 Seniorenfreundliche Wohnung

Seniorenfreundliche Wohnungen werden auch als Seniorenwohnung bezeichnet. Gemeint sind moderne Wohnungen, die durch zusätzliche Ausstattungsmerkmale den Bedürfnissen älterer Menschen angepasst worden sind. Dazu gehören u. a.

- ein möglichst stufenloser Zugang zur Wohnung (Fahrstuhl oder Erdgeschoss),
- weitgehende Schwellenlosigkeit innerhalb der Wohnung,
- Anpassungen in Bad und Küche.

Sollte diese Wohnform gewählt werden, so ist die Infrastruktur zu prüfen, z. B. die Entfernung zu öffentlichen Verkehrsmitteln und medizinischen Einrichtungen sowie zu den Einkaufsmöglichkeiten.

2.3 Seniorengerechte Wohnung

Hierbei handelt es sich um altersgerechte Wohnungen, die an bestimmte DIN-Normen gebunden und deshalb in der Regel nur bei Neubau realisierbar sind. Hier kann man von 100-prozentiger Barrierefreiheit sprechen. Diese Wohnungen verfügen zum Teil über eine Notstromanlage zur Gewährleistung einer unterbrechungsfreien Stromversorgung. Sozialstationen befinden sich meist in der Nachbarschaft.

> Bei Neubau sollte generell barrierefrei gebaut werden, egal wie alt die - Bewohner sind!

2.4 Betreutes Wohnen

Der Begriff Betreutes Wohnen ist erst seit zehn Jahren gebräuchlich und gesetzlich nicht

fixiert. Ursprünglich umfasste er nur einzelne Gruppen (u. a. psychisch Kranke). Heute ist er ein Sammelbegriff für recht unterschiedliche, organisierte Wohnformen.
Es geht dabei um ein Wohnverhältnis (Miete oder Eigentum), bei dem zusätzlich verschiedene Dienstleistungen zu buchen sind. Diese können nach Bedarf abgerufen werden.
Den Grundservice bietet der Hausmeister oder ein Concierge-Dienst (Notrufanschluss, Vermittlung von warmem Essen, Beratung bei Bedarf). Der Wahlservice umfasst Verpflegung, Reinigung der Wohnung und der Wäsche sowie andere hauswirtschaftliche Leistungen. Wenn Pflege notwendig wird, kann der Betroffene in den eigenen vier Wänden versorgt werden. Die Wahl des ambulanten Pflegedienstes kann frei erfolgen.
Es gibt bereits spezielle Anlagen des betreuten Wohnens, die baulich auf die Bedürfnisse Älterer zugeschnitten sind. **Wohnen mit Service** wird sowohl von privaten als auch öffentlichen Trägern angeboten.

2.5 Gemeinschaftliche Wohnform

Neben den traditionell ausgerichteten Wohnformen etablieren sich seit einigen Jahren neue gemeinschaftliche Ansätze. Ihr wichtigstes Ziel ist es sein, Wohnformen und Lebensformen zu entwickeln, die ein selbstbestimmtes Leben bis ins hohe Alter ermöglichen.
Ein Beispiel: mehrere Senioren beziehen ein seniorengerecht ausgestattetes Haus. Jeder Mieter verfügt über eine abgeschlossene Wohnung, kann aber jederzeit die Gemeinschaftsräume nutzen und lebt somit nicht in der Isolation.

Es gibt auch Modelle, bei denen mehrere Generationen in einem Haus leben.
Diese Projektform ist erst in der Anfangsphase, da sie auch viele Hindernisse und Probleme zu überwinden hat, so z. B. Mängel bei der Finanzierung oder Unschlüssigkeit der Bewohner.
Die verschiedenen Interessen aller unter einen Hut zu bringen, erfordert Zeit und ein gutes Management.

In ambulant betreuten Wohngemeinschaften leben mehrere Senioren gleichberechtigt in einer Wohnung zusammen.
Jeder Bewohner hat sein eigenes Zimmer. Küche, Bad und Wohnzimmer werden oft gemeinschaftlich genutzt.
Diese Wohnform hat sich besonders bei Senioren mit Demenz bewährt. Sie wird über einen Mietvertrag geregelt, der Pflegedienst kann frei gewählt werden – es sei denn, eine ambulant betreute Wohngemeinschaft wurde direkt von einem Pflegedienst gegründet.

Weiterhin liegt rechtlich ein selbstbestimmtes Wohnen vor, wenn die Verantwortung der Tagesgestaltung bei den Bewohnern liegt. Der Pflegedienst ist in diesen Fällen nur Helfer.

2.6 Seniorenresidenz

Auch hier führen Senioren ihren Haushalt selbst. Diese Wohnform ist mit verhältnismäßig hohen Kosten verbunden. Bedarf es dennoch einer Hilfe, so ist diese als Extraleistung zu bekommen und zu honorieren.

Eine Residenz zeichnet sich durch folgenden Service aus:

- Appartements mit Küche und Bad,
- gehobene Anlage mit Hotelcharakter,
- im Grundpreis ist ein zusätzliches Dienstleistungsangebot enthalten,
- oft Pensionspreis statt Miete,
- weitere Wahlleistungen sind abrufbar,
- Schwimmbad, Therapieeinrichtungen, Sauna, Café sind meistens vorhanden,
- Wohnen und Pflege sind meistens gekoppelt,
- kulturelle Angebote und Veranstaltungsprogramm.

Sie ist dem Heimgesetz untergeordnet.

Abb 2.1 Aufenthaltsraum für gemeinschaftliches Wohnen *Foto: Forbo Flooring GmbH, Paderborn*

2.7 Pflegeheim

Das Pflegeheim ist nur der letzte Ausweg, wenn eine Rundum-Pflege es erforderlich macht und ein Wohnen in den eigenen vier Wänden unmöglich ist.
Im Vordergrund steht hierbei die umfassende, vollstationäre Betreuung.
Vorraussetzung ist eine Pflegestufe. Service und Pflege werden durch den jeweiligen Träger vorgenommen.
Sollten Angehörige mit dieser Aufgabe konfrontiert werden, so ist es ratsam, sich genaue Informationen einzuholen.

Hilfe hierbei bieten:

- Sozialämter oder Altenhilfeabteilungen der Kommunen,
- Pflegekassen,
- Seniorenvertretungen,
- Wohlfahrtsverbände,
- Beratungs- und Koordinierungsstellen der Altenhilfe,
- Hausärzte.

Adressen hierzu bietet das Branchenverzeichnis unter dem Stichwort **Altenhilfe**.

Der nächste Schritt sollte der Vergleich mehrerer, in Frage kommender Heime sein. Dazu angefordertes Informationsmaterial wie

- Heimprospekte,
- Leistungsbeschreibung,
- Muster eines Heimvertrages,
- Haus- oder Heimordnung

ermöglicht das Prüfen der Leistungen in der **Grundversorgung**, die durch das jeweilige Heimentgelt abgedeckt werden, und der Leistungen, die als **Zusatzleistungen** bezeichnet werden und damit gesondert bezahlt werden müssen. [1]

Das Preis-Leistungs-Verhältnis ist von großer Bedeutung. Trotz Zeitdruck sollten mindestens zwei Heime miteinander verglichen werden.

3 Finanzierungsmöglichkeiten zur Wohnungsanpassung

Steht der Entschluss fest, in den bisher vertrauten vier Wänden zu bleiben, so ist zu prüfen, inwieweit auf Grund der Erkrankung und/oder Behinderung eine Wohnungsanpassung erforderlich wird. Es gibt zahlreiche Möglichkeiten, die eigene Wohnung sicher und angenehm zu gestalten. Oft lässt sich die Situation durch wenige Handgriffe verbessern, z. B. mit dem Umstellen von Möbeln oder dem Beseitigen von Stolperfallen.

Wenn erforderliche Umbauten, Hilfsmittel und/oder Einrichtungsgegenstände die eigenen finanziellen Möglichkeiten übersteigen, können zusätzliche finanzielle Unterstützungen helfen. Zahlreiche Institutionen wie z. B. Kranken- und Pflegekassen oder das Sozialamt stellen in vielen Fällen Gelder für verschiedene Maßnahmen der Wohnraumanpassung zur Verfügung.

Was kann finanziert werden?

- Technische Hilfs- bzw. Pflegemittel (z. B. Krankenstühle, Badewannenlifte, Haltegriffe usw.),
- Einrichtungsgegenstände (z. B. Möbel),
- Wohnungsausstattung (z. B. Badewannen, Armaturen, Lichtschalter),
- bauliche Maßnahmen (z. B. Einbau einer bodengleichen Dusche, Türverbreiterung etc.).

In den meisten Fällen ist die Wohnraumanpassung durch Eigenmittel zu finanzieren.

In Einzelfällen kann aber auch einer der im Folgenden aufgeführten Kostenträger für die finanzielle Unterstützung mit herangezogen werden.

Folgende Kostenträger können im Einzelfall in Frage kommen:

1. Gesetzliche Unfallversicherung (Berufsgenossenschaft),
2. Rentenversicherungsträger und Integrationsamt,
3. Träger der Sozialhilfe,
4. Pflegeversicherung,
5. Öffentliche Mittel,
6. Steuererleichterungen.

Die Frage, welcher Kostenträger für die Finanzierung mit herangezogen werden kann, ist entscheidend von den Lebensumständen des Einzelnen abhängig.
Die Frage nach der Ursache einer Behinderung/körperlichen Einschränkung kann hierbei von wesentlicher Bedeutung für eine soziale Absicherung sein.

Sollte einer der Kostenträger in Frage kommen, so ist immer zuerst der Antrag zu stellen und seine Bewilligung abzuwarten – denn: es erfolgt keine nachträgliche Bezuschussung der Baumaßnahme.

Wer kann Finanzierungsmittel bekommen?

- Menschen im Alter (mit Vollendung des 60. Lebensjahres),
- Menschen mit Behinderung (mit einem GbH von 20 %),
- Schwerbehinderte (ab einem GbH von 50 %).

Kriterien, die bei der Unterstützung herangezogen werden:

- Alter,
- Grad der Behinderung,
- Berufstätigkeit bei Schwerbehinderung,
- Anerkannte Pflegebedürftigkeit,
- Ursachen der Behinderung,
- Einkommen,
- Eigentümer oder Mieter,
- Alter und Ausstattung des Gebäudes.

3.1 Gesetzliche Unfallversicherungen

Am einfachsten ist die finanzielle Lösung für Menschen, deren Behinderungen auf einen Arbeitsunfall bzw. eine Berufskrankheit zurückzuführen ist. In diesen Fällen ist die gesetzliche Unfallversicherung in Form der Berufsgenossenschaften zuständiger Kostenträger.

Die Berufsgenossenschaften führen die Rehabilitation ihrer Versicherten mit allen geeigneten Mitteln durch. Ist dennoch eine Wohnungsanpassung der vorhandenen Wohnung oder des Hauses notwendig und möglich, dann werden die hierfür notwendigen Kosten von den Berufsgenossenschaften getragen. Die Kostenübernahme erfolgt ohne Begrenzung nach oben.

Außerdem werden die Leistungen der Berufsgenossenschaften unabhängig vom Einkommen und Vermögen der Versicherten gewährt (§ 41 SGB VII in Verbindung mit den Wohnungshilfe-Richtlinien).

3.2 Rentenversicherungsträger und Integrationsämter

Behinderte Menschen, die berufstätig sind, haben Anspruch auf Kostenübernahme für die behindertengerechte Gestaltung ihrer Wohnung gegenüber dem jeweiligen zuständigen Rehabilitationsträger.

Hat der Arbeitnehmer bereits mehr als 15 Jahre Beiträge zur gesetzlichen Rentenversicherung geleistet, ist seine zuständige Rentenversicherung, z. B. die Deutsche Rentenversicherung Bund (früher BfA) oder die Deutsche Rentenversicherung Nord (früher LAV) usw., der Ansprechpartner.

Für behinderte Menschen, die erstmals nach Eintritt der Behinderung eine Berufstätigkeit aufnehmen und für die kein anderer Rehabilitationsträger in Frage kommt, wie z. B. Auszubildende oder Arbeitnehmer mit weniger als 15 Jahren beitragpflichtiger Berufstätigkeit, ist das Integrationsamt (Fürsorgestelle) zuständig.

Für behinderte Freiberufler, Selbstständige und Beamte ist ebenfalls das Integrationsamt im Rahmen der begleitenden Hilfe im Arbeitsleben zuständiger Kostenträger.
Die Leistungen werden als Darlehen oder Zuschüsse gewährt. Dabei gibt es bestimmte Höchstgrenzen, und auch das Einkommen der Antragsteller wird berücksichtigt.
Die jeweiligen Bestimmungen des Rentenversicherungsträgers (§ 16 SGB VI) und des Integrationsamtes beziehen sich auf die gemeinsamen Vorschriften des § 33 Abs. Ziffer 6 SGB IX.
Das Integrationsamt und der Rentenversicherungsträger gewähren Wohnungshilfen nur im Rahmen der beruflichen Rehabilitation behinderter Menschen (Erlangung und/oder Erhaltung des Arbeitsplatzes).
Die Bestimmungen der gesetzlichen Unfallversicherung und des Bundesversorgungsgesetzes sehen entsprechende Leistungen darüber hinaus auch im Rahmen der sozialen Wiedereingliederung vor. Diese Möglichkeit bietet

auch das Sozialgesetzbuch XII oder II als letztes Glied in der Kette der sozialen Sicherung.

3.3 Sozialhilfe

Unter Bezug auf die Eingliederungshilfe kann der Sozialträger die Beschaffung und Erhaltung von Wohnraum für behinderte und ältere Menschen finanziell unterstützen. Hierzu zählt zum Beispiel der notwendige Umbau einer vorhandenen Wohnung.

Ein Anspruch auf Leistungen nach den Bestimmungen des SGB XII (früher BSHG) kann aber erst dann geltend gemacht werden, wenn kein anderer Kostenträger zuständig ist.

Außerdem sind die Leistungen vom Sozial- und Grundsicherungsamt immer vom Einkommen und Vermögen der Antragssteller abhängig und können ggf. auch nur als Darlehen gewährt werden.

Dabei gilt für die Wohnungshilfe leider die allgemeine und nicht etwa die besondere und wesentlich höhere Einkommensgrenze (§§ 53, 54 SBG XII i.V.m. der Verordnung zu § 60 SGB XII und § 71 Absatz 2 SGB XII).

3.4 Pflegeversicherung

Wenn es für behindertengerechte Gestaltung einer Wohnung auch viele mögliche Kostenträger gibt, so muss doch nachdrücklich darauf hingewiesen werden, dass die gesetzliche Krankenkasse in keinem Falle entsprechende Leistungen erbringt.

Für behinderte/pflegebedürftige Menschen, die Leistungen nach dem Pflegeversicherungsgesetz erhalten, besteht die Möglichkeit, für entsprechende Umbauten einen Zuschuss von maximal 2557 Euro zu bekommen. Die Beantragung erfolgt über die Pflegekassen bzw. die private Versicherung.

Der Zuschuss bezieht sich allerdings auf eine Baumaßnahme. Dabei wird der gesamte Umbau der Wohnung als eine Maßnahme betrachtet.

Anspruch auf einen erneuten Zuschuss hat der Antragsteller erst dann, wenn sich seine Krankheit oder Behinderung so verschlechtert hat, dass eine erneute Baumaßnahme notwendig wird. Um diesen erneuten Anspruch geltend zu machen, muss allerdings ein gewisser, im Gegensatz nicht näher definierter Zeitraum vergehen.

Der Antragsteller muss einen Eigenanteil von 10 % der Kosten der Baumaßnahme selbst tragen, höchstens jedoch 50 % seines Bruttoeinkommens. Das Vermögen der Antragsteller ist für die Bewilligung ohne Belang.

Alle Regulierungen gelten für die soziale und private Pflegeversicherung gleichermaßen (§ 40 Absatz 4 SGB XI, § 23 SGB XI, AGB für Private Pflegeversicherungen – MB/PPV 1996).

Ab Juli 2008 müssen pflegebedürftige Menschen, die in ihrer Wohnung wohnen bleiben und diese ihren Bedürfnissen anpassen möchten, bedeutende Einschränkungen in Kauf nehmen.

3.4.1 Anpassung und Dynamisierung der Pflegeleistungen

Das Ziel der Änderungen der finanziellen Leistungen der Pflegeversicherung ist die Stärkung des Vorrangs der häuslichen vor der stationären Pflege. Es werden insbesondere die Leistungen im ambulanten Bereich zunächst stufenweise angehoben und danach dynamisiert. Die stufenweise Anhebung der ambulanten Sachleistungsbeträge (§ 36 Abs. 3 SGB XII) bis 2012 ergibt sich wie in **Tabelle 3.1** dargestellt.

Darüber hinaus wird der mit dem Pflegeleistungs-Ergänzungsgesetz zum 01. 01. 2002 eingeführte zusätzliche Leistungsbetrag für **Menschen mit eingeschränkter Alltagskompetenz auf bis zu 2400 Euro jährlich** angehoben (§ 45b Abs. 1 S. 1 SGB XI). Diesen können gemäß § 45a Abs. 1 S. 2 SGB XI künftig auch Menschen mit erheblichen Einschränkungen der Alltagskompetenz beanspruchen, die einen, das Ausmaß der Pflegestufe I noch nicht erreichenden, Hilfsbedarf im Bereich der Grundpflege und der hauswirtschaftlichen Versorgung haben. Dies wird insbesondere Demenzkranken zugute kommen.

Tabelle 3.1 Entwicklung der Sachleistungen der Pflegeversicherung [2]

Pflegestufe	bisher	2008	2010	2013
Stufe I (in €)	384	420	440	450
Stufe II (in €)	921	980	1.040	1.100
Stufe III (in €)	1.432	1.470	1.510	1.550

Das Pflegegeld (§ 37 Abs. 1 S. 3 SGB XI) erhöht sich bis zum Jahr 2012 stufenweise:

Pflegestufe	bisher	2008	2010	2013
Stufe I (in €)	205	215	226	235
Stufe II (in €)	410	420	430	440
Stufe III (in €)	665	675	685	700

Die stationären Sachleistungsbeträge der Stufen I und II bleiben bis zu Beginn der Dynamisierung unverändert, die Leistungen der Stufe III (mit und ohne Härtefall) werden wie folgt angehoben (§ 43 Abs. 2 SGB XI):

Pflegestufe	bisher	2008	2010	2012
Stufe III (in €)	1.432	1.470	1.510	1.550
Stufe III Härtefall (in €)	1.688	1.750	1.825	1.918

3.5 Öffentliche Mittel

Für notwendige Umbaumaßnahmen können gegebenenfalls auch **Öffentliche Gelder** beantragt werden. Die Fördermittel werden vom Staat und in der Regel von den Wohnungsämtern in den Baubehörden der jeweiligen Bundesländer im Rahmen der Wohnungsbauförderung gewährt.
Welche Förderungen es in den einzelnen Bundesländern gibt und welche Bewilligungskriterien gelten, ist sehr unterschiedlich. Oft sind die Fördermöglichkeiten zeitlich begrenzt. Hinweise zu Förderbanken der 16 Bundesländer sind als Linkliste erfasst (s. Kasten).

**Links zu
Angaben über Fördermöglichkeiten**

In den Förderprogrammen der Energiegerechten Sanierung von Wohngebäuden oder Mietwohnungsbau sind für das Barrierefrei-Bauen Förderungen integriert bzw. extra ausgewiesen.

Region	Link
Bundesweit	www.kfw.de
Baden-Württemberg	www.L-bank.de
Bayern	www.wohnen.bayern.de
Berlin	www.ibb.berlin
Brandenburg	www.ilb.de
Bremen	www.bab-bremen.de
Hamburg	www.wk-hamburg.de
Hessen	www.lth.de
Niedersachsen	www.nbank.de
NRW	www.nrwbank.de
Rheinland-Pfalz	www.lth-rlp.de
Saarland	www.sikb.de
Sachsen	www.sab.sachsen.de
Sachsen-Anhalt	www.ib-lsa.de
Schleswig-Holstein	www.ib-sh.de
Thüringen	www.aufbaubank.de

3.6 Steuererleichterungen

Unter bestimmten Voraussetzungen kann für behindertengerechte Umbaumaßnahmen in einer Mietwohnung oder im selbst bewohnten Eigentum bei der Einkommenssteuererklärung ein teilweiser Abzug der entstandenen Kosten auch als außergewöhnliche Belastungen erfolgen. [3]
Grundsätzlich muss der Antragsteller oder das Familienmitglied jedoch seine Schwerstbehinderung nachweisen und vor Beginn der Bau-

maßnahmen ein ärztliches Attest, unter gewissen Umständen sogar ein amtsärztliches Attest, vorlegen.
Auch hier gilt, notwendige Informationen stets vor Baubeginn einzuholen und die Baumaßnahme vom zuständigen Finanzamt vorher als außergewöhnliche Belastung für die Einkommenssteuererklärung anerkennen zu lassen (§ 33 EStG).

3.7 Ablaufplan für Kommunen zur Realisierung eines altersgerechten Wohnangebotes

Ein Ablaufplan soll den Kommunen einen Überblick verschaffen, in welchen Schritten ein altersgerechtes Wohnangebot aufgebaut werden kann:

1. Entwicklung eines Handlungsleitbildes Wohnen im Alter;
2. Kleinräumige Bestands- und Bedarfsanalyse;
3. Entwicklung eines Handlungsplans;
4. Umsetzung der Maßnahmen
   - Kommune als Initiator und Hauptakteure,
   - Kommune als Unterstützer von Maßnahmen anderer Akteurinnen und Akteure;
5. Bewertung der Maßnahmen und Sicherung der Qualität.

Der Ablaufplan kennzeichnet keinen einmaligen Vorgang mit Anfang und Ende, es ist vielmehr ein kontinuierlicher und immer zu hinterfragender Prozess.

3.7.1 Entwicklung eines Handlungsleitbildes Wohnen im Alter

Die Entwicklung und Entfaltung eines Leitbildes ist vor allem wichtig für die Festlegung inhaltlicher Werte und Ziele, für Orientierungen und die Konsensbildung einer Kommune. Zwar sollten sich die Entwicklungen eines Konzepts auf eine verlässliche Daten- und Bedarfsanalyse stützen, dennoch sollten die Diskussionen der Ziele am Anfang stehen. Nur wenn sich die Beteiligten darüber klar sind, welche Richtung sie einschlagen und wo sie Prioritäten setzen wollen, können die weiteren Schritte sinnvoll durchgeführt werden.

Check

Welche inhaltlichen Prioritäten wurden gesetzt?

- Stärkung von Würde, Selbstbestimmung, Selbstständigkeit und Eigeninitiative älterer Menschen,
- Ausbau und Stärkung der ambulanten oder stationären Versorgung,
- Ausbau der Wohn- und Betreuungsstrukturen eher zentral oder eher kleinräumig,
- Ausbau alternativer Wohnformen,
- Anpassung der »normalen« Wohnung und des Wohnumfeldes,
- Ausbau von Hilfemixformen (Zusammenarbeit von Haupt- und Ehrenamtlichen).

Wurden alle relevanten Gruppen in die Entwicklung des Handlungsleitbildes einbezogen?

- Bürgerinnen und Bürger sowie bürgerschaftliche Initiativen und Bewegungen,
- Ressourcen der Kommunalverwaltungen (z. B. Sozial- und Baudezernat, Amt für Stadtentwicklung),
- relevante politische Gremien (z. B. Sozial- und Bauausschuss, Seniorenbeirat),
- Akteurinnen und Akteure der Leistungsanbieter vor Ort wie Wohlfahrtspflege, Wohnungswirtschaft, Handwerk,
- weitere wichtige Akteurinnen und Akteure, wie z. B. Kranken- und Pflegekassen, Banken, Polizei, ÖPNV.

Wurden geeignete Formen zur Entwicklung und Kommunikation des Handlungsleitbildes verwendet?

- Ressortübergreifende Planungskonferenzen auf Verwaltungsebene,
- Runde Tische für die Akteurinnen und Akteure,
- Zukunftswerkstätten,

- öffentlich zugängliche »Open-Space«-Veranstaltungen,
- Bürgerbefragung,
- Benchmarking: Wie machen es andere Kommunen?

3.7.2 Kleinräumige Bestands- und Bedarfsanalyse

Im Rahmen der Bedarfsanalyse sollten die Wünsche, Sorgen und Erwartungen der Bürgerinnen und Bürger geklärt werden.

Check
Wurde die Bevölkerung (Bürgerinnen und Bürger und weitere Akteurinnen und Akteure) in die Bestands- und Bedarfsanalyse einbezogen?
- über Befragungen,
- über Diskussionsveranstaltungen,
- durch Wohnumfeldbegehungen,
- in Arbeitskreisen,
- im Kommunalparlament.

Wichtig ist, eine erste Einschätzung über die vorhandenen Angebote und die Entwicklung der Alterszusammensetzung der Bevölkerung für die Kommune bzw. Region zu gewinnen. Es müssen auch Wanderungsbewegungen berücksichtigt werden.

Check
Wurden die wesentlichen Daten zur Bevölkerungsstruktur und -entwicklung erfasst?
- Altersstruktur aktuell und in Zukunft,
- Zuzug und Wegzug,
- Struktur spezifischer Zielgruppen, u. a. Pflegebedürftigkeit, Menschen mit Migrationsbiografie,
- Einkommensstruktur,
- Haushaltsstruktur.

Wurden wesentliche Daten zum Wohnen im Alter erfasst?
- Struktur des normalen Wohnungsbaus (Zahl der Wohnungen und Gebäude, Gebäudealter, Relation, Eigentum und Mietwohnungsbau, Ausstattung, Wohnungsmängel etc.),
- barrierefreie Wohnungsangebote,
- Tages- und Kurzzeitpflegeangebote,
- Alten- und Pflegeheime,
- Formen des Betreuten Wohnens,
- alternative Wohnformen (gemeinschaftliches Wohnen, betreutes Wohnen, betreute Wohnpflegegruppe),
- Quartierskonzept.

Wurden wesentliche Betreuungs- und Dienstleistungsangebote erfasst?
- Beratungs- und Koordinierungsleistungen,
- Wohnberatung,
- ambulante Dienste,
- niedrigschwellige Betreuungs- und Dienstleistungsangebote (z. B. Fahrdienst, Haushaltsdienste),
- Gemeinschaftsangebote,
- bürgerschaftliche und nachbarschaftliche Initiativen.

Die Daten sollten so erfasst und aufbereitet werden, dass sich daraus ablesen lässt, wie sich Bedarf und Angebot entwickeln. Wurden Entwicklungstendenzen zu Menschen mit Pflegebedarf oder Behinderung erfasst (Zahlen zu vergangenen Entwicklung und zur zukünftigen Entwicklung)?
Selbst, wenn es nicht zum Leitbild einer Kommune gehört, die Altenhilfe kleinräumig und dezentral zu organisieren, erscheint es notwendig, die genannten Daten und Informationen nicht nur für die Gesamtheit der Kommune, sondern auf kleinere Gebiete in der Größe eines Wohnquartiers (etwa 5 000 bis 15 000 Einwohnerinnen und Einwohner) zu erfassen.
So lässt sich feststellen, ob Angebot und konkrete Entwicklung »Vor Ort« zusammenpassen oder ob es Versorgungsmängel gibt. Bei quartiersbezogenen Versorgungsstrukturen ist eine kleinräumige Erhebung Voraussetzung.

Ein solches Vorgehen hat den Vorteil, dass die tatsächlichen Wohnverhältnisse besser erfasst werden.

Check
Wurden wichtige Daten kleinräumig und dezentral erfasst
- bei Großstädten: Stadtbezirke und Stadtteile,
- bei Landkreisen: Gemeinden/Dörfer,
- bei Kleinstädten: Stadtteile und Wohngebiete/Quartiere/Viertel?

Wurden Daten bewertet/verglichen
- mit praxiserprobten Richtwerten oder Vergleichszahlen (innerhalb der Kommune oder mit anderen Kommunen),
- mit (regionalen) Entwicklungstendenzen,
- mit eigenen Zielvorstellungen (Leitbild)?

3.7.3 Entwicklung eines Handlungsplans

Ein Handlungsplan soll neben den – für Altenpläne üblichen – Maßnahmen zur Weiterentwicklung von Vorsorgeangeboten vor allem auch Maßnahmen zur Verbesserung der Wohnsituation und leicht zugängliche Alltagshilfen enthalten.

Check
Wurden Handlungsschritte zu allen wichtigen Angebotsbausteinen entwickelt?

Wohnen – bauliche Maßnahmen in der eigenen Häuslichkeit:
- individuelle Wohnraumanpassung/ Wohnberatung,
- strukturelle Anpassung des Wohnungsbestandes,
- barrierefreies Bauen,
- Anpassung des Wohnumfeldes und der sozialen Infrastruktur,
- selbstständige Wohnformen mit Gemeinschaft und Betreuung,
- selbstständiges gemeinschaftliches Wohnen,
- betreutes Wohnen;

Soziales – Beratung und Alltagshilfen, haushaltsnahe Dienstleistungen:
- zugehende Beratung,
- Angebot (Vermittlung) von bezahlbaren, leicht zugänglichen sozialen Diensten,
- Koordination und Vermittlung von Diensten,
- soziale Integration und gegenseitige Hilfe, z. B. Bereitstellung von Gemeinschaftsräumen und Treffpunkten,
- Gemeinschafts- und Freizeitangebote,
- Förderung von Selbst- und Nachbarschaftshilfen;

Pflege
- Pflege- und Betreuungsleistungen zu Hause,
- quartiersbezogene ambulante Dienste,
- Teilstationäre Einrichtungen;

Frühzeitige Berücksichtigung maßgeblicher Vorschriften, zum Beispiel
- DIN 77800 Betreutes Wohnen für ältere Menschen,
- DIN 18024 und DIN 18040 Barrierefreies Bauen (öffentlicher Nahraum und Wohnung), zugängige Gebäue und Wohnungen
- Qualitätssiegel zum betreuten Wohnen in manchen Bundesländern (z. B. NRW, Baden-Württemberg),
- Landesbauordnungen, Brandschutz,
- Heimrecht.

Ein Handlungsplan geht aber über die Bestimmungen von einzelnen notwendigen Angebotsbausteinen hinaus. Vielmehr sollten Vorkehrungen über die Organisation der Umsetzung getroffen werden. Zu den Entscheidungen zählt, inwieweit sich die Kommune selbst engagieren will, Angebote zu entwickeln und zu finanzieren, oder ob sie andere Akteure beim Aufbau oder Betrieb von Angeboten einschaltet. In beiden Fällen ist die Kommune ein geeigneter Akteur, Umsetzungsstrategien zu entwickeln.

Check
Wurden geeignete Umsetzungsstrategien entwickelt?

- Regelung für ressortübergreifende Zuständigkeiten,
- Integration von Angeboten für andere Klientengruppen,
- Verfahren zur Einbindung der Bürgerinnen und Bürger, etwa über einen Ideen- oder Bauwettbewerb (Mitgliedschaft in der Jury),
- Unterstützung der Kooperation mit und zwischen den Akteurinnen und Akteuren,
- Verbesserung von Rahmenbedingungen zur Förderung von Angeboten,
- Höhe und Prioritäten einzelner Finanzmittel.

Wurde der Handlungsplan politisch verbindlich beschlossen?
Verspricht er Nachhaltigkeit und Akzeptanz?

3.7.4 Umsetzung der Maßnahmen

Entscheidend ist, dass die konzipierten Maßnahmen auch umgesetzt werden, sonst nutzt ein Plan wenig. Durchaus vorstellbar ist, dass notwendige Maßnahmen, etwa in einem Pilotprojekt, durchgeführt werden, wenn günstige Voraussetzungen oder in Aussicht stehende Förderungen existieren. Die Schritte der Leitbildentwicklung, Analyse und Maßnahmenplanung können also auch parallel oder zeitgleich versetzt durchgeführt werden.
Auf keinen Fall sollten gut durchdachte, wichtige Schritte oder notwendige Maßnahmen hinausgeschoben oder blockiert werden.

Für den schrittweisen Aufbau quartiersbezogener Versorgungs- und Beteiligungsangebote hat es sich in vielen Fällen bewährt, mit sozialen Angeboten, der Koordination von Hilfen oder der Verbesserung der Wohnsituation zu beginnen und in weiteren Schritten die pflegerische Versorgung zu ergänzen.
Mit der Umsetzung des Handlungsplanes stehen die Kommunen nicht allein, es ist ein Zusammenspiel von vielen Akteurinnen und Akteuren und der Bürgerinnen und Bürger, um ein bedarfsgerechtes und finanzierbares Angebot zu schaffen.

Die Kommune kann treibende Kraft sein oder sich auch auf die Aktivitäten der Akteurinnen und Akteure stützen.

Check

Werden geeignete Maßnahmen zur Verbesserung der Informationsangebote zum Thema Wohnen von der Kommune initiiert oder durchgeführt?

- Schulung und Qualifizierung allgemeiner kommunaler Beratungsstellen zu Frage des Wohnens im Alter,
- Einrichtungen von speziellen Fachberatungsstellen (z. B. Beratung zur Wohnungsumgestaltung, zum Aufbau alternativer Wohnformen),
- Informationsveranstaltungen,
- Informationsmaterial (gedruckt/online),
- kontinuierlich aktualisierte Adressenlisten,
- laufende Unterrichtung von Öffentlichkeit und Presse über Angebot und deren Weiterentwicklung.

Werden Maßnahmen zur Verbesserung der Kooperation und Koordinierung von der Kommune initiiert oder unterstützt?

- Schaffung ressortübergreifender Kooperationsformen innerhalb der Verwaltung,
- Kooperation mit anderen Kommunen,
- Kommune geht Kooperationen mit anderen Akteurinnen und Akteuren ein,
- Kommune kooperiert mit bürgerschaftlichen Initiativen,
- Kommune moderiert das Zusammenwirken unterschiedlicher Akteurinnen und Akteure, spricht ggf. neue Partner an, um zur Mitarbeit einzuladen (z. B. Handwerk, Handel),
- Kommune sieht Begleitung und Unterstützung quartiers-/stadtteilübergreifender Angebote als kontinuierlichen Prozess.

Werden Maßnahmen zur Stärkung von Eigeninitiative und Mitwirkung von der Kommune initiiert oder gefördert?

- Schaffung von Anreizen für Nachbarschafts- und Selbsthilfe (z. B. Gemeinschaftsangebote),

- Förderung des Einsatzes professioneller Hilfen zur Stärkung sozialer Netzwerke,
- Mobilisierung eines Hilfemixes aus Engagement der Bürgerinnen und Bürger sowie hauptamtlicher Kräfte,
- Unterstützung, Ermutigung und Qualifizierung zivilgesellschaftlichen Engagements,
- Information der Nachbarschaft und der Einwohnerinnen und Einwohner über die Entwicklung von Projekten (»Identitätsstiftung«),
- Aufgreifen von Anregungen auch während des Ausführungsprozesses von Projekten,
- Entwicklung einer Anerkennungskultur durch materielle und ideelle Unterstützung bürgerschaftlichen Engagements.

Werden Maßnahmen zum Entstehen und zur Verbreitung alternativer Wohnformen ergriffen oder unterstützt?

- Bereitstellung von Grundstücken,
- Bereitstellung von Mitteln aus der sozialen Wohnungsbauförderung,
- Finanzierung von zusätzlichen Planungskosten,
- Finanzierung von Betreuungskosten,
- Lockerung der Belegungsbindung, soziale Integration,
- flexible Handhabung von sozialhilfe-rechtlichen und heimrechtlichen Reglungen.

3.7.5 Bewertung der Maßnahmen und Sicherung der Qualität

Die durchgeführten Maßnahmen sollen regelmäßig daraufhin überprüft werden, ob das Ziel erreicht wurde oder eine Korrektur notwendig ist.

Die Kommune und ihre Gremien sollten stets »Herr« bei der Wahrnehmung ihrer Gestaltungsaufgaben sein.

Gerade bei neuen Wohnformen wie gemeinschaftliches Wohnen und in besonderem Maße bei den ambulant betreuten Wohngruppen gibt es bisher kaum verbindliche Qualitätsstandards. Allerdings trifft auch hier die DIN 77800 zu und hinzuweisen sei auf die Bundesländer wie NRW und Baden-Württemberg, wo es auch Gütesiegel gibt.

Die Kommune sollte kontinuierlich zur Begleitung und Festlegung von Standards zur Qualitätssicherung beitragen.

Check

Werden Maßnahmen zur Sicherung der Qualität und Nachhaltigkeit eines bedarfsgerechten Wohnangebotes ergriffen?

- Entwicklung, Festlegung und Überprüfung von Qualitätsstandards,
- Entwicklung von Instrumenten zur Kontrolle der Qualitätsstandards (z. B. Qualitätssiegel, Zertifizierungsstellen),
- Entwicklung von Leistungs-, Qualitäts- und Prüfvereinbarungen,
- leitbildorientierte Steuerung der Angebotsentwicklung,
- Initiierung und Begleitung von Arbeitskreisen zur Qualitätssicherung,
- Befragung der Trägerinnen und Träger und ggf. der Bewohnerinnen und Bewohner von Wohnstätten,
- Unterstützung der Akzeptanz eines Beschwerdemanagements,
- Kooperation und Reflexion etwa mit Heimaufsicht.

Ebenso wichtig ist es, dass die Kommune als trägerneutrale und politisch getragene Instanz darauf achtet, dass sich die Wohn- und Betreuungsangebote hinsichtlich der Angebotsart und Größe sowie der räumlichen Verteilung bedarfsgerecht und nachhaltig entwickeln.

Ziel muss es sein, dass innerhalb der Kommune ein Klima geschaffen wird, welches die Stärkung des selbstständigen Wohnens, der Selbst- und Nachbarschaftshilfe und die Entwicklung und Verbreitung neuer Wohnformen für das Alter ermöglicht. [4] [5]

4 Wohnungssuche bei Behinderung

Wenn die eigene Wohnung nicht den Anforderungen der Behinderung entspricht und eine Anpassung nicht möglich ist, sollte ein Umzug erwogen werden.

4.1 Was muss bei der Wohnungssuche beachtet werden?

Suche nach barrierefreien Wohnungen für Menschen mit Rollstuhl

- Dringlichkeitsschein beim Einwohnermeldeamt des Bezirksamtes beantragen;
- Beantragung einer entsprechenden Wohnung in der Beratungsstelle für Körperbehinderte im Gesundheitsamt des jeweiligen Bezirkes (ein formloser Antrag genügt).

Was tun, wenn kein Anspruch auf einen Dringlichkeitsbescheid besteht?

- Wohnbörse des Beratungszentrums *Sehen, Hören, Bewegen, Sprechen* nutzen;
- Anzeigen in den üblichen Zeitungen oder im Internet;

Abb. 4.1 Bequem und barrierefrei zu erreichende Gebäude wie Theater, Ämter u. Ä. lassen auch in ihrer Mobilität eingeschränkte Menschen am öffentlichen Leben teilnehmen. *Foto: EHL AG, Kruft*

- bei Maklern, Vermietern und Wohnungsbaugesellschaften nachfragen.

Was ist zu tun, wenn eine barrierefreie Wohnung für Menschen mit sonstigen Behinderungen oder für ältere Menschen gesucht wird?

- Antrag auf Dringlichkeitsschein oder Wohnberechtigungsschein beim Einwohnermeldeamt des Bezirkes stellen;
- Anmeldung bei der Wohnbörse des Beratungszentrums *Sehen, Hören, Bewegen, Sprechen* abgeben;
- bei privaten und gemeinnützigen Vermietern nachfragen;
- Anzeigen in den üblichen Zeitungen und im Internet.

Worauf sollte bei der Wohnungsbesichtigung geachtet werden?

- Kann ich mir die Wohnung leisten?
- Ist die Wohnung groß genug?
- Entspricht die Wohnung den Anforderungen der Behinderung oder müssen noch Anpassungen vorgenommen werden?
- Sind insbesondere Bad und Küche an meine Behinderung angepasst?
- Kann jeder Winkel erreicht werden?
- Gibt es Abstellmöglichkeiten für Rollstuhl, Rollator oder andere Hilfsmittel?
- Sind Fenster, Türen (auch Außentüren), Bedienungsanlagen und Schalter erreichbar?
- Kann man sitzend aus dem Fenster schauen?
- Ist die Wohnung auch geeignet, wenn sich die Behinderung verstärken sollte?
- Steht ein Hauswart zur Verfügung, der bei Problemen ansprechbar ist?
- Gibt es Kontaktmöglichkeiten zu den Nachbarn?
- Ist die Wohnung barrierefrei erreichbar?
- Ist die Garage bzw. der Stellplatz barrierefrei zu erreichen?
- Sind öffentliche Verkehrsmittel gut zu erreichen?
- Kommt man problemlos an die Mülltonnen?
- Entspricht das Wohnumfeld meinen Bedürfnissen?
- Wo befinden sich die Einkaufsmöglichkeiten?

Die Checkliste zur Wohnraumanpassung (Anlage 1, Seite 165) kann auch bei der Wohnungsbesichtigung helfen, die wesentlichen Fragen zu stellen.

Was ist zu tun, wenn in der ausgewählten Wohnung dennoch ein Umbau notwendig ist?

- Informationen zur Planung und Finanzierung beschaffen;
- klären, ob eine Baugenehmigung erforderlich ist;
- mindestens zwei Kostenvoranschläge einholen;
- Antragstellung auf Zuschüsse bei den möglichen Kostenträgern. [3]

5 Wichtige Definitionen

5.1 Was bedeutet »Barrierefreies Bauen und Wohnen«?

Der Begriff **barrierefrei** steht als Erkennungszeichen für viele neue Erkenntnisse und Grundlagen angewandter Technik, Architektur und Design. Grundsätzlich ist der Begriff als soziale Dimension zu verstehen, der den schwellenlosen und stufenfreien Eingang eines Wohnumfeldes ebenso betrifft wie die gedanklich akzeptierte Gleichstellung aller Menschen in jedem Alter, mit oder ohne Behinderung oder besonderen Fähigkeiten.
Im Laufe des Lebens können immer wieder Situationen eintreten, in denen eine vermeintlich normale Wohnungsgestaltung zum Hindernis wird. Nicht Alter und körperliche Einschränkungen gefährden die selbstständige Lebensführung, vielmehr sind Wohnungsmängel häufig die Ursache für Heimaufenthalt und Pflegebedürftigkeit. Bedienungselemente wie Armaturen und Lichtschalter sind oft so angeordnet, dass sie für viele Menschen nicht oder nur mit Schwierigkeiten erreichbar sind. Weitere Hindernisse sind Stolperfallen durch veraltete technische Installationen, unzweckmäßige Möbel, zu schmale Türbreiten und dergleichen oder auch einfach nur fehlende Haltegriffe.

Barrierefreiheit bedeutet in diesem Zusammenhang, dass

- alle Einrichtungen für alle Menschen – in jedem Alter und mit jeder Einschränkung oder Behinderung – ohne technische oder soziale Abgrenzung nutzbar sind;
- jeder Mensch alle barrierefrei gestalteten Elemente seines Lebensraumes betreten, befahren und selbstständig, unabhängig und weitgehend ohne fremde Hilfe benutzen kann (BGG § 4 Barrierefrei).

Barrierefreiheit ist weit mehr als nur der begriffliche Ersatz der diskriminierenden Adjektive »senioren-, alten- oder behindertengerecht«.

Barrierefrei ist flexibel und dynamisch. Es ist gleichzeitig ein Konzept, das individuelle Wünsche und persönliche Anforderungen berücksichtigt, ohne gleichzeitig neue Hindernisse aufzubauen.

Barrierefrei bauen bedeutet auch immer vorsorglich bauen, was heißt, dass der normale Lebenslauf eines jeden Menschen berücksichtigt wird und eine Wohnung und das Wohnumfeld so gestaltet werden, dass man darin alt werden kann.

5.2 Wann spricht man von einer Behinderung?

Menschen sind behindert, wenn ihre körperliche Funktion oder seelische Gesundheit mit hoher Wahrscheinlichkeit länger als sechs Monate von dem für das Lebensalter typischen

Zustand abweicht und daher ihre Teilhabe am Leben in der Gesellschaft beeinträchtigt ist (BGG § 3 Behinderung).

5.3 Welche Arten der Behinderungen gibt es?

Voraussetzungen für das Planen und Bauen für Behinderte oder ältere Menschen sind die Kenntnis über die Art der Erkrankung und ihre Auswirkungen auf die individuelle Leistungsfähigkeit der Betroffenen. Dabei unterscheidet man folgende **7 zentrale Behinderungsformen.** Besonders vor dem Hintergrund einer qualifizierten Beratung sollten Grundkenntnisse hierüber vorhanden sein.

5.3.1 Sensorik

Zur Wahrnehmung und Orientierung werden vom Menschen zu 90 % visuelle Informationen benutzt. Wahrnehmung erfolgt aber auch über andere Sinne, durch Hören, Riechen, Schmecken und Tasten.
Menschen mit Einschränkungen ihrer Sinnesorgane kompensieren diese Verluste mit Hilfsmitteln wie z. B. Brille oder Hörgerät.

Sehen

Einflussgrößen auf die **visuelle Wahrnehmung:**

- Helligkeit,
- Farbe,
- Schärfe,
- Größe.

So wie es viele Ursachen für eine Sehbehinderung gibt, ist auch deren Verlauf unterschiedlich. In jedem Fall muss jedoch von teils starken Einschränkungen der Sehfähigkeit ausgegangen werden, die die Lebensqualität beeinträchtigen. Beim Grauen Star beispielsweise trübt sich die Linse des Auges im Alter allmählich ein. Dies führt zu einer schlechteren Farbwahrnehmung, d. h., die Linse absorbiert mehr

Folgende altersbedingte Augenkrankheiten treten bei Senioren auf, wobei einzelne davon bis zur Blindheit führen können:

- altersbedingte Makuladegeneration (Erkrankung der Netzhaut),
- vermehrte Sehschärfe,
- Grauer Star (Katarakt/Linsentrübung),
- Grüner Star (Gesichtsfeldschädigung/ Durchblutungsstörungen),
- Diabetische Retinopathie (Auswirkung der Zuckerkrankheit, Gefäßveränderung),
- Zusammentreffen mehrer Behinderungen, z. B. Netzhautablösung, Diabetes. Astigmatismus

1 Sehveränderung bei Makuladegeneration

2 Sehveränderung bei Grauem Star

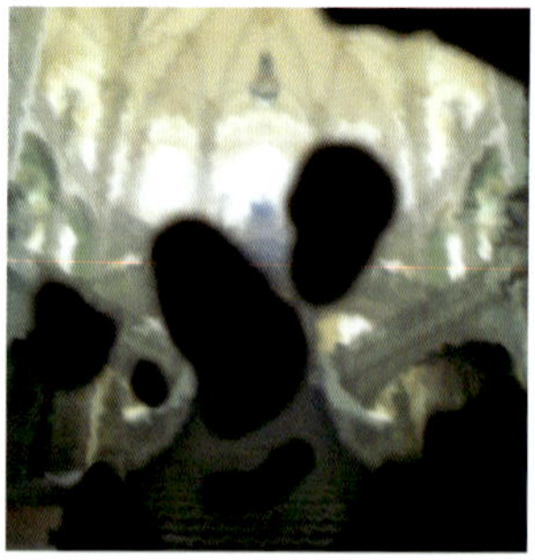

3 Sehveränderung bei Diabetischer Retinopathie

Licht im blau-violetten, kurzwelligen Bereich des Farbspektrums: Ursache dafür, dass dann die Farben Gelb, Rot und Orange besser unterschieden werden können als Blau und Violett.

Neben Hilfsmitteln wie Brille, Tast- oder Langstock spielt die Gestaltung des Wohnbereiches eine zentrale Rolle, um sich möglichst barrierefrei fortbewegen zu können.
Wechselsprechanlagen zur Verständigung sowie Beschriftungsschilder mit erhabener Schrift zum Abtasten sind praktisch, Letztere beispielsweise für Medikamentendosen.

Kontrastfarben, z. B. durch verschiedene Bodenbeläge, können die Unterscheidung zwischen ebenen Flächen und Treppenstufen erleichtern.

Die Bodenbeläge sollten nicht zu groß gemustert sein, da sie verwirren und zu Unsicherheit beim Gehen führen können. Außerdem sollten sie nicht glänzen oder poliert sein, das erweckt den Eindruck von Rutschgefahr.
Die Anbringung von Handläufen an beiden Seiten der Treppe und das Vermeiden von Wendeltreppen können die Sturzgefahr einschränken. Außerdem ist es hilfreich, wenn die Geländer über das Treppenende hinaus fortführen, solange sie nicht zu weit in den Gehbereich hineinragen. Die Treppen sollten farblich von der Umgebung abgesetzt sein. Bereiche vor den Treppen werden ertastbar durch strukturierte Böden. Podeste und Stufen können mit Hilfe von Beleuchtung gekennzeichnet werden. Weiterhin sollten die Geländer mit taktilen Hilfen ausgestattet sein. Große Fenster ermöglichen eine hohe Ausleuchtung von Innenräumen. Die Orientierung wird durch Leitlinien im Greifbereich oder am Boden gesteigert. Ein wichtiger Anhaltspunkt ist die Anbringung von Lichtschaltern und Armaturen in gleicher Höhe. Außerdem sollten keine Gegenstände in den

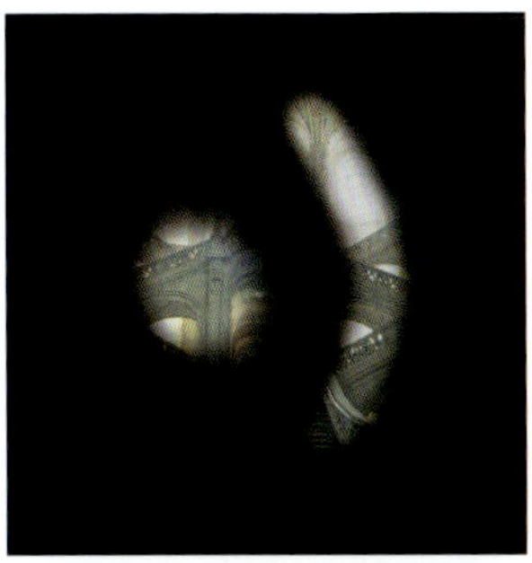

4 Sehveränderung bei Grünem Star

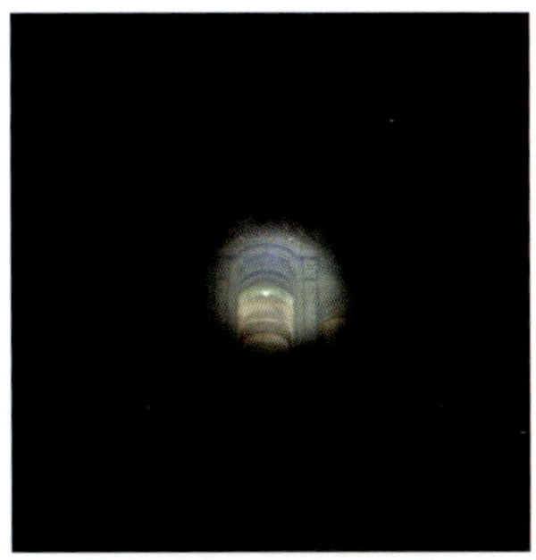

5 Sehveränderung bei Retinitis Pigmentosa (Tunnelblick)

6 Verlauf der Sehveränderung bei Astigmatismus
Fotos: Herbert Waldmann GmbH & Co. KG, Villingen-Schwenningen

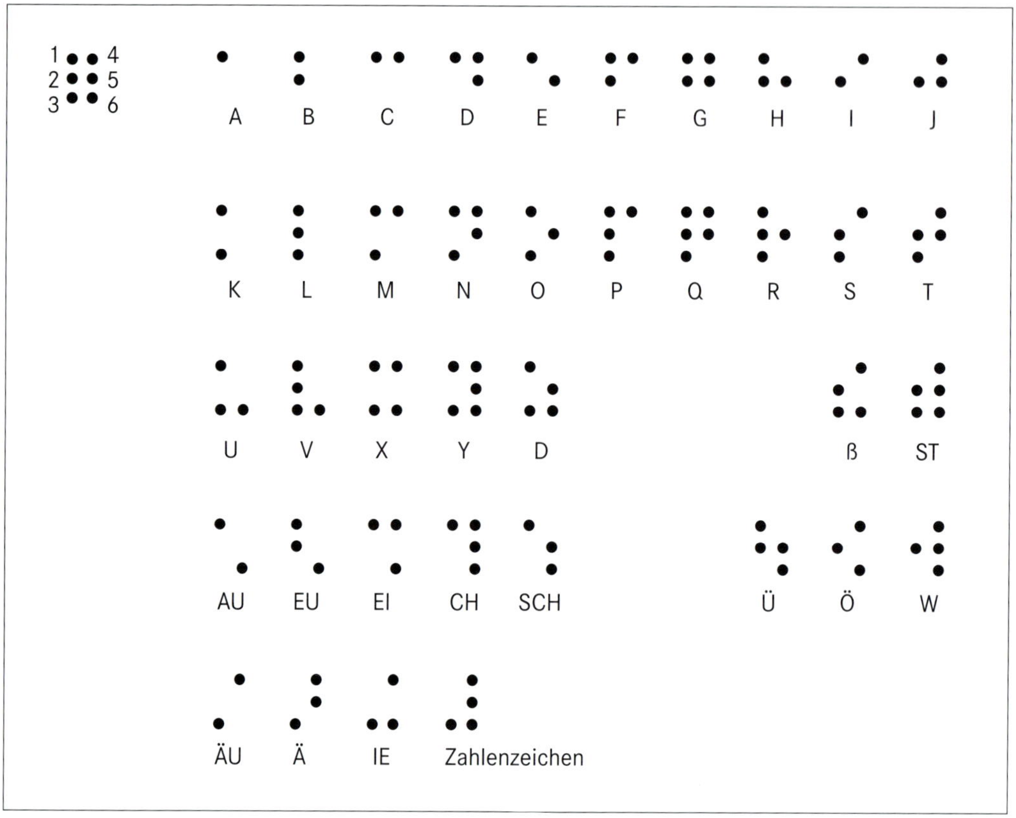

Abb. 5.1 Das Blindenschrift-Alphabet nach Louis Braille

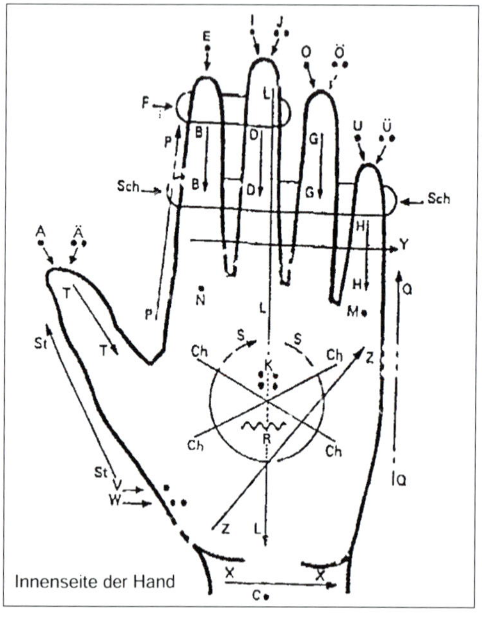

Abb. 5.2 Das Tastalphabet nach Louis Braille

Für die Planung

Sehbehinderung

- Räume hell, nicht blendend und schattenlos ausleuchten,
- Gefahrenquellen (z. B. Stufen, Schwellen, Kanten) und Orientierungshilfen (z. B. Hinweisschilder, Schalter, Griffe) durch kontrastreiche Farben im gleichen Ton kenntlich machen.

Blindheit

- Gefahrenquellen vermeiden (z. B. Stufen, Schwellen, Kanten),
- Orientierungsmöglichkeiten mit taktilen Elementen (z. B. Materialunterschiede des Fußbodens) schaffen,
- bruchsicheres Glas (bei Ganzglastüren) verwenden und kontrastreich markieren,

- ausgeglichene akustische Raumbedingungen schaffen,
- optische Signale durch akustische Signale ersetzen (z. B. bei Kochplatten mit Lichtsignal, Lift mit Klingelzeichen).

Gehbereich hineinragen wie beispielsweise nach innen aufschlagende Fensterflügel. Die Arbeitsbereiche (Schreibtisch, Küche) sollten möglichst einzeilig und ohne Unterbrechung oder Niveauunterschiede beschaffen sein. Die Kanten werden kontrastreich von der Bodengestaltung ausgeführt, dies gilt auch für Türrahmen, Türklinken, Schalter, Steckdosen, Fensterbeschläge und andere Bedienknöpfe.

Hören

Einflussgrößen der **auditiven Wahrnehmung** sind:

- Lautstärke,
- Tonhöhe,
- Klangfarbe,
- Deutlichkeit,
- Rhythmus.

Angeborene Hörbehinderungen sind oft auch mit Sprachstörungen verbunden, da der Betroffene nicht ausreichend hört, was andere sprechen und was er selbst spricht.

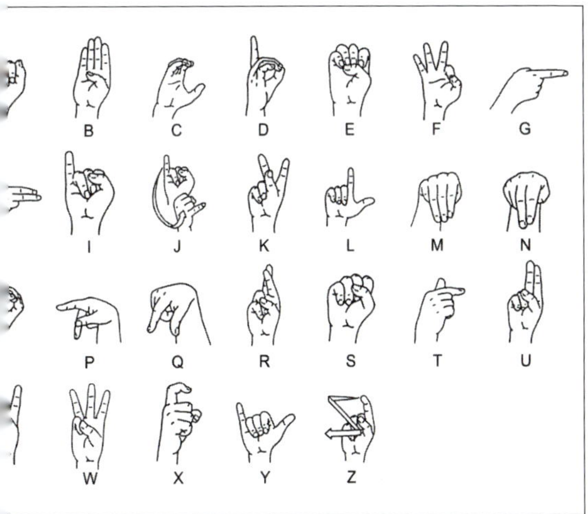

Abb. 5.3 Alphabet der Gebärdensprache

Bei Schwerhörigkeit hilft es, Türklingeln mit Lichtsignalen zu kombinieren. Solche Kontrollleuchten sollten nicht nur im Flur, sondern auch im Wohn- und Schlafzimmer und in der Küche angebracht werden.

Bei der Kommunikation erleichtert eine gute Beleuchtung das Ablesen von den Lippen. Damit der Betroffene der Unterhaltung besser folgen kann, sind zusätzliche Störfaktoren wie Radio und TV zu vermeiden. Sollte dies nicht möglich sein, ist die Verwendung von Kopfhörern sinnvoll. Auch im umgekehrten Fall sind Kopfhörer sinnvoll. Der Betroffene kann dem Programm in einer für ihn optimalen Lautstärke folgen, ohne sein Umfeld zu stören.

Als technische Geräte zur Kommunikation im Alltag sind die zu wählen, die auch bei Hörbehinderung komplikationslos genutzt werden können, also über mehr als akustische Signale verfügen (z. B. Vibrationsalarm beim Handy, Videotext beim TV-Gerät usw.).

Für die Planung

Schwerhörigkeit

- Ausgeglichene raumakustische Bedingungen für bessere Verständlichkeit von Geräuschen und Lauten schaffen,
- schallmindernde Maßnahmen gegen erhöhten Lärm von draußen (z. B. Straßenlärm) vorsehen,
- Räume hell, schattenlos und nicht blendend ausleuchten,
- akustische Signale (z. B. Klingel, Telefon) durch optische Signale (z. B. Blinklicht) ergänzen.

Gehörlosigkeit

- Räume hell, schattenlos und nicht blendend ausleuchten, um das Ablesen von den Lippen zu erleichtern,
- akustische Signale (z. B. Klingel, Telefon) mit optischen Signalen (z. B. Blinklicht) ergänzen.

Blindheit und Gehörlosigkeit

Bei Ausfall beider Sinnesorgane nimmt die betroffene Person ihre Umwelt ausschließlich durch Tasten und Riechen wahr, deshalb

- Gefahrenquellen vermeiden (z. B. Stufen, Schwellen, Kanten),
- Orientierungsmöglichkeiten durch taktile Elemente und Leitsysteme schaffen (z. B. Wechsel von Materialstrukturen),
- glatte, gut zu reinigende Wandoberflächen vorsehen, um hygienische Bedingungen zu schaffen und die Verletzungsgefahr so gering wie möglich zu halten (z. B. keinen rauen Putz verwenden),
- zusätzliche Orientierungsmöglichkeiten durch Geruchsinseln vorsehen (z. B. Pflanzen in Fluren). [5]

Riechen

Einflussgrößen der **olfaktorischen Wahrnehmung** sind:

- Intensität,
- Lokalisation,
- Bewegungsrichtung,
- Ausbreitungsgebiet.

Fühlen

Einflussgrößen der **kinästhetischen Wahrnehmung** sind:

- Intensität,
- Temperatur,
- Ausbreitungsgebiet,
- Rhythmus,
- Dauer,
- Oberfläche. [6]

Für die Planung

Der mit taktilen und haptischen Hilfen gestaltete Lebensraum ist besonders für Personen mit Seheinschränkungen oder Blindheit wichtig. Die Struktur und Art (weich – hart, kalt – warm) der Materialien helfen den Menschen dabei, sich zu orientieren.

5.3.2 Motorik

Einschränkungen des Bewegungs- und Stützapparates

Bei Schwierigkeiten beim Aufstehen und Niedersetzen, Ein- und Aussteigen aus der Badewanne gibt es Hilfsmittel, um die Belastung zu senken. Neben höhenverstellbaren WC-Sitzen, Stützgriffen und Katapultsitzen helfen Arthrosestühle zur Verbesserung der Sitzhaltung bei den Verrichtungen im Alltag. Gegenstände sollten in der richtigen Höhe aufbewahrt oder angeordnet werden, damit tiefes Bücken oder hohes Strecken vermieden wird. Je nach Grad der Behinderung ist Teil 1 oder Teil 2 der DIN 18040 zu berücksichtigen.

Mobilitätseinschränkungen und Funktionsausfälle stellen sich wie folgt dar:

- einseitig in der Greiffähigkeit eingeschränkt,
- beidseitig in der Greiffähigkeit eingeschränkt,
- einseitig nicht greiffähig,
- beidseitig nicht greiffähig,
- einseitig ohne Hand/Arm,
- beidseitig ohne Hand/Arm,
- begrenzt oder zeitweise gehfähig,
- nicht gehfähig,
- nicht gehfähig, einseitig bewegungseingeschränkt,
- nicht gehfähig, im Oberkörper bewegungseingeschränkt,
- nicht gehfähig, nicht aktiv bewegungsfähig,
- unkontrollierte Bewegungen der Arme, der Beine oder aller Gliedmaßen,

- eingeschränkte Koordination des Bewegungsapparates.

Für die Planung

Je nach dem Grad der Behinderung ist Teil 1 oder Teil 2 der DIN 18040 zu berücksichtigen.
Ausführungen zur DIN 18040 finden Sie in Kapitel 11.

5.3.3 Erkrankungen der inneren Organe

Herz- und Kreislaufinsuffizienz

Verminderte Leistung des Herz-Kreislauf-Systems schränkt den Aktionsradius des Betroffenen ein. Durch therapeutische Maßnahmen kann die Leistungsfähigkeit zurückgewonnen werden. Der barrierefreien Wohnung, die die körperlichen Anstrengungen gering hält, kommt dann eine besondere Bedeutung zu.

Für die Planung

Barrierefreie Erreichbarkeit der Wohnung und aller zum Wohnbereich gehörenden Räume gewährleisten (z. B. stufenlose Erreichbarkeit über den Aufzug).

Blasen- und Darminsuffizienz

Die Funktion der Blase und die des Darms können durch Entleerungsschwäche bis hin zur Schließunfähigkeit beeinträchtigt sein.

Für die Planung

- Bei Funktionseinschränkungen der Blase und des Darmes ist der Sanitärraum nach DIN 18040 Teil 2 zu planen.
- Bei Funktionsausfall der Blase und des Darmes ist der Sanitärraum nach DIN 18040 Teil 1 zu planen (Vom Toilettenbecken aus muss das Handwaschbecken oder die Handdusche einschließlich Armatur unmittelbar erreichbar sein, damit nach manueller Ausräumung eine Reinigung der Hände ohne Umsetzen beziehungsweise Berührung der Kleidung möglich ist.). Für Inkontinente ist stets ein eigener Sanitärraum vorzusehen.

5.3.4 Allergien

Bekannt sind sehr viele Auslöser von Allergien. Nachfolgend aufgeführte Maßnahmen sind zur Vermeidung der Hausstaub-, Schimmelpilz- und Pollenallergie geeignet.

Für die Planung

- Wahl der Heizung und Klimatisierung der Wohnung: eine Fußbodenheizung hat einen positiven Effekt gegen die Vermehrung von Milben;
- keine künstliche Luftbefeuchtung mit Geräten, die Flüssigkeiten zerstäuben oder verdunsten, sondern mit Geräten, die sie verdampfen;
- Gestaltung der Fußböden mit glatten, geschlossenen Oberflächen;
- Nachisolierung von zu dünnen Wänden oder Kältebrücken, die die Schimmelpilzbildung begünstigen können;
- die Ausbreitung von Schimmelpilzen wird durch eine gute Lüftung vermieden;
- Zimmerpflanzen geben Nahrung und Feuchtigkeit für Schimmelpilze;
- Schlafzimmer sollten wegen des Transportes von Pollen und Staub möglichst in der vom Wind abgewandten Seite des Hauses liegen;
- die Verwendung von strahlenden oder gasenden Materialien ist zu vermeiden,

hierzu gibt es ausreichend Hinweise in Büchern zum Thema Baubiologie;
- für den Allergiker sind die Waschbarkeit von textilen Materialien und die gute Reinigungsmöglichkeit von anderen Materialien sehr wichtig. Bei der Auswahl sollte er deshalb auf das Material und die Abnehmbarkeit von Polsterbezügen achten. In Lederausstattungen z. B. befindet sich in der Regel kein Milbenbefall;
- Teppich mit kurzem Flor lässt sich gut staubsaugen;
- Schlafzimmer nicht für andere Aktivitäten benutzen, z. B. als Hobby- oder Arbeitsraum;
- alte Matratzen durch neue synthetische ersetzen;
- offene Bücherregale als Staubfänger eher vermeiden;
- Staubsauger mit Mikrofilter verwenden;
- Fußböden aus Holz und Linoleum eignen sich als Bodenbeläge, da der Staub gut durch feuchtes Wischen aufgenommen werden kann;
- Schlafstätten von Haustieren sind besonders beliebt bei Milben, deshalb sind diese nicht in der Nähe von Allergikern unterzubringen;
- Tabakrauch ist einer der wichtigsten Luftschadstoffe in Räumen.

5.3.5 Psychische Erkrankungen wie Demenz, Depressionen, Psychosen

Psychische Erkrankungen können verschiedene Auslöser haben wie den Verlust eines Menschen oder auch eine schwere Erkrankung. Depressive Symptome werden oft mit einer Demenz verglichen. Doch gibt es hier eine differentialdiagnostische Abgrenzung, wie in der folgenden Gegenüberstellung gezeigt wird.

Das Thema **Demenz** wird ausführlicher im **Kapitel 7** behandelt.

Depressionen	Demenz
Die Störung wie auch deren Beginn ist erkennbar und relativ genau festlegbar.	Die Störung wird selten von Beginn an als solche wahrgenommen.
Der Verlauf der Störung schreitet anfänglich schnell voran.	Langsamer Verlauf und nur allmähliche Zunahme der Symptome.
Einschränkungen werden auch im Einzelnen deutlich beschrieben und geäußert.	Einschränkungen werden eher vage beschrieben; es wird eher versucht, die kognitiven Störungen zu vertuschen.
Das soziale Verhalten ändert sich früh, die Aufgeschlossenheit geht zurück.	Die soziale Aufgeschlossenheit ist kaum beeinträchtigt.
Konzentration ist zumeist vorhanden.	Aufmerksamkeit und Konzentration sind zunehmend gestört.
Das Erinnerungsvermögen für aktuelle wie auch für weit zurückliegende Ereignisse ist für beide Zeiträume gleich reduziert.	Die Gedächtnisleistungen sind für aktuelle Ereignisse geringer als für weit zurückliegende.
Die Motivation für Leistung ist rückgängig bis nicht vorhanden.	Die Motivation für Leistungen und die Bemühung, Einbußen auszugleichen, sind vorhanden. [7]

Für die Planung

Bei Menschen mit Demenzerkrankung sollte die Wohnraumanpassung so unauffällig und behutsam wie möglich erfolgen. Vertraute Gegenstände sollten erhalten bleiben. Denn nur Vertrautes schafft Geborgenheit – jede Veränderung lässt Ängste aufkommen.

Ziele der Anpassungen sollten sein:

- Wahrung der Autonomie,
- Förderung der Selbstständigkeit,
- Erhalt und Förderung der Lebensqualität,
- individuelle Fähigkeiten und Vorlieben erhalten und fördern,
- Abneigungen berücksichtigen,
- Förderung der Ressourcen,
- Entlastung von Angehörigen und Pflegepersonal.

5.3.6 Nervenerkrankungen

Multiple Sklerose (MS)

Es handelt sich um eine Erkrankung des zentralen Nervensystems (Gehirn und/oder Rückenmark), deren Ursache noch nicht bekannt ist. Die Krankheit kann in Schüben verlaufen, die in unterschiedlichen Zeitabständen und unterschiedlicher Stärke auftreten. Je nachdem, welcher Teil des zentralen Nervensystems betroffen ist, können u. a. Sehstörungen, Blasen- und Mastdarmstörungen, Koordinationsstörungen, Gangunsicherheit und Lähmungen auftreten. Die Benutzung eines Rollstuhles kann erforderlich werden.

Für die Planung

Um einen Umzug im fortgeschrittenen Stadium zu vermeiden, ist die Wohnung für Multiple-Sklerose-Erkrankte nach DIN 18040 Teil 2 zu gestalten.

Poliomyelitis (Polio)

Die Nervenzellen des Rückenmarkes werden durch eine Virusinfektion zerstört. Betroffen sind Muskelgruppen der Beine, des Rumpfes oder des Schultergürtels, wobei einzelne Muskelbereiche ihre Funktion behalten können. Hände, Arme, Oberkörper und Beine können in ihrer Bewegungsfähigkeit ausfallen.

Für die Planung

Je nach dem Grad der Behinderung kommt für den Poliokranken eine Wohnung nach DIN 18040 Teil 2 in Betracht.

5.3.7 Rheuma und Arthrose

Die Mobilität ist je nach Befall der Gelenke und der Wirbelsäule beeinträchtigt.

Für die Planung

Im fortgeschrittenen Stadium der Krankheit kann im Einzelfall der Bezug der Wohnung nach DIN 18040 Teil 2 erforderlich sein.

5.3.8 Mehrfache und sonstige Behinderungen

Behinderungen, die im Kinder- oder Jugendalter ausgelöst werden

Bei Dysmelie (Fehlbildung der Gliedmaßen) treten die Fehlbildungen in verschiedenen Formen auf:

- Amelie: angeborenes Fehlen von Gliedmaßen,
- Phokomelie: Hände und/oder Füße befinden sich ohne Arme bzw. Beine an den Schultern bzw. Hüften.

Selbstständigkeit ist bis zu einem gewissen Grad erreichbar (bei Amelie übernimmt der Mund Funktionen der Hand, z. B. Blassteuerung von Rollstuhl und Auto). Greifabläufe und Reichweiten können begrenzt sein.

Für die Planung

In der Regel können die Maße nach DIN 18040 Teil 2 zugrunde gelegt werden, darüber hinaus sind individuelle Bedürfnisse zu berücksichtigen. Für Rollstuhlfahrer ist Teil 1 anzuwenden.

Infantile Zerebralparese (CP)

Infantile Zerebralparese ist ein Sammelbegriff für verschiedene Folgezustände angeborener oder bei der Geburt oder in der frühen Kindheit eingetretener Hirnschädigungen. Sie können z. B. verursacht werden durch eine Virusinfektion der Mutter während der Schwangerschaft, durch unzureichende Sauerstoffversorgung während oder unmittelbar nach der Geburt oder durch eine Infektion des Gehirns. Die Funktionseinschränkungen im Einzelfall hängen von der Art der Grundkrankheit oder Schädigung und dem Zeitpunkt des Schadensereignisses ab. So treten z. B. Koordinationsstörungen und spastische Lähmungen eines oder mehrerer Gliedmaßen oder einer Körperseite auf.

Für die Planung

Je nach dem Grad der Behinderung muss die Wohnung nach DIN 18040 Teil 2 entsprechen.

Kleinwuchs

Kleinwuchs kann Folge einer Reihe seltener angeborener oder erworbener Krankheiten sein.

Für die Planung

Wegen der kleinen Körpermaße sind der Greifbereich und die Sichthöhe begrenzt. Individuell ist auf notwendige Höhen zu achten (z. B. Fensterbrüstungen, Möbel). Darüber hinaus erhöht sich die Anzahl notwendigen Stellflächen für Schränke, da Oberschränke bzw. die oberen Fächer nicht erreichbar sind. DIN 18040 Teil 2 wird dieser Anforderung gerecht.

Progressive Muskeldystrophie (MD)

Progressive Muskeldystrophie ist eine genetisch bedingte, degenerative Erkrankung der Skelettmuskulatur an Rumpf und Gliedmaßen. Die Muskelschwäche schreitet unterschiedlich rasch fort. Durch die Rückentwicklung der Muskeln geht die Bewegungsfähigkeit bis hin zur Lähmung schrittweise verloren. Im fortgeschrittenen Stadium ist der Muskeldystrophiekranke auf einen Elektrostuhl angewiesen.

Für die Planung

Um einen Umzug im fortgeschrittenen Stadium zu vermeiden, ist die Wohnung für Muskeldystrophiekranke nach DIN 18040 Teil 2 zu gestalten.

6 Kategorien der Barrieren

6.1 Vertikale Barrieren

Höhenunterschiede sind Hindernisse insbesondere für ältere Menschen, Gehbehinderte und Rollstuhlfahrer – aber auch für Sehbehinderte.

Bauliche Probleme:

- Bordsteinkanten,
- Stufen,
- Schwellen (Durchgänge, z. B. vom Wohnzimmer zum Balkon),
- Ein-/Ausstiege in Dusche oder Wanne.

Schlussfolgerung

Wohnungen sollten grundsätzlich schwellenlos gestaltet und unvermeidliche Höhenunterschiede mit Rampen oder mechanischen Fördersystemen passierbar gemacht werden.

6.2 Horizontale Barrieren

Ungenügende Durchgangsbreiten bilden besonders für Menschen mit Gehbehinderungen und Rollstuhlfahrer ein oft unüberwindbares Hindernis.

Abb. 6.1 und 6.2 In öffentlichen Gebäuden oder Anlagen sollten neben Treppen und Differenzstufen immer rollstuhlgerechte Zugänge zu allen Eingängen und Parkflächen vorhanden sein. *Fotos: EHL AG, Kruft*

Bauliche Probleme:

- zu schmale Türen,
- zu enge Flure.

Schlussfolgerung

Wohnungen müssen in allen Bereichen für Gehbehinderte mit Gehhilfen und Rollstuhlfahrer ohne Beschränkung erreichbar sein.

6.3 Räumliche Barriere

Fehlende Bewegungsflächen stellen meist bei älteren Menschen mit Gehbehinderung oder anderen Bewegungsstörungen Barrieren dar.

Bauliche Probleme:

- zu kleine Räume,
- zu wenig Platz vor Waschtischen,
- unzweckmäßige Kücheneinrichtungen,
- zu viel Mobiliar.

Schlussfolgerung

Besonders Gehbehinderte und Rollstuhlfahrer haben einen erhöhten Bedarf an Bewegungsflächen. Diese Flächen müssen auch in der eigenen Wohnung zur Verfügung stehen.

6.4 Anthropometrische Barrieren

Selbst Bedienungselemente und visuelle Informationen, in falscher Höhe montiert, können große Probleme bereiten.

Bauliche Probleme:

- Griffe zu hoch,
- Griffe zu tief,
- Waschtisch zu hoch montiert,
- Waschtisch zu niedrig montiert,
- Hausnummer zu klein,
- Klingelplatte zu klein.

Schlussfolgerung

Das Maß aller Dinge muss der Mensch sein; entsprechende Maßangaben sind zu finden in DIN 18024 und 18040 Teile 1 und 2.

6.5 Ergonomische Barrieren

Ungeeignete oder fehlende Hilfen an Türen, Möbeln und im Bad können schnell zu einer Überbeanspruchung des Bewohners führen.

Bauliche Probleme:

- fehlende Handläufe,
- zu lange Treppen ohne Sitzgelegenheit,
- keine Haltegriffe am WC,
- keine Haltegriffe in der Wanne,
- keine Sitzgelegenheit in der Dusche.

Schlussfolgerung

Hier helfen insbesondere Hilfsmittel wie z. B. Sitz- und Haltegriffe mit geeigneten Profilquerschnitten, Türdrücker statt Türknauf, Handläufe in Fluren, Zugehgriffe an Türen etc.

6.6 Sensorische Barrieren

Unübersichtliche und unklare Gestaltungen von Wohnungen, deren Fluren und Zugängen bilden sensorische Barrieren.

Bauliche Probleme:

- schlecht lesbare Informationen,
- ungeeignete Beleuchtungen,
- kontrastarme Farben,
- keine optischen Hinweise für Hörgeschädigte.

Schlussfolgerung

Sinnvoll ist es immer, mehrere Sinne anzusprechen und daneben auf eine klare und anschauliche Gestaltung zu achten.

7 Demenz

7.1 Was ist Demenz?

Unter Demenz (lat. *Dementia*: ohne Verstand/ ohne Geist) versteht man eine fortschreitende, nicht heilbare Erkrankung des Gehirns, bei der so wichtige Leistungen wie das Gedächtnis, das räumliche Orientierungsvermögen oder auch die Sprache zunehmend schlechter funktionieren. Die häufigste Form der Demenzerkrankungen ist die **Alzheimer-Demenz**. Rund 60 % aller Demenzen werden durch eine Alzheimer-Demenz hervorgerufen.
An Demenz leiden in Deutschland etwa 1,2 Millionen Menschen (Stand 2007) – mit steigender Tendenz. Der Grund: das Risiko steigt mit zunehmendem Alter.
So leidet im Alter zwischen 65 und 69 Jahren jeder Zwanzigste an einer Demenz, aber zwischen 80 und 90 ist schon jeder Dritte betroffen. Auf Grund der demografischen Entwicklung wird nach Meinung von Experten eine Zunahme an Demenzkranken für das Jahr 2030 auf 2,5 Millionen Betroffene erwartet.
Die Krankheit verläuft schleichend, und im Laufe der Zeit gehen immer mehr Nervenzellen zu Grunde.

Neben der Alzheimer-Demenz ist die zweithäufigste Demenzerkrankung die **vaskuläre Demenz**, deren Ursache wiederholte Durchblutungsstörungen im Gehirn sind. Eine solche Demenz kann durch einen Schlaganfall hervorgerufen werden.

Eine weitere Demenzform ist die **Parkinson-Demenz.**
Weiterhin sind Demenzformen bekannt, die durch Entzündungen, Tumore oder Verletzungen des Gehirns hervorgerufen werden. Im Gegensatz zur Alzheimer-Demenz suchen von dieser Demenz betroffene Patienten selbst einen Arzt auf, um Hilfe zu finden.

Am Beginn der Alzheimer-Demenz-Erkrankung stehen folgende Beeinträchtigungen:

- nachlassende Gedächtnisleistung (besonders das Kurzzeitgedächtnis),
- verminderte Lernfähigkeit (Sprache, sich etwas einprägen),
- verminderte Orientierungsfähigkeit (sich räumlich und zeitlich zurechtfinden),
- verminderte motorische Handlungsfähigkeit (etwas in der richtigen Reihenfolge und aufeinander abgestimmt tun),
- nachlassende Lesefähigkeit (Informationen richtig aufnehmen, zuordnen und miteinander verknüpfen),
- Sprachschwierigkeiten (Wortfindungsstörungen),
- nachlassende Rechenfähigkeit (beim Ausfüllen von Formularen),
- Verhaltensänderungen (Leider wurden diese lange bei Demenzerkrankten unterschätzt. Sie zeigen sich in ganz unterschiedlichen Formen wie sozialer Rückzug, Depressionen, Schlafstörungen

und Umherirren, Unruhe, zeitloses Umherwandern, Misstrauen, Feindseligkeit und Aggression.).

Ist später zunehmend das Langzeitgedächtnis betroffen, gehen auch Erinnerungen verloren. Sprachstörungen nehmen zu. Selbst in vertrauter Umgebung stellen sich Unsicherheit und Orientierungslosigkeit ein, vertraute Abläufe im Haushalt funktionieren nicht mehr. Die Gefahr eines Sturzes wird immer größer.

7.2 Merkmale der drei Einstufungen von Demenz-Erkrankungen

7.2.1 Merkmale einer leichten Demenz

- Leichte Gedächtnisbeeinträchtigungen, insbesondere für kurz zurückliegende Ereignisse, treten auf.
- Leichte Beeinträchtigungen der intellektuellen Leistungsfähigkeit bestehen, die sich auf psychosoziale Leistungen und auch auf die Ausübung tagtäglicher Aktivitäten auswirken.
- Die Orientierungsfähigkeit in fremder Umgebung nimmt ab. Es besteht die Tendenz, sich zu verirren; auch früher bekannte Orte werden nicht immer wiedererkannt.
- Die Orientierung in der Zeit (Tages-, Wochen- und Jahreszeit) nimmt ab. Es treten Schwierigkeiten auf, die richtigen Worte zu finden (Wortfindungsstörungen), der Wortschatz reduziert sich, es wird zunehmend schwieriger, sich klar auszudrücken.
- Nichtkognitive Symptome machen sich durch Gleichgültigkeit, Unsicherheit, depressive Verstimmung oder auch Unruhe bemerkbar.
- Die Motorik wird als normal beschrieben. Der Demenzerkrankte ist noch in der Lage, sich alleine in den eigenen Räumen zurechtzufinden. Eine Abhängigkeit von anderen ist noch nicht gegeben.

7.2.2 Merkmale einer mittelschweren Demenz

- Der Grad der Gedächtnisbeeinträchtigung macht es dem Kranken schwer, einen eigenständigen Haushalt zu führen. Das Alltagsleben kann kaum noch ohne fremde Hilfe bewältigt werden. Insbesondere das Kurzzeitgedächtnis ist tiefgreifend gestört; aber auch die Erinnerungen an frühere Ereignisse gehen verloren.
- Die Orientierung selbst in vertrauter Umgebung geht verloren. Das Wiedererkennen der eigenen Wohnung/des Zimmers sowie vertrauter Personen gelingt immer seltener.
- Die Sprachfähigkeit und das Sprachverständnis sind zunehmend gestört. Es kommt im weiteren Verlauf der Krankheit zu Wortverwechslungen und Silbenverdrehungen.
- Es können keine einfachen Berechnungen mehr vorgenommen werden. Das Urteilsvermögen ist schwer gestört.
- Nichtkognitive Symptome sind durch Unruhe, Aggressivität, Wahn oder Sinnestäuschungen gekennzeichnet.
- Die Motorik ist gesteigert durch Unruhe und den Drang umherzuwandern. Es kann zu Aggressionen kommen (körperlich und verbal).

7.2.3 Merkmale einer schweren Demenz

- In diesem Stadium ist das Gedächtnis sehr stark beeinträchtigt. An frühere Ereignisse kann sich, wenn überhaupt, nur fragmentarisch erinnert werden.
- Die Sprachfähigkeit kann völlig verloren gehen.
- Das Vermögen der Eigenversorgung ist nicht mehr vorhanden. Harn- und Stuhlinkontinenz treten auf.
- Die Motorik ist eingeschränkt. Das Stehen wird unsicher, häufiges Fallen oder auch

Gliederstarre können auftreten. Schluckstörungen, zerebrale Krampfanfälle und letztlich Bettlägerigkeit sind Symptome im Stadium schwerster Demenz.

- Häufige Unruhe im Wechsel mit Teilnahmslosigkeit, verstärkte Suche nach emotionaler Zuwendung.

Um zu entscheiden, ob und wie eine Wohnraumanpassung vorzunehmen ist, muss geklärt werden, in welchem Stadium sich der Erkrankte befindet. So ist es in der ersten Stufe durchaus möglich, in der gewohnten Umgebung zu bleiben.
In der zweiten Stufe sollte nach dem Rat der Ärzte entschieden werden, inwieweit ein Wohnen zu Hause mit häuslicher Pflege noch möglich ist.
In der dritten Stufe ist das Wohnen in einer Demenzwohngruppe das Günstigste. Auf diese Wohnform wird noch gesondert eingegangen.

7.3 Hilfreiche Kommunikationsregeln im Umgang mit Demenzerkrankten

Hören und Aufmerksamkeit

Nicht lauter als gewöhnlich sprechen, im Blickfeld der Person bleiben, für eine ruhige Umgebung sorgen und nicht zwei Dinge gleichzeitig machen (z. B. nicht beim Ausprobieren des Badebettes über eine Sitzmöglichkeit am Waschbecken reden).

Verständigung

Z. B. in kurzen, deutlichen Sätzen sprechen; keine Fragen mit mehreren Auswahlmöglichkeiten stellen; Fragen möglichst erst kurz vor der Handlung stellen; berücksichtigen, dass Informationsverarbeitung mehr Zeit braucht.

Keine Überforderungen

D. h., keine Fragen aus junger Vergangenheit stellen, über das sprechen, was man jetzt

Orientierungshilfen

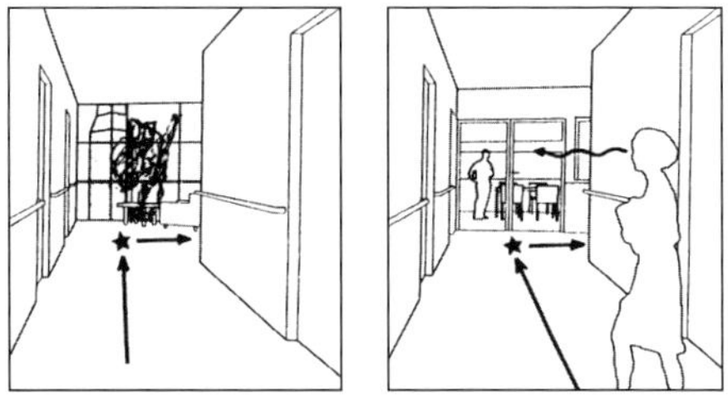

1. Blickrichtung zum Flurfenster

2. Gegenstände aus früheren Zeiten erleichtern die Orientierung.

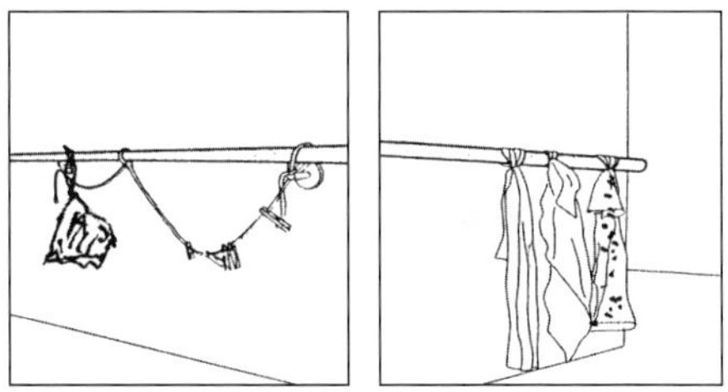

3. Taktile Handläufe mit zusätzlichen Gegenständen, wie z. B. u. a. Wäscheleine, Handtücher

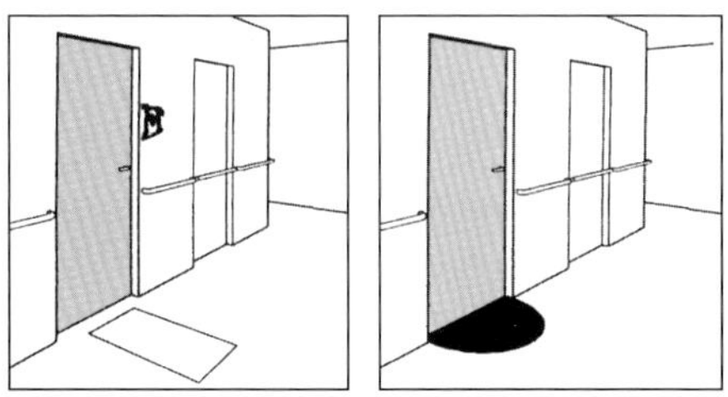

4. Eingangsorientierung durch unterschiedliche Fußmatten und gegebenenfalls Türschild mit persönlichem Foto oder Foto von früheren Hobbys. [8]

hören, riechen, schmecken, sehen kann; über Dinge von früher sprechen; an frühere Interessen, Gewohnheiten und Beschäftigungen anschließen; nicht nur fragen, auch von sich selbst erzählen.

Ton und Haltung

Nicht flüstern, den Menschen mit Demenz als Erwachsenen ansprechen und in Entscheidungen einbeziehen; nicht über ihn in seiner Anwesenheit in der dritten Person sprechen. Freundlichkeit und Lächeln sind die Voraussetzungen für gelungene Kommunikation. Bei Ausdrucksschwierigkeiten des Menschen mit Demenz so entspannt wie möglich reden; nicht zu lange auf Antworten drängen, wenn das Gedächtnis versagt; kein Verstehen vortäuschen, sondern das wiederholen, was verstanden wurde.

Gefühle

Hilfreich ist zu versuchen, die Gefühle des Menschen mit Demenz nachzuvollziehen und ihn durch die Reaktion nicht zu brüskieren, sondern zu trösten. Je fortgeschrittener die Demenz, umso wichtiger ist der körperliche Kontakt.

Bei der Wohnraumberatung ist es wichtig, sich bewusst zu sein, dass unterschiedliche Ursachen für Demenz bestehen und von daher auch unterschiedliche Folgeerscheinungen existieren. Bei allen Demenzformen ist jedoch Folgendes charakteristisch:

- die Unfähigkeit der Selbsteinschätzung, Gefahren werden nicht rechtzeitig erkannt;
- Mobilität und Bewegungsdrang unterscheiden sich in den Krankheitsstadien nur durch ihre Intensität.

Deshalb müssen die unterschiedlichen Bedürfnisse berücksichtigt werden.
Anpassungsmaßnahmen bei Menschen mit Demenz sollten einfach und leicht verständlich sein. Sie dürfen nicht zu weiterer Verwirrung führen. Maßnahmen, die Sinnes- und Denkfunktionen unterstützen, sind sinnvoll. Ebenso ist es hilfreich, Mobilität und die Weiterführung gewohnter Aktivitäten durch die entsprechende Gestaltung der Wohnung so lange wie möglich zu fördern.
Die zeitliche Orientierung kann durch Uhren mit arabischem Zifferblatt, Kalender, Blumen und Essen nach Jahreszeit sowie ritualisierte Handlungsabläufe unterstützt werden.
Die örtliche Orientierung innerhalb der Wohnung kann z. B. durch verständliche Kennzeichnung von Türen und der dahinter liegenden Räume, durch das Offenlassen oder die Beseitigung von Türen oder durch Einbau von Glastüren erleichtert werden. [7] [8]

8 Psychologische Wirkung von Farben

Licht und Farbe bilden eine Einheit. Ohne Licht ist auf der Erde wohl auch kein Leben möglich. Direkt oder indirekt sind alle Lebewesen von der Lichtenergie abhängig.

Der Mensch ist auf farbiges Sehen ausgerichtet, und der Hell-Dunkel-Rhythmus bestimmt sein Leben.
Ohne Übertreibung kann man wohl sagen, dass ausnahmslos jeder Mensch von den Farben seiner Umgebung berührt und ebenso geformt wird. Schöne Farben und Lebenslust sind eins. Beides beflügelt unsere Gedanken und Gefühle, beides weckt Erinnerungen und Träume und wirkt wie der Schlüssel zu unseren verborgenen Sehnsüchten.

Wenn wir hier von Farbe sprechen, meinen wir farbiges Licht. Wenn Licht auf irgendwelche Gegenstände auftrifft, werden die Lichtstrahlen unterschiedlich reflektiert und absorbiert. Die Dinge erscheinen farbig. Die Physik beschreibt Licht als elektromagnetische Schwingung: Jede Wellenlänge entspricht einer bestimmten Farbe, genau in der Anordnung der Regenbogenfarben. Wellenlängen von 700 Nanometern sehen wir als Dunkelrot, Wellenlängen von 400 Nanometern registriert das Auge als Dunkelviolett. Dazwischen liegt das schmale Lichtband von Farben, die wir optimal wahrnehmen können.

Bei Farben handelt es sich um eine durch Aufnahme bestimmter Wellenlängen oder Wellenlängengemische des Lichtes im Auge entstehende Empfindung. So lässt sich auch erklären, weshalb selbst schwerst Sehbehinderte Farben wahrnehmen.
Das auf das Auge treffende Licht führt nicht nur zur Wahrnehmung von Licht, Form und Farbe. Es beeinflusst auch vielfache vegetativ gesteuerte Vorgänge im menschlichen Organismus.

Abb. 8.1 Licht und Schatten – ohne Licht keine Farbe

8.1 Wirkung des Lichts auf den Menschen

Licht, das auf das Auge trifft, hat wichtige Funktionen. Zum einen fließen ca. 25 % der Lichtenergie dem Sehvorgang zu und wirken auf physikalisch-optischem Wege, weiter beeinflussen 75 % der Lichtenergie über den energetischen Anteil der Sehbahn wichtige biologische Funktionen (z. B. Vitaminsynthese, Wohlbefinden, aber auch im Gegensatz dazu die Winterdepression).

Licht, Farbe und Sehen sind als Ganzes für Körper und Seele verantwortlich. Das Spektrum des Sonnenlichts vom ultravioletten bis zum infraroten Bereich und die sich im Laufe des Tages verändernde Farbtemperatur (vom Morgenrot- bis zum Abendroteffekt) beeinflussen die biologische Körpersteuerung. All diese Bedingungen vom Sonnenaufgang bis zum Sonnenuntergang können technisch nachvollzogen werden (s. a. Abb 8.6) – eine Möglichkeit, die man sich auch in der Therapie zu Nutze macht. Über schwenkbare Reflektorensysteme wird die Farbtemperatur verändert. Die Helligkeit wird morgens gesteigert und fällt abends wieder ab.

Da wir die meiste Zeit des Tages vom UV-Licht durch eine Glasscheibe abgeschirmt sind, leiden viele Menschen unter Lichtmangel, der für zahlreiche Zivilisationskrankheiten verantwortlich gemacht wird. Dem wirkt das **Wendel-Biolicht-System** entgegen. Mit seiner Hilfe konnten verschiedene Therapieerfolge an Testpersonen nachgewiesen werden.

Indikationsfaktoren sind:

- Erhaltung und Steigerung der Vitalität und Lebensqualität;
- Vorbeugung gegen Zivilisationskrankheiten wie Osteoporose, Diabetes, Depressionen, Bluthochdruck, zu hoher Cholesterinspiegel usw.

Erfolge zeigten sich durch

- Wiedereintreten der normalen Blutdruckregulation;
- erhebliche Verbesserung der Blutzuckerwerte bei Diabetikern;
- deutliche Verbesserung bei Migräne bis hin zur vollständigen Heilung;
- Aufhellung der Persönlichkeit beim Wechseljahresyndrom mit Depressionen bei Frauen;
- Reduzierung der Infektionsanfälligkeit besonders bei Kindern. [9]

8.2 Farbzuordnungen

Vielen ist der Farbkreis nach Goethe vertraut, in dem die Farben in Sekundär- und Primärfarben eingeteilt sind.
So sind die Primärfarben (1. Ordnung) Rot, Blau, Gelb.
Die Sekundärfarben (2. Ordnung) sind Grün, Orange, Violett, wobei diese aus jeweils zwei Grundfarben gemischt sind.

Der Farbkreis nach Itten weist jedoch noch eine 3. Ordnung auf.
Unbunte Farben sind Weiß und Schwarz. Sie hellen auf oder machen dunkler. Sie werden auch Tonwerte genannt.

Abb. 8.2 Der Farbkreis nach Johannes Itten

In einem monochromen Farbgefüge ist eine Farbe des Farbkreises aufgehellt und/oder abgedunkelt.
In einem polychromen Farbgefüge sind zwei oder mehrere Farben aufgehellt und/oder abgedunkelt.
Farbkontraste existieren nach Itten in mehrfacher Hinsicht.

1. Der **Farbe-an-sich-Kontrast** ist der einfachste Farbkontrast. Die Grundfarben geben untereinander den stärksten Ausdruck des Farbe-an-sich-Kontrastes.

2. Der **Hell-Dunkel-Kontrast** ist ein optischer Primärkontrast. Ohne ihn gibt es keine deutlichen Unterscheidungen in der Dingwelt. Zwischen Hell und Dunkel gestaltet sich die gesamte optische Welt, alle Farben, alle Grautöne.

3. Der **Kalt-Warm-Kontrast** beruht auf subjektiven Empfindungen. Rot-orange gilt als wärmste, Blaugrün als kälteste Farbe. Temperaturempfindungen von Farben sind immer relativ.

4. Der **Komplementär-Kontrast**: Zwei pigmentäre Farben, die zusammengemischt ein neutrales Grau ergeben, sind komplementäre Farben. Auf dem Farbkreis liegen sie sich diamental gegenüber.

5. Der **Simultan-Kontrast** ist optischer Komplementärkontrast. Zu einer gegebenen Farbe bildet sich im Gehirn gleichzeitig (simultan) die Gegenfarbe und überflutet eine real gegebene, benachbarte Farbfläche, die sich dadurch scheinbar verändert.

6. Eine Farbfläche wirkt auf weißem Grund dunkler und kleiner, auf schwarzem Grund hingegen heller und größer.

7. Der **Qualitäts-Kontrast** ist ein Kontrast zwischen leuchtender und getrübter Farbe, ausschlaggebend für den Reinheits- und Intensitätsgrad der Farbe. Er bezieht sich nach Itten auf das Größenverhältnis von zwei oder mehreren Farbflecken und ist also der Gegensatz ›viel und wenig‹ oder ›groß und klein‹. Damit die Wirkung der reinbunten Farben gleich groß ist, müssen sie nach Goethe in folgenden Mengenverhältnissen vorliegen:

Gelb zu Violett = 1:3
Orange zu Blau = 1:2
Rot zu Grün = 1:1. [10]

Tabelle 8.1 Wirkung der Farben

Farbe	Visuell-optische Wirkung	Synästhetische (mitempfind.) Wirkung	Aktivität	Beispiele
Gelb	hell, nah, strahlend	warm, leicht, locker	anregend, belebend	Sonne
Orange	hell, nah, vordergründig	warm, laut, trocken	erregend, aktivierend	Orange
Rot	nah, strahlend	warm, laut, schwer	erregend, aufreizend	Tomate, Gefahr, Liebe, Signalfarbe
Rosa	fern	süßlich	eher langweilig	Haut, Schwein
Purpur	nah	schwer	anheimelnd, vermittelnd	Königsamt
Violett	düster	schwer	befremdend	Aubergine, Gewitterstimmung
Blau	dunkel, fern	schwer, still, dicht	passiv	Himmel, Wasser
Hellblau	fern	kühl, still, klar	passiv	Himmel, Winter
Grün	fern	kühl, still, schwer	beruhigend	Bäume, Wiese

Durch Farbe kann die Wirkung von Räumen auf den Nutzer beeinflusst werden:

- warme Farben treten in den Vordergrund, sind nah,
- kalte Farben treten in den Hintergrund, wirken fern,
- reine Farben wirken nah, vordergründig,
- getrübte Farben wirken fern,
- dunkle Farben sind vordergründig,
- helle Farben wirken nah.

Bei der Gestaltung von Gebäuden und ihren Innenräumen sollte deshalb die Farbwirkung berücksichtigt werden.
Grundfarben sollten nicht als reine Farben zum Einsatz gelangen, da sie auf Flächen zu kräftig und zu schwer wirken. Hier sind Abtönungen in zarten Stufen erforderlich, gewollte Akzente hingegen können durchaus in kräftigen Farben gesetzt werden.

Farbbeispiele für Wohnraumgestaltung

Hauptfarben sind den Wänden und Decken vorbehalten.
Nebenfarben sind für Bodenbelag, Möbel, Türen und Fenster
Akzentfarben passen Wohnaccessoires, Bilder, Lampen usw. farblich in einen Raum ein.

8.3 Was ist bei der Gestaltung von Gebäuden und Wohnbereichen zu berücksichtigen?

Jedes Gebäude ist in sich als geschlossener Baukörper zu sehen, wobei die Gestaltung auch unter Berücksichtigung der Außenfassade erfolgen sollte.
Der Empfangsbereich sollte hell und freundlich wirken und mit Hilfe eines Farbkonzepts eine gute Orientierung bieten. Denn Farbe dient der Orientierung, was man sich hier zu Nutze machen kann.

Nicht nur die Farben der Wände und Decken sind allein ausschlaggebend, hier müssen alle weiteren Einrichtungsfaktoren ebenso berücksichtigt werden. Da mit zunehmendem Alter eine Linsentrübung einsetzt und die Wahrnehmung nachlässt, können besonders dunkle Farben angstauslösend wirken und polierte Flächen eine Rutschgefahr vermitteln. Bodenbelag sollte weder großgemustert noch poliert sein.
Eine gute Ausleuchtung trägt zu einem wohnlichen Ambiente bei. Die Beleuchtung sollte möglichst blend- und schattenfrei sein.

Bilder und Blumen schaffen zusätzlich eine wohnliche Atmosphäre.

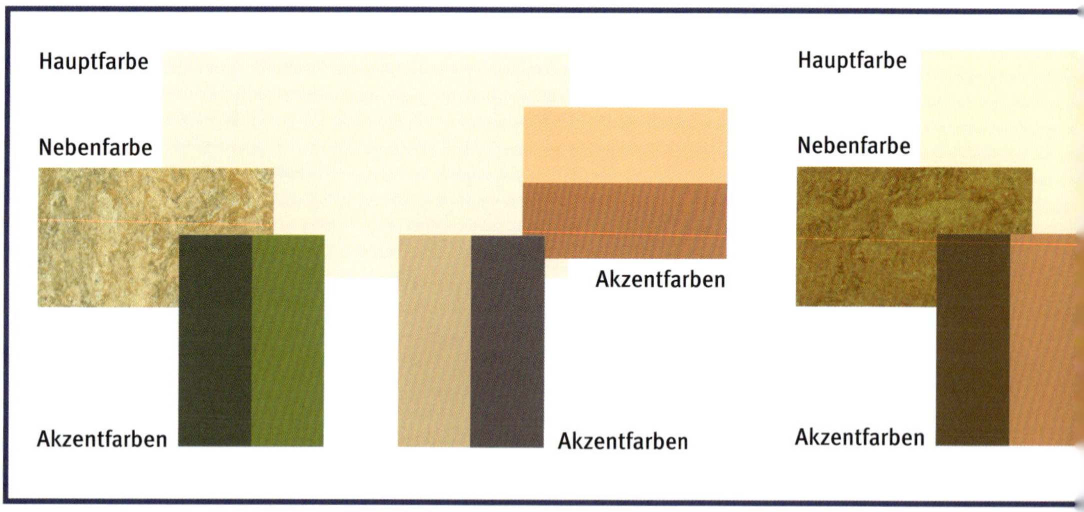

Tabelle 8.2 Übersicht der Farbwirkung im Raum (Wand, Decke, Boden) [11]

Farbe	Decke	Wand	Boden
Gelb wirkt	leuchtend, anregend;	bei satter Farbe eher erregend bis irritierend; wärmend;	berührungsfremd, ablenkend (wenn satt), als Streifen: trennend-fordernd, motorisch erregend;
Orange wirkt	anregend bis aufregend;	wärmend, leuchtend, kommunikativ;	motorisch erregend;
Rot wirkt	eingreifend, beunruhigend;	sich nähernd bis aggressiv;	bewusst machend (man schreitet auf dem roten Teppich);
Blau wirkt	wenn hell: himmelartig, wenig greifbar; erhöhend, wenn dunkel: schwer bis sogar drückend;	kühlend, fern (wenn hell), ermutigend und vertiefend (sich sammeln lassen), wenn tief beruhigend, raumerweiternd;	besonders bei heller Nuance enthebend, zum Gleiten anregend, zuweilen verfremdend, dunkles Blau raumvertiefend, besonders als Teppich;
Violett wirkt	verunsichernd lastend;	magisch;	ungewisser Aufforderungs-charakter;
Grün wirkt	hegend, deckend (blaugrün auch kühlend), Vorsicht: eventuell Reflexe auf Gesichts-farbe;	kalt bis neutral umgren-zend, sichernd, beruhi-gend, grell: irritierend;	natürlich bis zu einem gewissen Sättigungsgrad, auch weich, tritt-freudig, erholsam, wenn mehr blaugrün und glatt, dann rutschig, kalt;
Weiß wirkt	offen;	neutral, leer, avital;	unbetretbar, fremd, als Streifen säuberlich;
Grau wirkt	schattend;	neutral bis langweilig;	neutral, texturgemäß;
Schwarz wirkt	lochartig bis drückend;	vlieshaft;	abstrakt, vertiefend, befremdend;
Braun wirkt	deckend, wenn dunkel: drückend;	umgebend: eingehend, sichernd (bes. als Holz, weniger als Anstrich, noch weniger als Glanzoberfläche);	erdhaft trittsicher (besonders als Teppich).

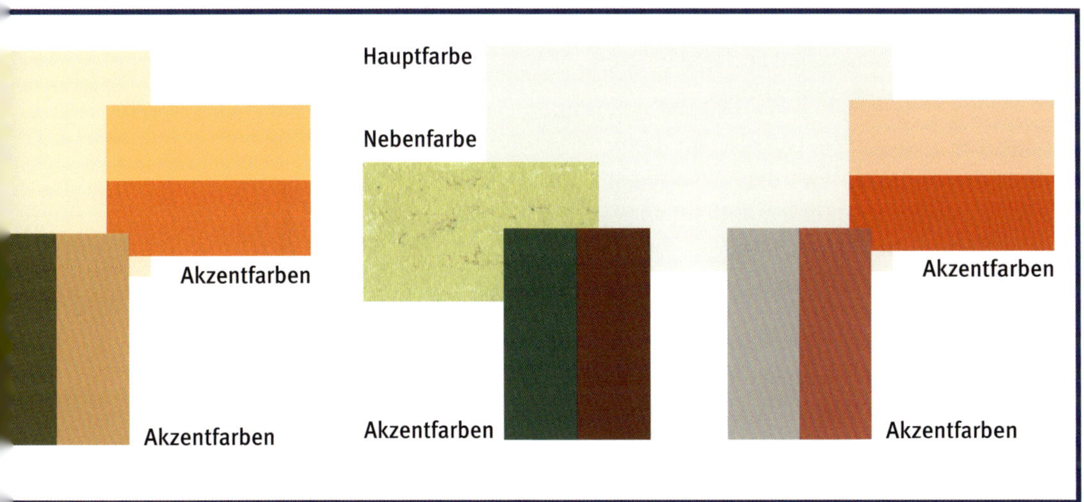

Bei der Farbauswahl sollten warme Farbtöne vorrangig zum Einsatz kommen.

Weiß und Grau sind Farben, die Angst auslösen, deshalb sollte von dem klinischen Weiß Abstand genommen werden.
Nachgewiesen ist, dass sich die Bewohner in solchen Räumen zurückziehen, schweigsam werden und viel oder gar nicht schlafen.

Untersuchungsergebnisse zeigen, dass auf Grund von Farbgestaltungen gefühlte Wärmeunterschiede bis zu 6 °C nachweisbar sind. Finden Farben im Bereich der Gelb-Orange-Rot-Tönungen Verwendung, wird bspw. körperlich spürbare Wärme suggeriert.

Wie sollte nun ein Zimmer farblich gestaltet sein?

Schöne, farbig gestaltete Räume erfreuen unser Herz und erhöhen unser Wohlbefinden.
Für die Wände sind warme Farben zu wählen. Farbig abgesetzte Decken dienen der besseren Orientierung. Dies ist für bettlägerige Patienten und im Besonderen für an Demenz Erkrankte wichtig. Für Betroffene, sich überwiegend im Raum aufhalten, ist eine räumliche Orientierung nicht mehr gegeben, wenn Wände und Decke gleichfarbig sind. Auch Türzargen und Türblätter sollten sich als Kontrast harmonisch einfügen, ebenso der Bodenbelag.
Bilder und Blumen sollten nicht fehlen, gerade Blumen wecken Lebensgefühl und sind für die Psyche des Bewohners sehr wichtig.

Auf jegliche glänzenden Oberflächen sollte weitestgehend verzichtet werden, da sie Angst und Kälte auslösen. Außerdem tritt ein sogenannter Spiegeleffekt ein, der auf die Augen anstrengend wirkt.

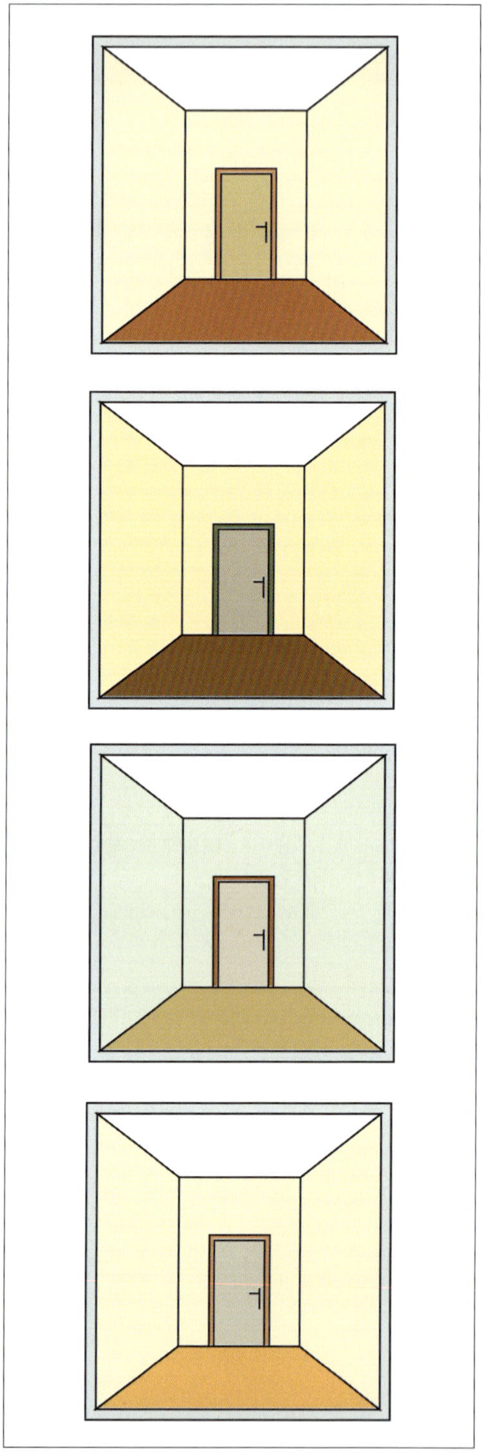

Abb. 8.3 Vier Farbvorschläge zur Zimmergestaltung (Raumgröße und -höhe sollten bei der Gestaltung berücksichtigt werden.)

Abb. 8.4 Die Vierer-Gruppierungen sind eine kleine Auswahl empfohlener Farben für Linoleum- und Vinyl-Bodenbelag aus der umfangreichen Produktpalette (Aus drucktechnischen Gründen werden hier keine Farbmusterbezeichnungen genannt, wir verweisen auf die Firmenkataloge.).
Fotos: Forbo Flooring GmbH, Paderborn

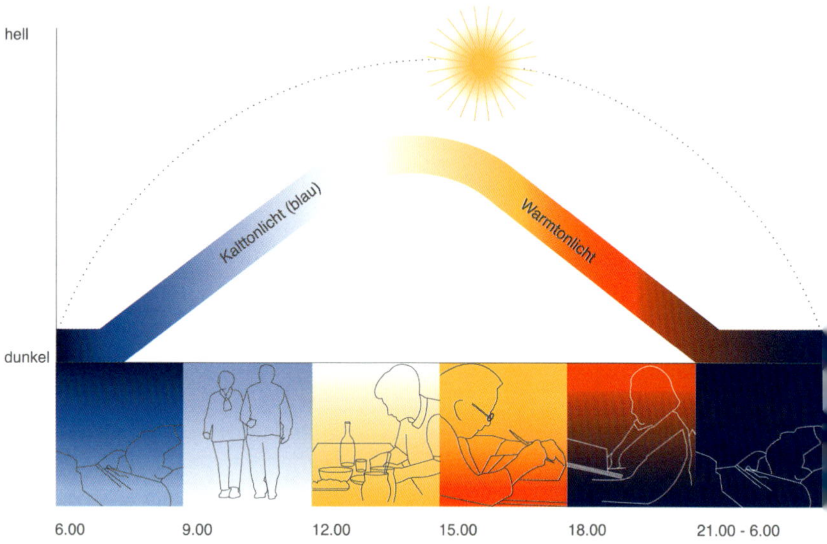

Abb. 8.5 Be- und Ausleuchtung der Räume (Zirkadianer Rhythmus) *Fotos: Herbert Waldmann GmbH & Co. KG, Villingen-Schwenningen*

Beleuchtung

Eine angepasste Beleuchtung (Allgemeinbeleuchtung, Lesebeleuchtung, Orientierungsbeleuchtung in der Nacht) ist für die Wirkung der richtigen Farbgestaltung von großer Bedeutung. Die Allgemeinbeleuchtung muss blendfrei und ausreichend hell sein (gemäß Richtlinie VDI-6008).

Bei älteren Menschen werden eine höhere Beleuchtungsstärke bzw. gute Kontraste notwendig, so dass eine universell einstellbare Leseleuchte vorteilhaft ist.

Farbkombinationen mit geringeren Leuchtdichteunterschieden sollten vermieden werden.

Licht und Farbe stehen im engen Zusammenhang, deshalb ist bei der Planung auf ausreichende Kontraste und Beleuchtungsstärken zu achten. [12]

Durch die Eintrübung der Linse fällt die räumliche Einschätzung von Gegenständen und Entfernungen dem Sehbehinderten oft schwer. Auch die Blendempfindlichkeit steigt mit zunehmendem Alter. Deshalb sind Blendungen, Reflexionen und Spiegelungen möglichst zu vermeiden.

Bei einer **direkten Beleuchtung** (von der Decke) des Raumes werden folgende Merkmale erreicht:

- intensiven Schatten,
- dunkle Decke,
- Glanzstörung am Boden.

Die **Direkt-/Indirektbeleuchtung** (Leuchtmittel strahlt die Decke an und gleichzeitig auch nach unten) besitzt dagegen folgende Charakteristika:

- schattenarme Ausleuchtung,
- heller Raumeindruck,
- keine Blendung.

Direktbeleuchtung

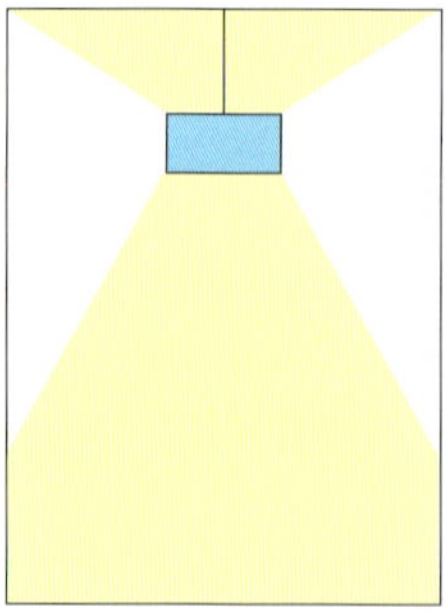

Direkt-/Indirektbeleuchtung

Abb. 8.6 Mit Hilfe verschiedener Leuchten, die ein der Tageszeit entsprechendes Licht abstrahlen, wird auch innerhalb der Räume den Bewohnern die Tageszeit vermittelt. *Fotos: Derungs Licht AG, Dossau*

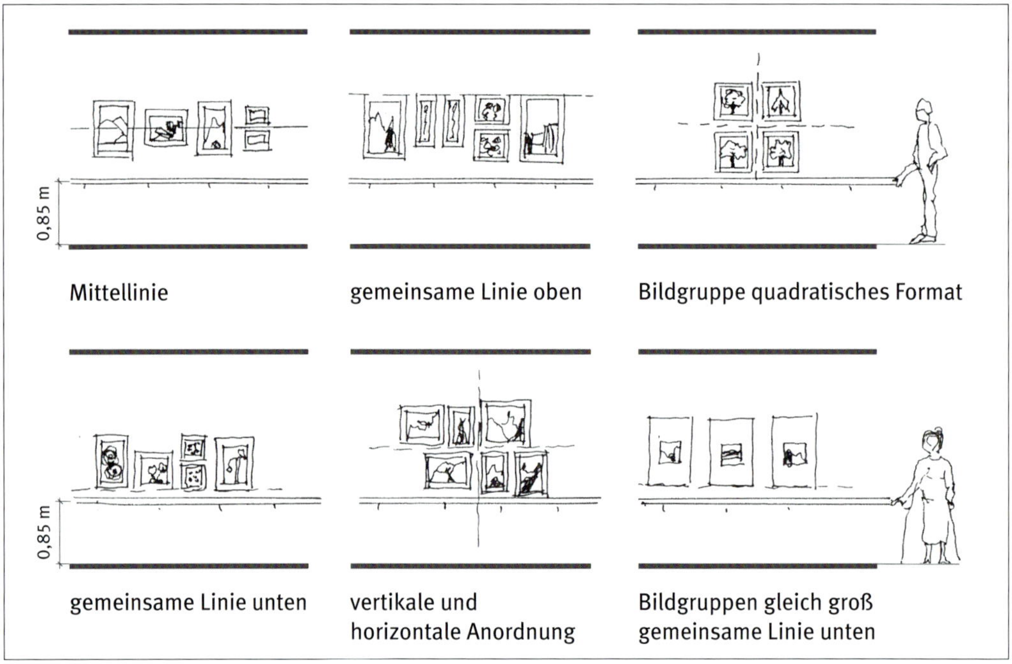

Abb. 8.7 Skizze von Bildergruppierungen in langen Fluren

Abb. 8.8 Geschosskennzeichnung im farbigen Kontrast

Wie sollte der Flur gestaltet werden?

Oft haben Flure Tunnelcharakter, da sie zur Erschließung der Räume dienen. Hier ist es wichtig, die Flure gut auszuleuchten und durch Farbabschnitte und auch Orientierungshilfen wie Pflanzkübel, Bildergruppen oder farbige Leitstreifen in Augenhöhe zu gliedern. Räume, zu denen nur das Personal Zutritt hat, sollten besonders gekennzeichnet sein; häufig ist die Beschilderung sehr klein und wird von älteren Menschen schlecht erkannt.

Günstig ist es, hier mit Farbwechsel und Symbolen zu arbeiten.

Auch im Bodenbelag lassen sich Orientierungshilfen einarbeiten, was besonders bei Sehbehinderung wichtig ist.

Bei langen Fluren können Bildergruppen mit verschiedenen Themengruppen wie z. B. Bäume, Meer, Wolken, Blumen usw. je Geschoss als Orientierung und Gestaltung sehr vorteilhaft sein.

Eine gute Ausleuchtung zur Kennzeichnung ist hier selbstverständlich.

Abb. 8.9 Kontraste setzen durch Farben und Bildergruppierungen in einem Durchgangsbereich
Foto: Forbo Flooring GmbH, Paderborn

Farbgestaltung der Treppenaufgänge

Hier sind vor allem eine gute Ausleuchtung und farbliche Orientierung gefragt, da Treppenstufen von Sehbehinderten oft schlecht oder erst spät erkannt werden. Treppenstufen – und besonders jeweils die erste und die letzte – sollten farbig gekennzeichnet sein. Auch die Trittkanten können zusätzlich farbig markiert werden.

Die Beleuchtungsstärke sollte 300 bis 400 lx betragen, möglichst direkt abstrahlende Leuchten unterhalb des Gesichtsfeldes sind von Vorteil. Ein Schattenwurf ist unbedingt zu vermeiden.

Zusammenfassend lässt sich sagen:

Es ist wichtig, unterschiedliche Materialien und Farben sorgfältig aufeinander abzustimmen.

Anhand von Farbmustern auf Papier ist diese Abstimmung nur bedingt möglich, da der Eindruck von Material und optischer Struktur weitgehend verloren geht. Dennoch ist es für einen Gesamtüberblick der Gestaltung eine gute Voraussetzung.

Von jeder möglicherweise zur Verwendung kommenden Farbe sind von der ausführenden Firma große Muster zu verlangen. Auf das Testen der Farbwirkung bei Tages- und Kunstlicht sollte man nicht verzichten, da nur so über die Eignung der Farben entschieden werden kann.

Hat das Gebäude mehrere Geschosse, so sollten sich diese jeweils durch eine Hauptfarbe und eine Kontrastfarbe von einander unterscheiden. Große Geschossziffern (ca. 30 cm) erleichtern zusätzlich die Orientierung. Auf einer Tafel in der Eingangshalle, die eine Übersicht aller Geschosse zeigt, findet sich der jeweilige Kontrastfarbton wieder – so ist für Bewohner und Besucher eine leichte Orientierung möglich.

Ziel soll und muss es sein, eine harmonische Gestaltung zu schaffen, in der sich Bewohner/ Patient, Personal und Besucher wohlfühlen und so die Ängste vor der Tür bleiben.
Nicht zuletzt ist auch für das Personal die Farbe ein wichtiger Faktor. Bei gut gestalteten Gebäuden ist das Personal weniger krank.
Deshalb sollten Farb- und Beleuchtungskonzepte immer die Ausgangsbasis für eine Gesamtplanung der Einrichtung sein. Sie sollten gezielt erarbeitet werden und möglichst sämtliche Elemente des Raumes wie Boden, Wand, Decke, Möblierung und Textilien umfassen.
Wichtig ist ein ausgewogenes Verhältnis zwischen den unterschiedlichen Farben, Kontrasten und dem neutralen Farbbereich (Weiß), nur so entsteht ein angenehmes Raumgefühl.

Abb. 8.10 Unterschiedliche Farbgestaltung der Etagen für die Orientierung.
Foto: Herbert Waldmann GmbH & Co. KG, Villingen-Schwenningen

Die Wirkung von Farbe und Licht ist sehr vielschichtig und muss mit einem geschulten Empfinden dem Zweck entsprechend geplant werden. Hier geht es nicht um den persönlichen Geschmack des einzelnen Architekten, hier sollte wissenschaftlich fundiertes Wissen zum Einsatz kommen.

9 Wohnraumanpassung

Die im Folgenden aufgeführten Maßnahmen zur Wohnungsanpassung sollen allen älteren, erkrankten und behinderten Menschen Sicherheit und Komfort in ihrem Wohnbereich gewährleisten. Dass dabei besonders auf die Demenzerkrankungen eingegangen wird, rechtfertigt sich durch den hohen Aufmerksamkeitsgrad, der bei diesen Wohnraumanpassungen notwendig ist, um den Menschen trotz ihrer Erkrankung einen weitgehend stress- und angstfreien Wohn- und Lebensbereich zu schaffen.

9.1 Beispiele für Wohnraumanpassung

In den folgenden Vorher-Nachher-Beispielen für Wohnraumanpassungen geht es vor allem darum, Barrierefreiheit und die benötigten Bewegungsflächen (grün unterlegte Flächen) zu schaffen, die für Rollstuhlnutzer und auch gehbehinderte Bewohner unerlässlich sind.

In den Nachher-Beispielen wird eine Möblierung angedeutet, um zu verdeutlichen, welche Baumaßnahme welchen Effekt erzielen soll.

Während in vielen Wohnungen, die in den letzten Jahren erbaut wurden, die Räume schon schwellenlos sind, haben jedoch die Austritte auf Loggia, Balkon oder Terrasse häufig hohe Schwellen. Für die Beseitigung dieser Hindernisse gibt es bautechnische Lösungen oder aber dauerhafte Hilfsmittel (s. Kapitel 10).

Maßnahmen wie Türverbreiterungen, das Versetzen von Trennwänden für mehr Bewegungsflächen oder der Einbau einer bodengleichen Dusche müssen bautechnisch genehmigt werden. Ansprechpartner sind hier die Wohnungseigentümer. Als Mieter muss man sich eine schriftliche Genehmigung beim Vermieter einholen, selbst wenn auf eigene Kosten z. B. im Bad statt einer Badewanne eine bodengleiche Dusche eingebaut werden soll. Wegen der zusätzlichen Stromleitungen und Warmwasserstränge gilt dies ebenso für den Einbau eines Dusch-WCs.

Sollten Zuschüsse oder Fördergelder mit einfließen, so ist generell erst nach Bewilligung des Antrages mit der Maßnahme zu beginnen. In jedem Fall ist es notwendig, Firmen mit Erfahrungen im Bereich des barrierefreien Bauens zu beauftragen (Handwerkskammern verfügen über eine Liste zugelassener Firmen).
Es bringt nichts, nur einen kostengünstigen Handwerker zu wählen, da Mängel und Nachträge später zu hohen Kosten führen können.

Der Auftraggeber sollte in jedem Fall einen Architekten und/oder Fachplaner mit der Wohnraumanpassung beauftragen (wenn er nicht selbst über bautechnische Voraussetzungen verfügt), der mit den auszuführenden Firmen alle Maßnahmen festlegt. Somit sind Bauüberwachung und Abnahme gesichert, und nur so können dem Wohnungsnutzer unangenehme Folgen erspart bleiben.

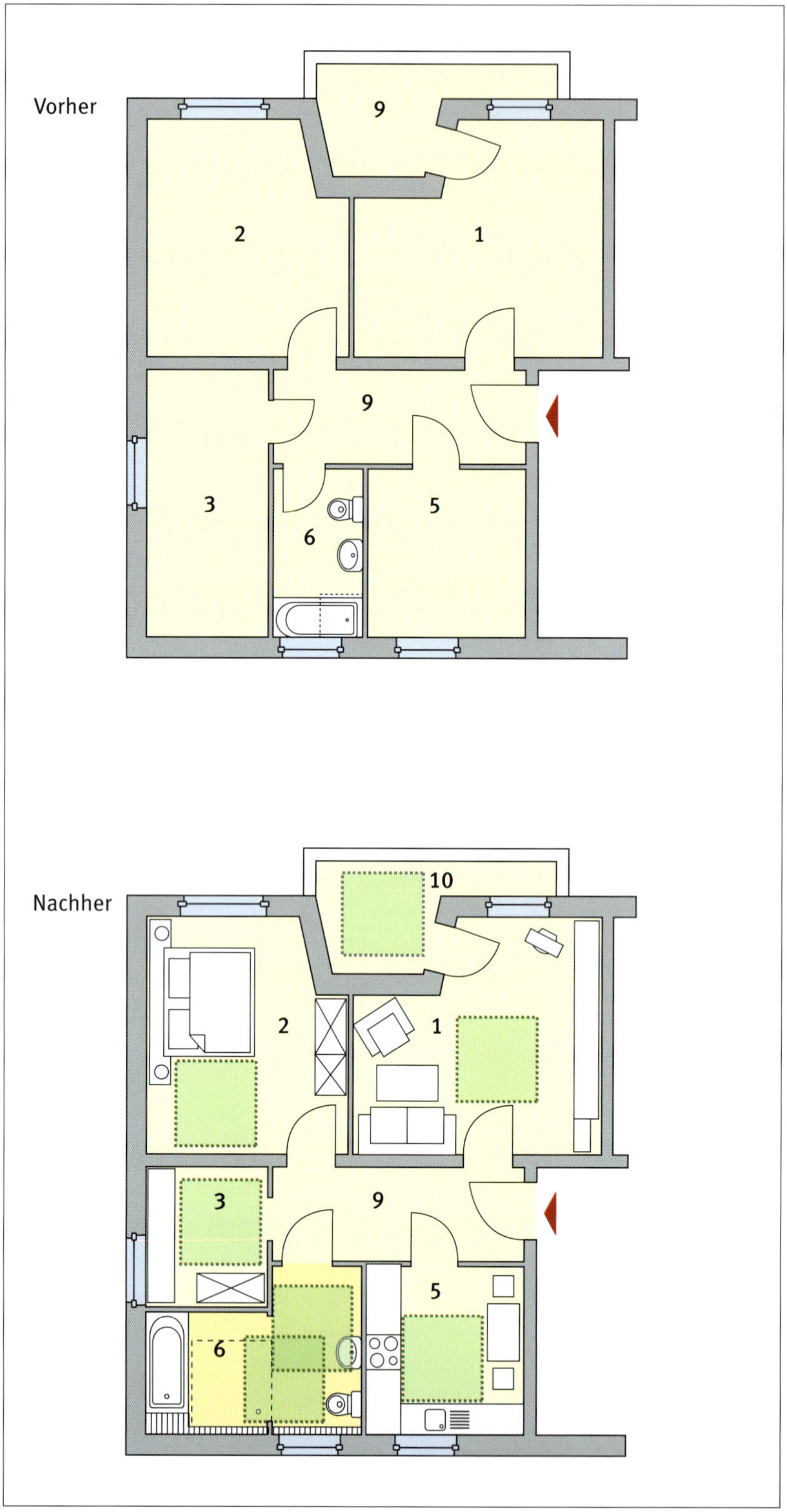

Abb. 9.1
Beispiel 1 für Wohnraumanpassung

Bewegungsfläche Rollstuhl
1 1. Wohnraum
2 2. Wohnraum
3 3. Wohnraum
4 4. Wohnraum
5 Küche
6 Bad/Wanne
7 Bad/Dusche
8 WC
9 Flur
10 Loggia
11 Hausarbeitsraum

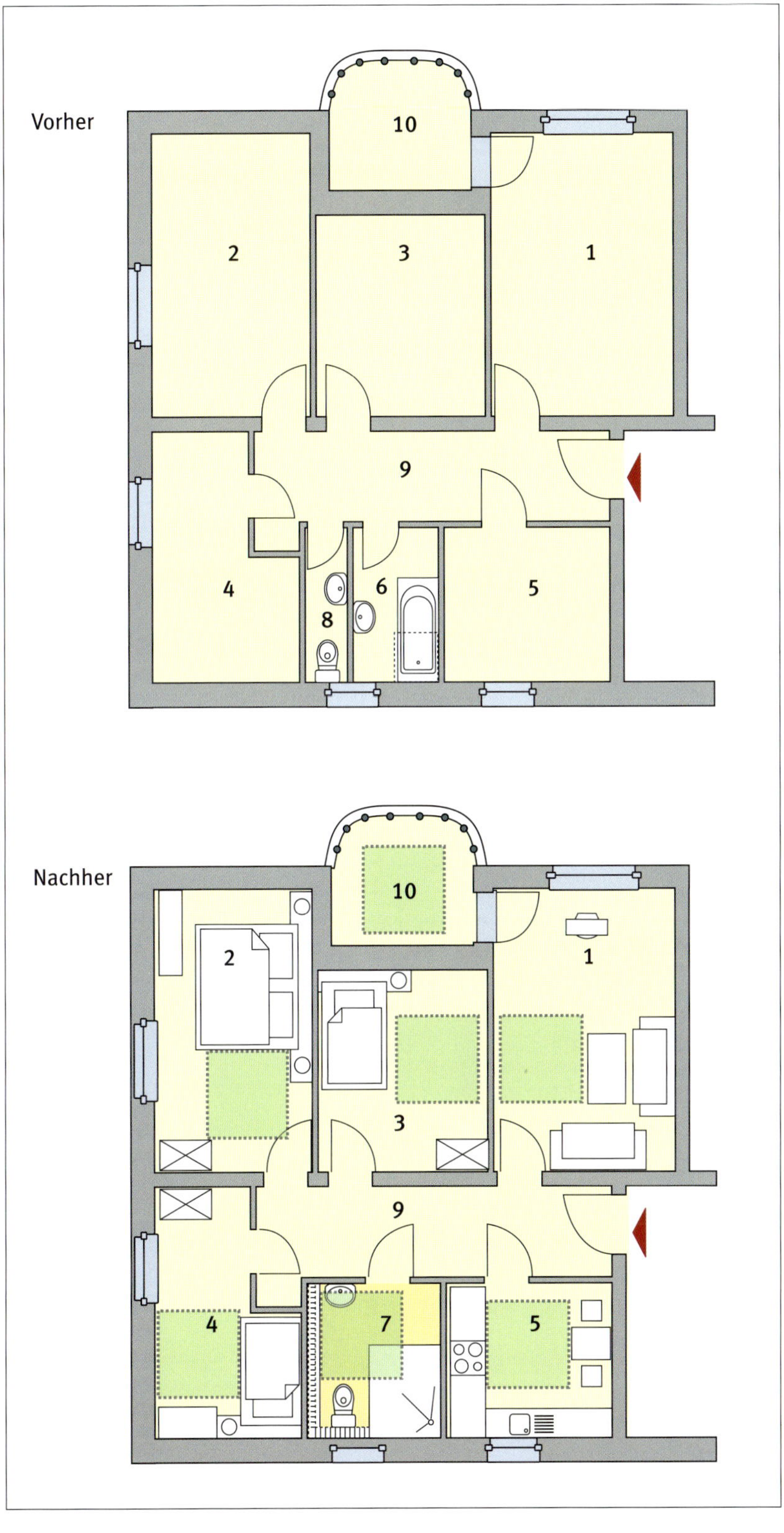

Abb. 9.2
Beispiel 2 für Wohnraumanpassung

Vorher

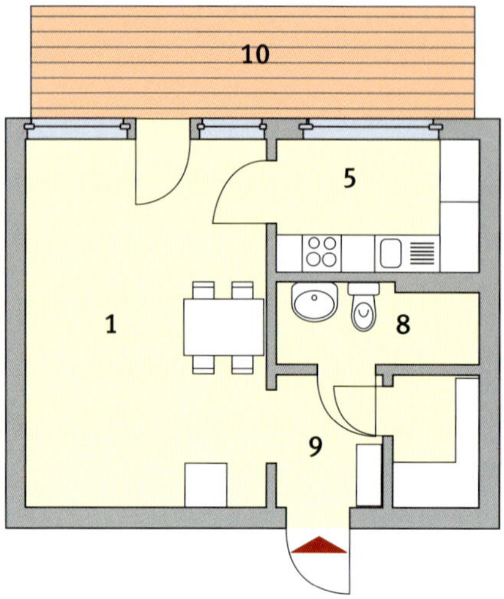

Nachher

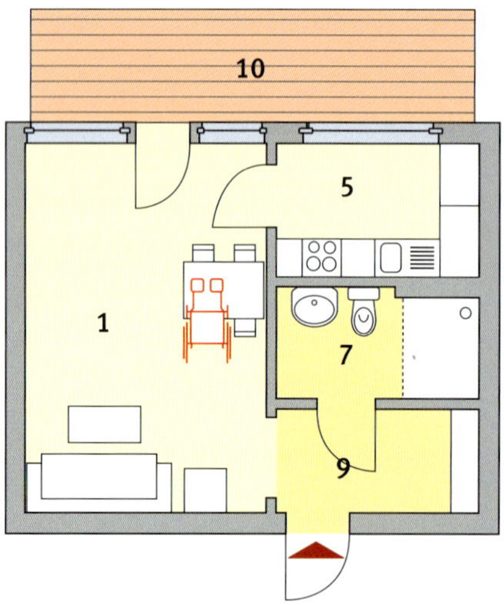

Abb. 9.3
Beispiel 3 für Wohnraumanpassung

Bewegungsfläche Rollstuhl
1 1. Wohnraum
2 2. Wohnraum
3 3. Wohnraum
4 4. Wohnraum
5 Küche
6 Bad/Wanne
7 Bad/Dusche
8 WC
9 Flur
10 Loggia
11 Hausarbeitsraum

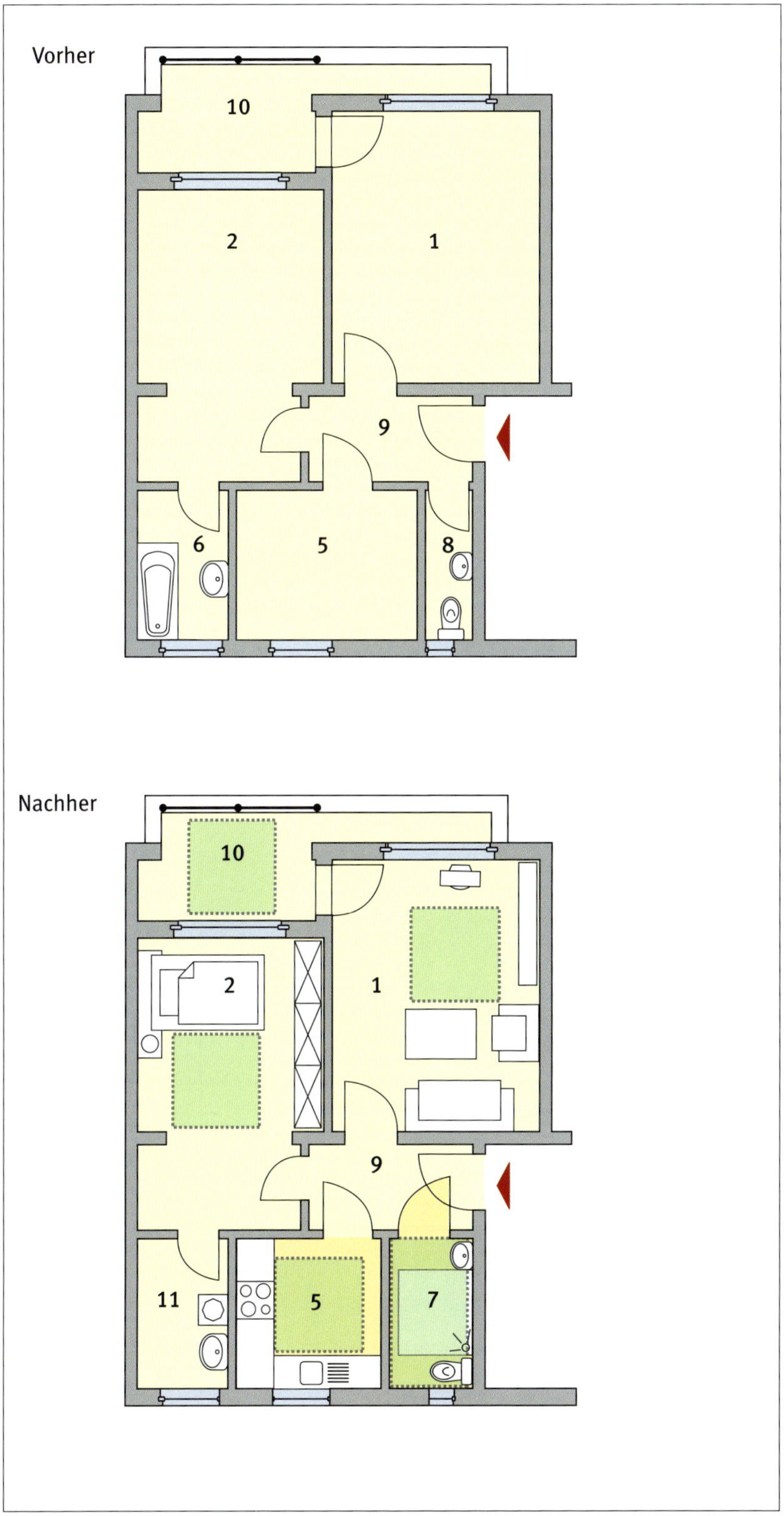

Abb. 9.4 Beispiel 4 für Wohnraumanpassung

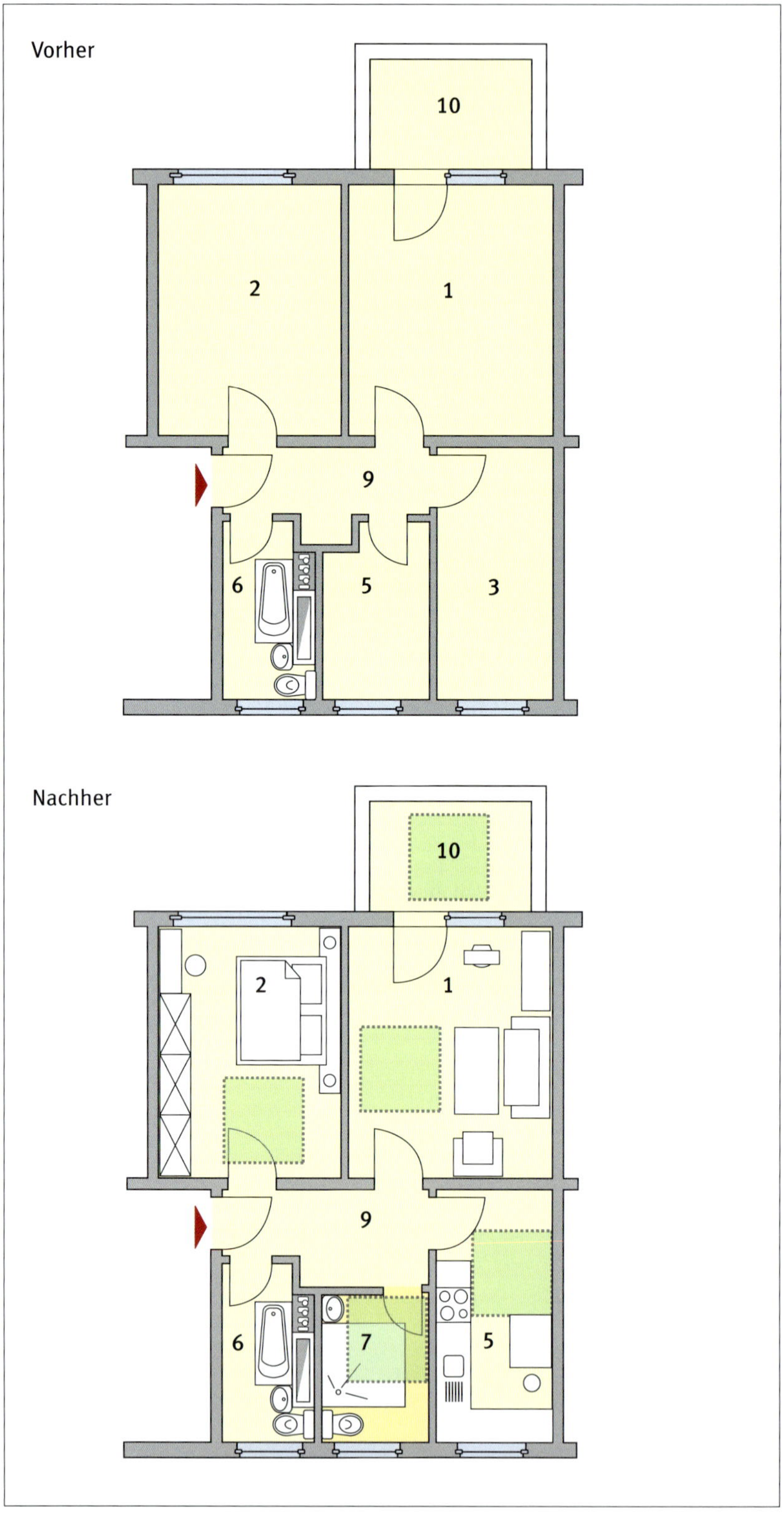

Abb. 9.5
Beispiel 5 für Wohnraumanpassung

Bewegungsfläche Rollstuhl
1 1. Wohnraum
2 2. Wohnraum
3 3. Wohnraum
4 4. Wohnraum
5 Küche
6 Bad/Wanne
7 Bad/Dusche
8 WC
9 Flur
10 Loggia
11 Hausarbeitsraum

9.2 Beispiele für barrierefreie Bäder

In den Beispielen für barrierefreie Bäder ab Seite 62 wird detaillierter gezeigt, worauf es in Bezug auf Hilfsmittel für behinderte Bewohner ankommt. Handläufe, Griffe und Stützen sind genauso vorgesehen wie Sitze für den Duschbereich.

Aufbaubeispiel einer bodengleichen Dusche mit Duschrinne

Mit einer modernen Duschrinne sind verschiedene Gestaltungsmöglichkeiten im Sanitärbereich möglich. Ob in Standardausführung mit Fliesenbelag oder mit Naturstein, diese Rinne lässt sich voll integrieren.

Eine Berücksichtigung des Schallschutzes ist gegeben, wenn eine 6 mm dicke Matte im gesamten Duschbereich zwischen Rohfußboden und Estrich verlegt wird. Ein Schallschutzgutachten zeigt, dass der Installationsschallpegel im unteren Messraum nach Verlegung dieser Matte nur 22 dB (A) beträgt.

Gut eignet sich diese Lösung auch im Sanitärbereich von Plattenbauten.

Abb. 9.6 Höhenverstellbares Untergestell ermöglicht einfache Anpassung an die Estrichhöhe.

Abb. 9.7 Passend für jedes Fliesenformat und geeignet für Rollstuhlbelastung

Abb. 9.8 Geeignet für Natursteinbelastung mit druckfester Schallmatte (entkoppelt den Schall und verhindert Fugenrisse)
Fotos: TECE GmbH, Emsdetten

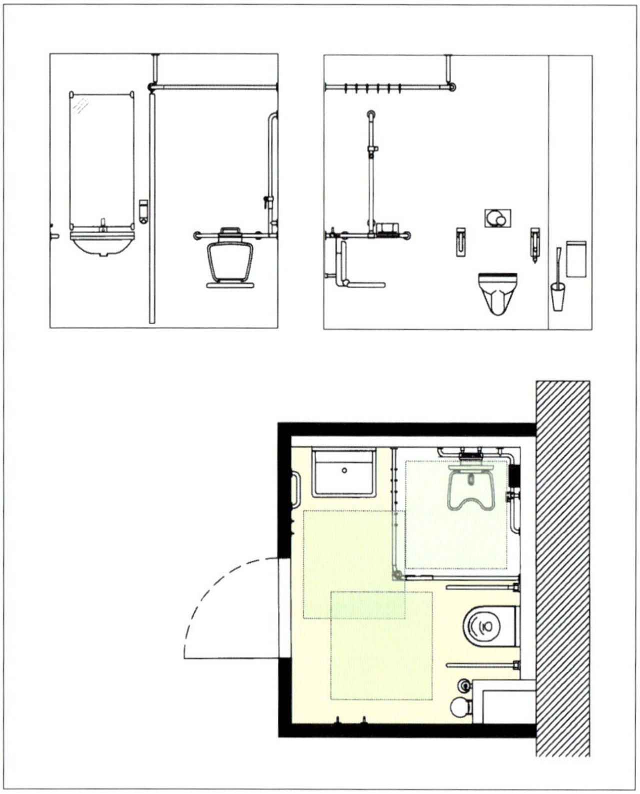

Abb. 9.9 Beispiel 1 für ein barrierefreies Bad

Abb. 9.10 Beispiel 2 für ein barrierefreies Bad

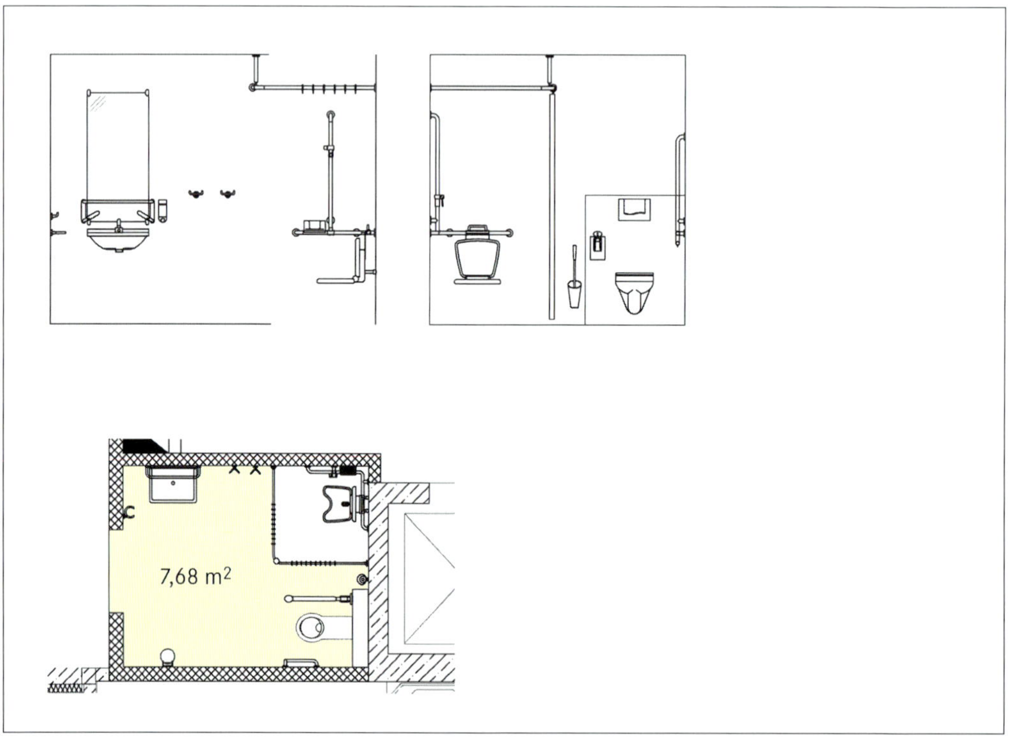

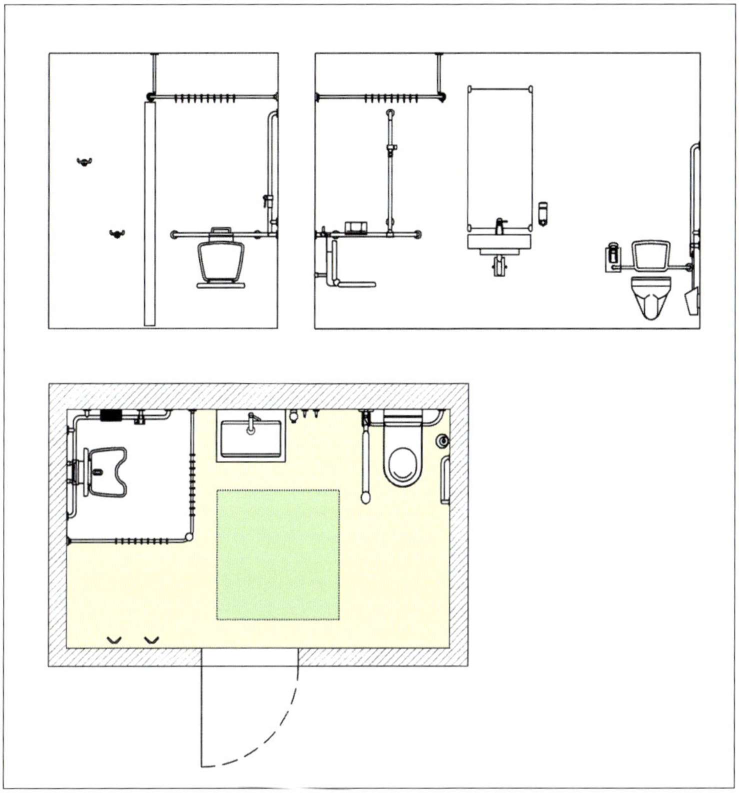

Abb. 9.11 Beispiel 3 für ein barrierefreies Bad

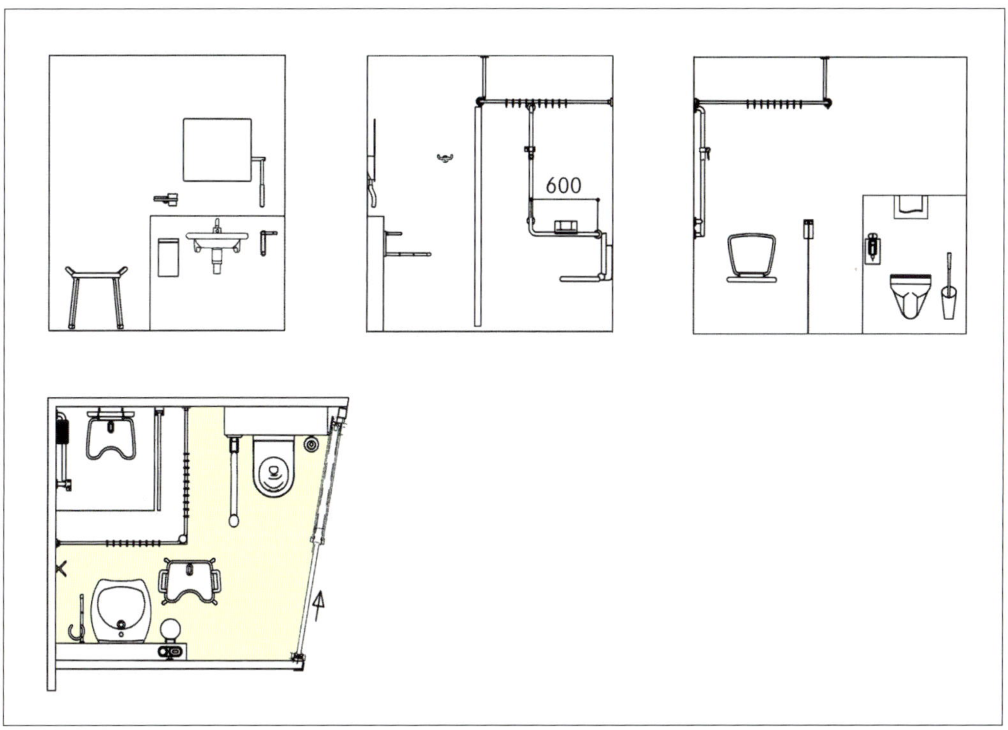

Abb. 9.12 Beispiel 4 für ein barrierefreies Bad

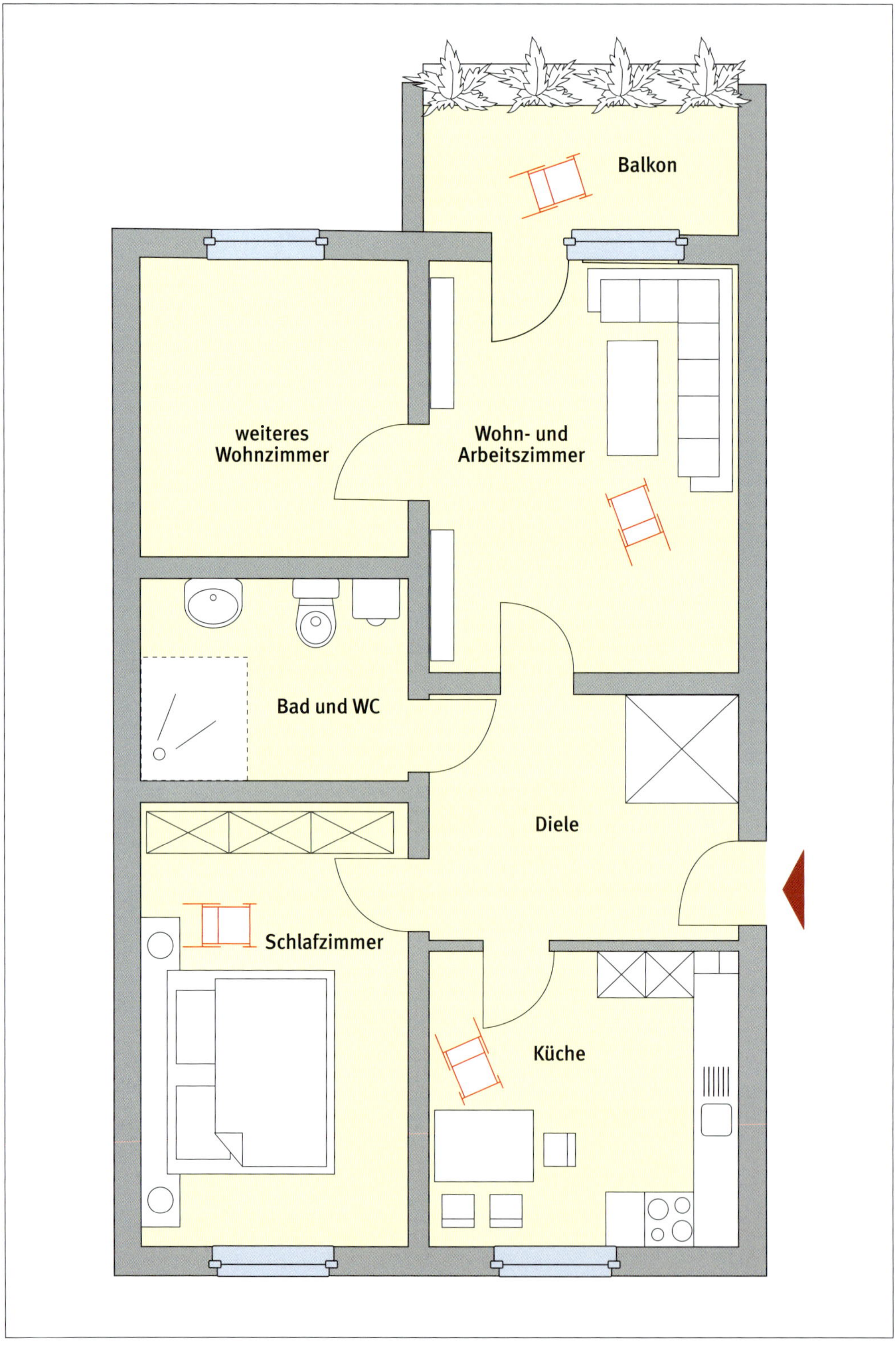

Abb. 9.13 Grundriss einer barrierefreien Wohnung

9.3 Maßnahmen für eine barrierefreie Wohnung

9.3.1 Der Eingang

Nicht nur Treppen behindern den problemlosen Eintritt in die Wohnung, sondern auch schlechte Beleuchtung oder eine rutschende, hervorstehende Fußmatte. Hieraus resultieren zahlreiche Unfallgefahren.
Lassen sich Differenzstufen nicht vermeiden, kann man sich mit vielfältigen Rampen oder Liftsystemen helfen.

Ein barrierefreier Hauseingang zeichnet sich durch folgende Aspekte aus:

Die Eingangstür

Die Wohnung sowie andere Anlagen und Einrichtungen müssen durch einen Eingang mit einer lichten Durchgangsbreite von mindestens 95 cm stufenlos erreichbar sein. Ein schwellenfreier Türbeschlag ist in vielen Fällen unverzichtbar. Alle zur Wohnung gehörenden Räume sollten stufenlos erreichbar sein.

Die Beleuchtung

Der gesamte Eingangsbereich muss ausreichend beleuchtet und deutlich erkennbar sein.

Abb. 9.14 Rollstuhlgerechter Eingang mit Klapplift ... *Foto: Lift-Reith, Ehrenberg*

Geeignet ist hier eine Wegbeleuchtung, die nach unten scheint und nach oben abgedunkelt ist. Nicht nur alte Menschen haben Schwierigkeiten, das Sicherheitsschloss im Dunkeln zielsicher zu finden. Dies gilt ebenso für die Hausnummer. Sie sollte erleuchtet, kontrastreich und mit großen Ziffern versehen sein!

Längsgefälle

Wenn ein Längsgefälle notwendig ist, um den Höhenunterschied zum Hauseingang auszugleichen, muss am Anfang und am Ende einer solchen Schräge, die eine Steigung von 6 %

Abb. 9.15 ... oder Rampe
Foto: Altec GmbH, Singen

nicht überscheiten darf, eine ebene Bewegungsfläche von 150 cm Breite und 150 cm Tiefe frei verfügbar sein. Die Wegoberfläche muss glatt und ohne Kanten gestaltet sein. Ein rüttelfreies Befahren mit dem Rollstuhl oder mit dem Kinderwagen muss möglich sein. Auf Eingangsstufen vor dem Haus ist grundsätzlich zu verzichten. Eine entsprechende Geländeanpassung kann einen vorhandenen Niveauunterschied gut ausgleichen.

Elektrischer Türbetrieb

Ein kraftbetätigter Türbetrieb (durch Knopfdruck) für Bewohner, die über eine geringere Greifkraft verfügen, ist zu empfehlen. Dabei ist auf eine Schließverzögerung zu achten, d. h., dass der automatische Türschließer erst nach einer variabel einstellbaren Zeit die Tür wieder schließt.

Abb. 9.16 Außentür mit Drehtürantrieb
Foto: GEZE GmbH, Leonberg

Weitwinkelspion

Die Eingangstür sollte über einen Weitwinkelspion verfügen. Es wird empfohlen, die Montagehöhe individuell auf den Nutzer abzustimmen.

Wechselsprechanlage

Weiterhin müssen die Türklingel sowie alle anderen Bedienelemente in einer Höhe von 85 cm angebracht sein. Es ist zu empfehlen, die Türklingel mit einer Wechselsprechanlage zu kombinieren. Sie kann in der Wohnung mit einem Telefonhörer versehen als Tisch- oder Wandgerät montiert sein – idealerweise in allen Räumen, besonders aber in Schlafraum, Küche, Wohnraum und Bad.

Greifstange

Besonders für Rollstuhlfahrer wird eine waagerechte Greifstange auf der Innenseite der Haustür empfohlen, damit ein Rollstuhlbenutzer die Tür beim Durchfahren leicht hinter sich zuziehen kann (Montagehöhe 85 cm vom Boden, Länge ca. 60 cm).

Fußmatte

Eine rutschfeste Fußmatte sollte bündig in einer Vertiefung mit dem Boden abschließen, um die Stolpergefahr »Fußmatte« zu vermeiden.

9.3.2 Diele, Treppenhaus

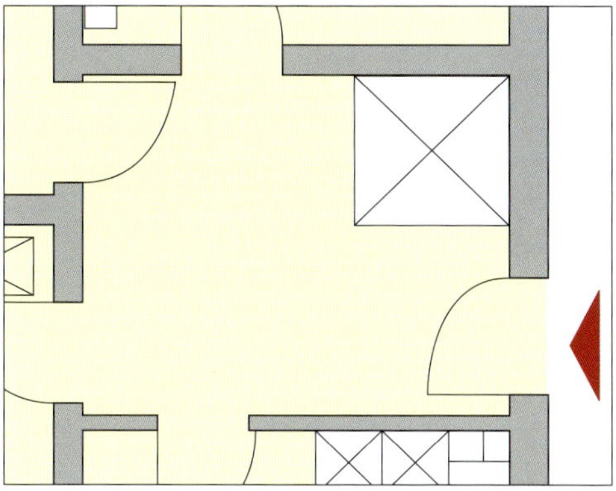

Abb. 9.17 Grundriss Diele/Flur aus Abb. 9.13

Oft stehen im Flur viel zu viele Möbel. Dabei braucht man gerade dort ausreichend Platz und Abstellmöglichkeiten. Ein Stuhl jedoch ist praktisch und hilfreich, z. B., um sich bequem Schuhe an- und ausziehen zu können.

Bodenbelag

Grundsätzlich sollten die Bodenbeläge rutschhemmend sein. Nicht selten sind zahlreiche Teppiche so verlegt, dass sie große Gefahrenquellen darstellen.

Spiegel

Empfohlen wird ein bis zum Boden reichender Spiegel. Damit ist eine Nutzung sowohl für den Rollstuhlfahrer als auch für Menschen ohne Behinderung im Stehen und Sitzen möglich.

Windfang

Besonders ältere und behinderte Menschen haben ein höheres Wärmebedürfnis. Somit muss der Eingangsbereich durch einen entsprechenden Windfang von der restlichen Wohnung abgetrennt werden.

Ablagemöglichkeiten

Neben der Haustür sollten sich Ablagemöglichkeiten für evtl. Gehhilfe, Schlüssel, Brille etc. befinden. Damit die Gehhilfen nicht umfallen, kann eine entsprechende Ausformung der Ablage vorgenommen werden.
Bei Eingangstüren mit Briefschlitzen, die auch noch genutzt werden, kann eine Briefkastenablage angebracht werden – so muss sich der Bewohner nicht mühsam bücken und auch die Rutschgefahr beim Eintritt in die Wohnung wird ausgeschlossen.

Garderobe

Empfohlen wird eine Garderobe, die auch vom Rollstuhlfahrer oder Kleinwüchsigen leicht zu erreichen ist. Entsprechende Systeme werden von zahlreichen Herstellern in verschiedenen Ausführungen und Preisklassen bereits angeboten.

Treppen

Sollten sich Treppen nicht vermeiden lassen, muss es sich um Setzstufen bzw. Blockstufen handeln.
An den Treppen sind beidseitige Handläufe mit 3 bis 4,5 cm Durchmesser anzubringen. Die Handläufe müssen in 85 cm Höhe 30 cm waagerecht über den Anfang und das Ende der Treppe hinausragen.
Anfang und Ende des Treppenlaufes sind rechtzeitig und deutlich erkennbar zu machen, z. B. durch taktile Hilfen an den Handläufen.

Treppenhaus

Für Treppen, die über mehrere Etagen reichen, sollten zusätzliche Ruheplätze (Sitzgelegenheiten) vorgesehen werden. Neben einer ausreichenden Beleuchtung (keine Schlagschatten) muss auch darauf geachtet werden, dass die Beleuchtung lange genug brennt.

9.3.3 Bad und WC

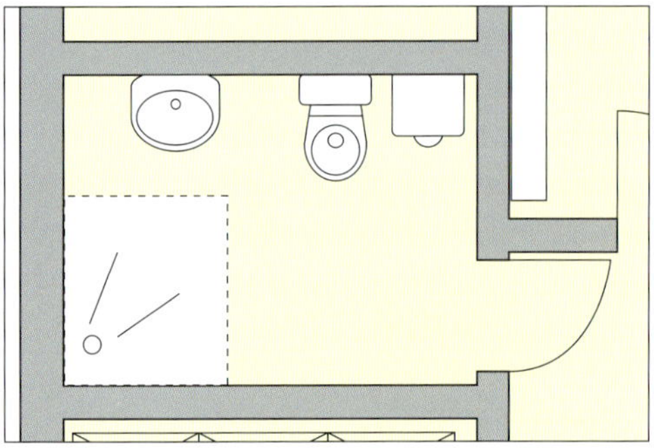

Abb. 9.18 Grundriss Bad aus Abb. 9.13

Der Sanitärraum ist neben der Küche der kritischste und empfindlichste Wohnbereich überhaupt. Erschwert durch das Medium Wasser und der damit verbundenen Rutschgefahr ist die Selbstständigkeit in diesem intimen Bereich in besonderem Maße von einer sorgfältigen Planung abhängig. Gerade hier möchte jeder gern so lange wie möglich ohne fremde Hilfe auskommen. Dabei sind die sonst verwendeten persönlichen Hilfsmittel im Badbereich oft ausgeschlossen, wodurch sich letztlich die übliche Bewegungsfähigkeit verringert. Vielfach müssen diese sich im Bad ergebenden Funktionsminderungen durch entsprechende Ausstattungen ausgeglichen werden.
Alle Detailausstattungen sollten grundsätzlich individuell mit dem Benutzer abgestimmt werden. Von besonderer Bedeutung ist dies im Zusammenhang mit haltetechnischen Hilfsmitteln.

Bewegungsfläche

Die Bewegungsfläche muss links oder rechts neben dem WC-Becken mindestens 95 cm breit und 70 cm tief sein. Auf einer Seite des WC-Beckens muss ein Abstand zur Wand oder zu Einrichtungen von mind. 30 cm eingehalten werden.

Abb. 9.19 Unterfahrbares Waschbecken mit durchgehendem Spiegel *Foto: Erlau AG*

Tür zum Sanitärbereich

Die Tür darf nicht in den Sanitärraum schlagen. Eine Tür, die nach außen aufgeht, lässt sich auch dann öffnen, wenn sie durch den Badbenutzer blockiert wird, z. B. nach einem Schwächeanfall. Für eine solche Situation sollten Türen daher auch von außen entriegelbar sein.

Duschplatz

Besonders Wohnungen für Rollstuhlfahrer sind mit einem rollstuhlbefahrbaren Duschplatz auszustatten (bodengleiche, schwellenfreie Duschwanne). Aber auch für ältere und jüngere Menschen ist ein stufenlos begehbarer Duschplatz (120 cm x 120 cm) nutzungsfreundlicher als die üblichen Duschtassen mit hochgezogenem Rand.

Abb. 9.20 Unterfahrbares Waschbecken mit Möglichkeit zum Abstützen *Foto: Erlau AG, Aalen*

Waschtisch

Unverzichtbar für den Rollstuhlfahrer ist ein flacher, unterfahrbarer Waschtisch: Ein Unterputz- oder Flachputz-Siphon ist vorzusehen.
Dieser muss für die Belange des Nutzers in die ihm entsprechende Höhe montiert werden. Die Bedienungsvorrichtungen sind mit Einhebelmischbatterien und mit schwenkbarem Auslauf (idealerweise mit einer ausziehbaren Handbrause) zu versehen. Die Warmwassertemperatur darf an der Auslaufarmatur max. 45 °C betragen. Die Temperaturverstellung muss über eine hebelartige Betätigung möglich sein. Es ist darauf zu achten, dass genügend Ablagefläche am Waschtisch vorhanden, bzw. die Utensilienablage gefahrlos erreichbar ist.

Spiegel

Über dem Waschtisch ist ein Spiegel anzuordnen, der die Einsicht sowohl aus der Steh- als auch der Sitzposition ermöglicht. Eine blendfreie Spiegelbeleuchtung sollte ebenfalls vorhanden sein.

WC-Becken

Die Sitzhöhe des WC-Beckens einschließlich Sitz muss mind. 48 cm betragen – im Bedarfsfall muss eine Höhenanpassung (z. B. durch ein Pfuscherset) vorgenommen werden.

Empfohlen wird zudem ein anatomisch geformter WC-Sitz, der seitlich am WC gegen Verschiebung gestützt und funktionsunterstützend geformt ist.
Ebenfalls bei Bedarf sind Stützgriffe zum Übersetzen vorzusehen. Dabei sollte ein direktes Umsetzen vom Klosettbecken zum Duschbereich möglich sein.

Dusch-WC

Das Dusch-WC bietet dem Nutzer zu Hause, im betreuten Wohnen, in Behinderten- und Senioreneinrichtungen, Pflege- und Altenheimen sowie in Seniorenresidenzen und Krankenhäusern die Möglichkeit, tägliche Intimpflege ohne fremde Hilfe durchzuführen und trägt somit zur Selbstständigkeit bei.

Abb. 9.21 WC-Becken mit unterschiedlichen Haltegriffen links und rechts *Foto: Erlau AG, Aalen*

Bei einem Dusch-WC muss man nicht mit Toilettenpapier hantieren. Auch die gestiegene Infektanfälligkeit und die Verminderung des Unterhautfettgewebes können eine Barriere zum beschwerdefreien oder -armen Leben darstellen. Die meisten Keime werden durch die Hände übertragen, bei einer berührungslosen Analreinigung entfällt die Kontamination. Toilettenpapier und Feuchttücher sind chemisch

Abb. 9.22 Dusch-WC – praktisch und komfortabel bei Bewegungseinschränkungen *Foto: Geberit Vertriebs GmbH, Pfullendorf*

belastet und können gerade die empfindliche Altershaut reizen.

Für behinderte oder alte Menschen haben in diesem Zusammenhang die Würde und Achtung des Schamgefühls durch die Unabhängigkeit im Intimbereich die größte Bedeutung. Hilfe anzunehmen, fällt nicht immer leicht, aber ein Eindringen in die Intimsphäre stellt für jeden – für diejenigen, die es erleben und für diejenigen, die es tun – eine große Belastung dar. Das im Alter oder auch bei Behinderungen häufig labile Selbstwertgefühl kann dabei zusätzlich verletzt werden. Vielen fällt es bereits schwer, über dieses Thema zu reden. So gehört auch ein Dusch-WC zu den Hilfsmitteln, die mit großer Sensibilität angesprochen werden sollten.

Es ist besonders geeignet für Menschen, die an

- rheumatoider Arthritis,
- Arthrose,
- Multipler Sklerose,
- Schlaganfallfolgen,
- schmerzhaften Gelenkveränderungen,
- Parkinsonkrankheit oder
- Spastik

leiden. Ebenso ist es hilfreich bei den Folgen aus

- Amputationen oder
- Conterganschäden.

Ausgesprochen wohltuend ist ein Dusch-WC auch bei Darm- und Hauterkrankungen wie

- Hämorrhoidalleiden,
- Colitis Ulcerosa,
- Tumoren, besonders nach Operationen,
- Allergien oder
- Neurodermitis.

Durch ein Dusch-WC kann ein Heimaufenthalt hinausgezögert werden, besonders dann, wenn Angehörigen die Pflege dadurch erleichtert wird. Das vom Bundesgesundheitsministerium geförderte Projekt **Das intelligente Heim** hat im

3. Projektabschnitt sechs Balena-Dusch-WCs von *Geberit* einbezogen, mit dem Ergebnis, dass diese Reinigung auch bei Demenz toleriert und als angenehm empfunden wird. Einschränkend muss allerdings vermerkt werden, dass die Anzahl der Testpersonen unter statistischen Gesichtspunkten nicht ausreichend war.
Es gibt auch zahlreiche Beispiele, z.B. bei Amputationen oder Schlaganfallsfolgen, die belegen, dass Patienten früher ins gewohnte Umfeld entlassen werden konnten, wenn dort ein Dusch-WC vorhanden war.

Toilettenspülung und Papierhalter

Die Toilettenspülung sowie der Toilettenpapierhalter sollten im vorderen Greifbereich des Sitzenden angeordnet sein. Idealerweise sind sie in einem Stützgriff integriert.

Ablagen und Waschschränke

Alle vorhandenen Waschschränke sind so anzubringen, dass sie gegebenenfalls auch aus der Sitzposition heraus zu erreichen sind.

Haltevorrichtungen

Grundsätzlich ist darauf zu achten, dass ausreichend auf die individuellen Belange des Nutzers ausgerichtete Haltevorrichtungen (vor allem am WC) vorhanden sind. Dabei ist auf ein geeignetes Profil (3 bis 4,5 cm Durchmesser) und auf eine griffige Oberflächenbeschaffenheit zu achten.

Anzahl der Sanitärräume

Wegen der möglicherweise langen Verweilzeiten von Rollstuhlbenutzern im Bad muss für alle anderen Familienmitglieder oder Gäste eine separate Toilette verfügbar sein. Nach DIN 18040 Teil 2 ist in Wohnungen für mehr als drei Personen ein zusätzlicher Sanitärraum mit mindestens einem Waschbecken und einem Klosettbecken vorzusehen.

Bodenbelag

Für den Bodenbelag sollten rutschsichere Fliesen verwendet werden, die keine scharfkantigen, rohen oder unlasierten Oberflächenstrukturen aufweisen.

Zusätzliche Heizungselemente

Die Raumluft muss individuell wählbar und beeinflussbar sein. Es muss möglich sein, an 365 Tagen im Jahr eine Raumtemperatur von 26 °C zu erreichen – kurzfristig sogar auf 32 °C zu erhöhen. Dazu sind meist zusätzliche Heizelemente erforderlich. Die Heizkörper sind gegen Berühren zu sichern und nicht im Bewegungsbereich anzuordnen. Es empfiehlt sich, im individuellen Fall vor dem WC eine Wärmematte oder eine entsprechende Vertiefung für die nachträgliche Ausstattung vorzusehen. Dies ist in vielen Fällen notwendig, um eine Kälteeinwirkung bei nackten Füßen und zu langen Sitzzeiten zu vermeiden.

Glasfläche

Große Glasflächen müssen kontrastreich gekennzeichnet und bruchsicher sein.

Notruf- und Notsignalschalter

Empfohlen wird, dass eventuell vorhandene Notrufschalter im Sanitärraum zusätzlich vom Boden aus (z. B. Zugschnur) erreichbar sind.
Not-Signale/Lichtsignale in Verbindung mit einem Zugschalter gewährleisten, dass Angehörige ein Signal bekommen, wenn eine Notsituation eingetreten ist.

Beleuchtung

Für eine ausreichend helle und kontrastreiche Beleuchtung ist zu sorgen, z. B. auch über eine FI-Steckdose (Sicherheit). Ein Bewegungsmelder zur Lichtsteuerung, bei großem Bad auch zwei, bietet Sicherheit und Komfort.

9.3.4 Das Wohn- und Arbeitszimmer

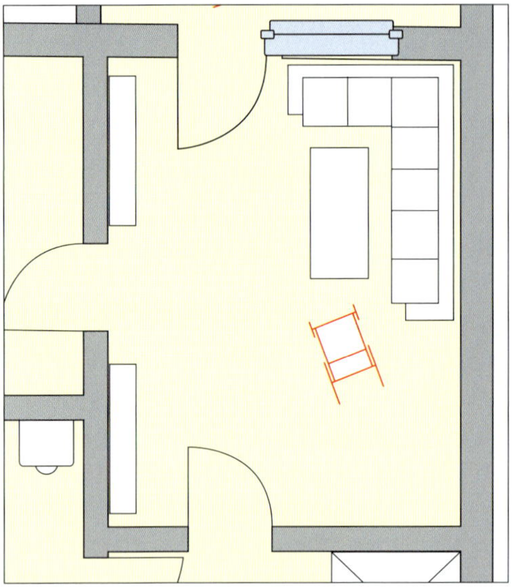

Abb. 9.23 Grundriss Wohnzimmer aus Abb. 9.13

Gerade der Wohnraum und seine Möblierung sind eine rein persönliche Angelegenheit. Dabei sollten jedoch die bekannten Bewegungsflächen uneingeschränkt genutzt werden können. In Wohnzimmern sammeln sich nicht selten viele Möbel an. Zudem bilden zahlreiche Teppiche und Läufer Gefahrenquellen (Stolpergefahr). Sich in einem solchen Zimmer frei zu bewegen, fällt vielen Bewohnern schwer. Für ein geeignetes barrierefreies Wohnzimmer bestehen folgende Anforderungen:

Bewegungsflächen

Grundsätzlich muss im Raum, unabhängig von den Flächen vor Türen, eine Bewegungsfläche von 120 cm Breite und 120 cm Länge zur Verfügung stehen (bei Rollstuhlfahrern 150 cm x 150 cm). Besonders im Wohnbereich sind diese Freiflächen unabdingbar (z. B. für das Umsetzen vom Rollstuhl in eine Sitzgelegenheit). Darüber hinaus muss genügend Freiraum zur seitlichen Anfahrt an hohe Schrank- und Regalwände vorhanden sein, weil eventuell z. B. Bücher aus der Sitzposition heraus mit einer Greifzange entnommen oder ein Aufzugsschrank mit Paternoster-Fläche benutzt werden müssen.

Installationen der Bedienelemente

Alle Schalter und Bedienelemente, wie Raumtemperaturregler, Türen-, Fenster-Kontakte mit Lichtsignal sowie UAE-Anschlussdosen für die Kommunikation im Wohnraum, müssen horizontal 50 cm von der Ecke entfernt erreichbar und in einer Höhe von 85 cm vom Boden angebracht sein.

Beleuchtung

Es ist auf eine gute blendfreie Beleuchtung zu achten, die auch zum Lesen geeignet ist. Damit auch am Abend das Lesen, Handarbeiten oder andere Hobbys ohne Mühe möglich sind, sollten zielgerichtete und in der Stärke regulierbare Lichtquellen eingesetzt werden. Eine Fernbedienung erleichtert die Lichtsteuerung.

Abb. 9.24 Richtiges Licht beim Lesen schont die Augen. *Foto: Herbert Waldmann GmbH & Co. KG, Villingen-Schwenningen*

Abb. 9.25 Ergonomisch richtiges Sitzen vermeidet Schmerzen.
Foto: Herbert Waldmann GmbH & Co. KG, Villingen-Schwenningen

Möblierung

Die Sitzmöbel müssen über die richtige individuelle Höhe verfügen und eventuell mit Aufstiegshilfen ausgestattet sein.
In bequemer Reichweite der Sitzgelegenheit sollte eine ausreichend große Ablagefläche eingeplant sein, auf der auch das Telefon seinen Platz haben sollte. Für Menschen mit Sehbehinderung, rheumatischen Erkrankungen oder Beeinträchtigungen der Fingermotorik gibt es Telefone mit gut lesbaren Zahlen und großen Tasten. Für Gehörgeschädigte eignen sich Telefone mit einem zusätzlich angebrachten optischen Signal.

Der Tisch muss um- und voll anfahrbar sein. Eine Stellfläche von mindestens 90 cm Breite sowie 120 cm Tiefe ist vorteilhaft.

Vor Schränken und Regalen, die seitlich angefahren werden, weil sie z. B. nicht unterfahrbar sind und der Rollstuhlfahrer seitlich eine bessere Reichweitenausnutzung hat, muss die Bewegungsfläche entlang solcher Einrichtungsgegenstände 120 cm tief sein. Zu empfehlen sind hier aber besser Regale bzw. Schränke, die leicht unterfahrbar sind.

Abb. 9.26 Ausreichende Bewegungsflächen und ein unterfahrbarer Tisch gehören in ein barrierefreies Wohnzimmer.
Foto: Herbert Waldmann GmbH & Co. KG, Villingen-Schwenningen

9.3.5 Die Küche

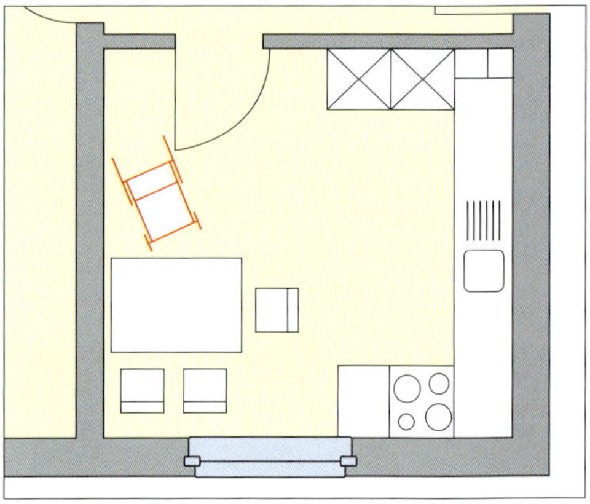

Abb. 9.27 Grundriss Küche aus Abb. 9.13

Menschen verbringen bis zu 40 Prozent ihrer Zeit und mehr täglich in der Küche. Sie sollte deshalb den Bedürfnissen der Bewohner entsprechen: wohnlich und komfortabel, praktisch und sicher. Sicherheit lässt sich auch in diesem Bereich mit modernem Design verbinden.

Bewegungsfläche

Eine Bewegungsfläche mit einer Tiefe von 150 cm entlang bzw. vor der Kücheneinrichtung muss uneingeschränkt verfügbar sein.

Abb. 9.28 Individuell höhenverstellbare Arbeitsflächen *Foto: Ropox A/S, Dänemark*

Auch in kleineren Küchen ist ein ausreichend großer Freiraum für einen Rollstuhl-Drehkreis zu gewährleisten.

Arbeitsplatte

Herd, Arbeitsplatte und Spüle sollten nebeneinander angeordnet sein und Beinfreiraum bzw. Unterfahrbarkeit für Rollstuhlfahrer bieten; die Montagehöhe hat den individuellen Bedürfnissen des Nutzers zu entsprechen. Zu achten ist ebenso auf eine durchgängige Arbeitsplatte, die das Verschieben des schweren Kochgutes, ohne es anheben zu müssen, in und von allen Bereichen aus ermöglicht. Empfohlen wird zudem ein Spüleinsatz mit Eingleitschrägen, damit der Topf nicht in die Spüle hinein gehoben werden muss. Gleichzeitig wird die Verwendung eines herausziehbaren Brauseschlauches oder einer Doppelschwenkarmatur empfohlen, um anfallende Arbeiten (z.B. das Auffüllen eines Topfes mit Wasser) zu erleichtern.

Zentrale Zugänglichkeit

Sehr empfohlen werden eine weitgehend zentrale Zusammenfassung aller Bereiche des ständigen Gebrauchs sowie ein unbegrenzt barrierefreier Zugang zu diesen Bereichen. Dazu gehören: Bevorratung, Aufbewahrung, Kühlen, Zubereitung, Spülen, Backen und Kochen.

Elektrik

Hier sollten Steckdosen mit erhöhtem Berührungsschutz (Klappdeckel) oder FI-Steckdosen (Sicherheit) verwendet werden.
Optional können Schalter und Steckdosen in die Küche installiert werden. Dies ist für Kleinwüchsige oder Rollstuhlfahrer günstig. Schalter werden z.B. benötigt, um die Hängeschränke oder Arbeitsplatten hoch- und runterzufahren. Bewegungsmelder zur Lichtsteuerung wären vorteilhaft.
Besonders im Küchenbereich gilt: Alle Bedienelemente und Steckdosen sind in einer Höhe

Abb. 9.29 Schalter und Steckdosen werden hier von allen Küchenbenutzern erreicht.
Foto: Ropox A/S, Dänemark

von 85 cm anzubringen. Auch Backofen oder Geschirrspüler sollten für Rollstuhlfahrer in dieser Höhe montiert sein, so dass man aus der sitzenden Position heraus alles gut einsehen und handhaben kann.

Da man sich wie gesagt ca. 40 % seiner Zeit in der Küche aufhält, sollte auch dort ein Telefonanschluss vorhanden sein.
Um weitere Gefahrenquellen zu minimieren, ist es sinnvoll, ein Lichtsignal mit Ampelschaltung für den Herddienst zu integrieren, das beim Verlassen der Küche anzeigt, ob die Herdplatte an- oder ausgeschaltet ist.

Ergonomische Bedienung

Alle verwendeten Gegenstände und Bedienelemente sollten über große und leicht zu fassen-

Abb. 9.30 Höhenverstellbare Schränke für ein bequemes Arbeiten im Stehen und im Sitzen.
Foto: Ropox A/S, Dänemark

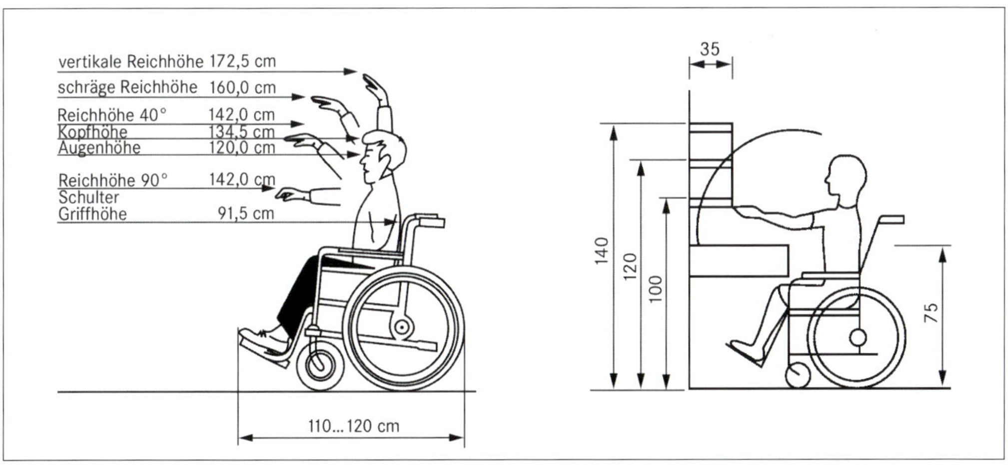

Abb. 9.31 Die Möglichkeit, aus dem Rollstuhl heraus Gegenstände zu greifen, ist auf 90° begrenzt.

de Griffe verfügen (elektronische Küchengeräte, sämtliche Schubladen und Schranktüren). Besonders so genannte Apothekerschränke mit Komplettauszügen haben sich auf Grund ihrer leichten Zugänglichkeit in der Praxis bestens bewährt.

Essbereich

Hier sollte eine Unterfahrbarkeit des Tisches von 69 cm gewährleistet sein. Schräg stehende Tischbeine sind zu vermeiden.

Abb. 9.32 Bequemes Verstellen der Esstischhöhe per Schalter bietet diese Küchenausstattung. *Foto: Ropox A/S, Dänemark*

9.3.6 Das Schlafzimmer

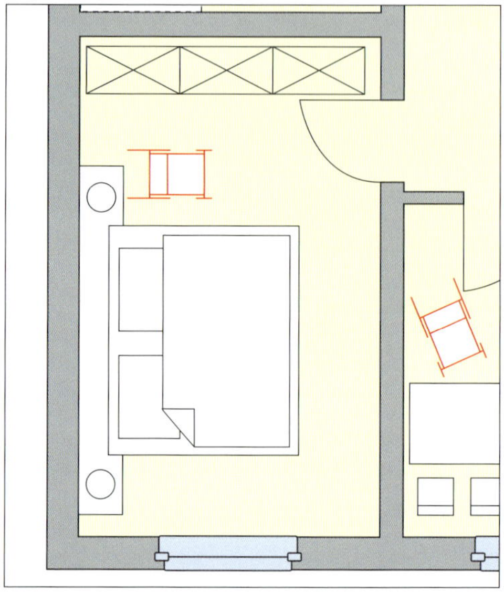

Abb. 9.33 Grundriss Schlafraum aus Abb. 9.13

In einem barrierefreien Wohnumfeld muss der Schlafraum aufgrund der möglicherweise langen Verweildauer auch als Aufenthaltsraum angesehen werden. Wohnbehaglichkeit, eine schmeichelnde Atmosphäre und ein gemütliches Raumgefühl sucht man beim Schlafraum jedoch häufig leider vergebens.

Fensterbrüstungen sollten eine maximale Höhe von 60 cm haben, um auch im Sitzen den Blick nach draußen zu ermöglichen. Die Be- und Entlüftung sowie die Luftfeuchtigkeit müssen kontrollierbar bzw. beeinflussbar sein.

Bewegungsflächen

Entlang der Betteinstiegsseite muss die Bewegungsfläche für den Rollstuhlbenutzer 150 cm Tiefe haben. Idealerweise sollte das Bett von mehreren Seiten zugänglich sein. Für Nicht-Rollstuhlbenutzer genügt eine Tiefe von 120 cm. Die übrigen Bewegungsflächen vor Betten sowie die vor Schränken und Kommoden müssen mindestens 90 cm tief sein – ideal sind auch hier 120 cm für Rollstuhlbenutzer bzw. 150 cm bei frontaler Anfahrt.

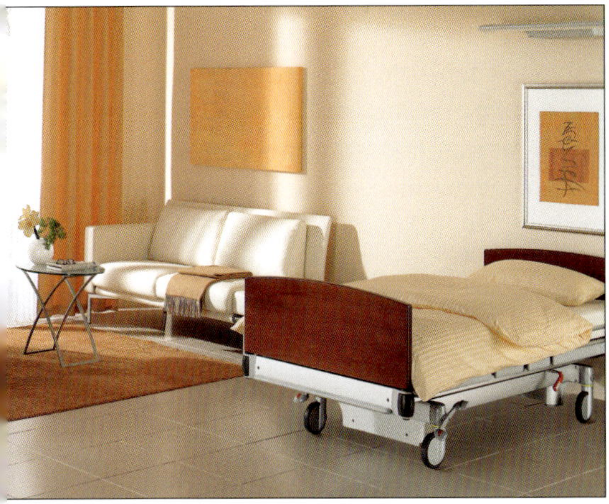

Abb. 9.34 und 9.35 Viel Bewegungsfläche auf geeignetem Bodenbelag im Schlafraum
Fotos: Armstrong DLW AG, Bietigheim-Bissingen

Das Bett

Die Liegefläche des Bettes ist in einer Höhe zu gestalten, die eine bequeme Nutzung ermöglicht. Im Allgemeinen sollte das Bett über eine Oberkante von nicht höher als 55 cm inkl. Auflage verfügen.

Das Bett sollte entsprechend den individuellen Bedürfnissen gegebenenfalls mit einer Aufrichthilfe, besonderen Matratzen, einem Vibrationswecker oder einem Sicherungsgitter ausgestattet sein. Die Verwendung reizarmer Materialien beugt Allergien vor.

Schrankausstattung

Empfohlen werden Schränke mit einer ausklappbaren Kleiderstange oder besser noch begeh- und befahrbare Schränke, die zudem nicht den Eindruck einer Krankenstationseinrichtung erwecken. Für eine ausreichende Beleuchtung des Schrankinneren ist zu sorgen.

Kommunikation

Um die Kommunikation zu gewährleisten, ist eine UAE-Anschlussdose in der Räumlichkeit Vorbedingung. Ebenfalls in bequemer Reichweite vom Bett ist eine genügend große Ablage mit Telefon unerlässlich.

Beleuchtung und Elektrik

Wichtig ist ein Lichtschalter, der vom Bett aus auch im Dunkeln leicht erreicht werden kann. Es empfiehlt sich, Schalter, Zugschalter, Steckdosen, Fernbedienung in Bettnähe zu platzieren, damit Unfälle bei Tag und Nacht minimiert werden bzw. Bettlägerige bequem vom Bett aus schalten können.
Als Nachtbeleuchtung können auch Lichtsignale verwendet werden. Diese werden durch einen unter dem Bett installierten Bewegungsmelder aktiviert.

Das selbstständige Bedienen von Rollos wird durch elektrische Systeme erleichert bzw. für Bettlägerige überhaupt erst ermöglicht.

Brandmelder sollten überall dort, wo es für eine erhöhte Sicherheit individuell notwendig ist, angebracht werden.

Heizung

Besonders der individuelle Wärmebedarf muss bei bestimmten Behinderungen oder Einschränkungen für 365 Tage im Jahr bedacht werden. Dies erfordert oft eine Zusatzheizung. Im gesamten inneren Wohnbereich ist auf leicht bedienbare Heizungskontrollsysteme zu achten.

9.3.7 Balkon und Terrasse

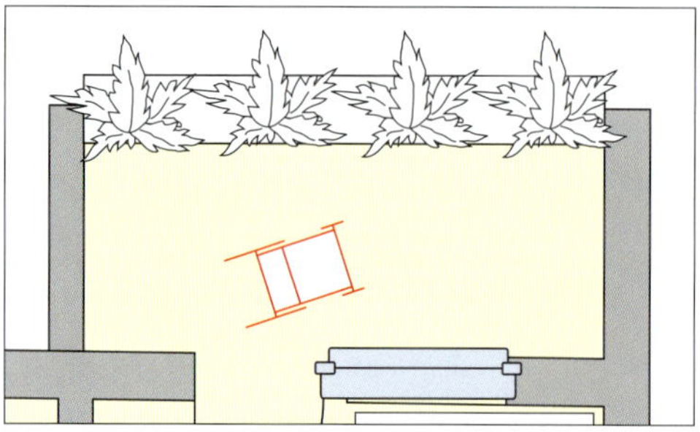

Abb. 9.36 Grundriss Balkon aus Abb. 9.11

Nur leicht zugängliche Balkone, Terrassen oder Gärten erfüllen auch ihren Zweck. Türschwellen verhindern jedoch oft den freien Zugang und sind ein Grund dafür, dass ältere und behinderte Menschen den Freiraum nicht in dem Maße nutzen, wie sie es gerne tun würden. Die nachfolgenden Passagen geben Hinweise für eine barrierefreie Ausgestaltung des Freisitzes.

Schwellenfreier Übergang

Hauptaugenmerk muss auf den schwellenfreien Türbeschlag gelegt werden sowie auf eine leicht – auch aus der Sitzposition heraus – zu öffnende Tür nach draußen, um so dem Rollstuhlfahrer den Zugang zu erleichtern.

Die Balkon- oder Terrassenfläche

Empfohlen wird ein mindestens 4,5 m^2 großer Freisitz für jede Wohnung, auch hier muss eine Bewegungsfläche von 1,50 m x 1,50 m zur Verfügung stehen.
Die Brüstung ist ab einer Höhe von 60 cm durchsichtig zu gestalten, da ansonsten das Blickfeld einer sitzenden Person stark eingeschränkt wird. Die Gesamthöhe der Brüstung sollte jedoch 90 cm bis 110 cm betragen, damit Abstürze verhindert werden.

Begrünung

Eine vorhandene Begrünung sollte auch im Sitzen zu pflegen sein.

Bodenbelag

Der Bodenbelag muss den Bedürfnissen alter und behinderter Menschen entsprechen, d. h., hier ist ein rutschfester, durchgängiger Bodenbelag zu verwenden – Lattenroste sind nicht geeignet. [4]

Abb. 9.37 Sicherer barrierefreier Balkonaustritt für Rollstuhl oder Rollator
Foto: Gutjahr Innovative Bausysteme GmbH, Bickenbach

Abb. 9.38 Ein leicht begeh- und befahrbarer Bodenbelag für Terrasse und Balkon
Foto: EHL AG, Kruft

Zusatzausstattung

Empfohlen werden Zusatzausstattungen wie:

- leicht bedienbare Sonnenrollos,
- verstellbare Windschutzwände,
- Wärmestrahler,
- ausreichende Beleuchtung sowie
- wetterfeste Steckdosen.

Die Checkliste für Wohnraumanpassung und Neubau (Anlage 1, S. 165) hilft, einen schnellen Überblick über alle Maßnahmen zu gewinnen.

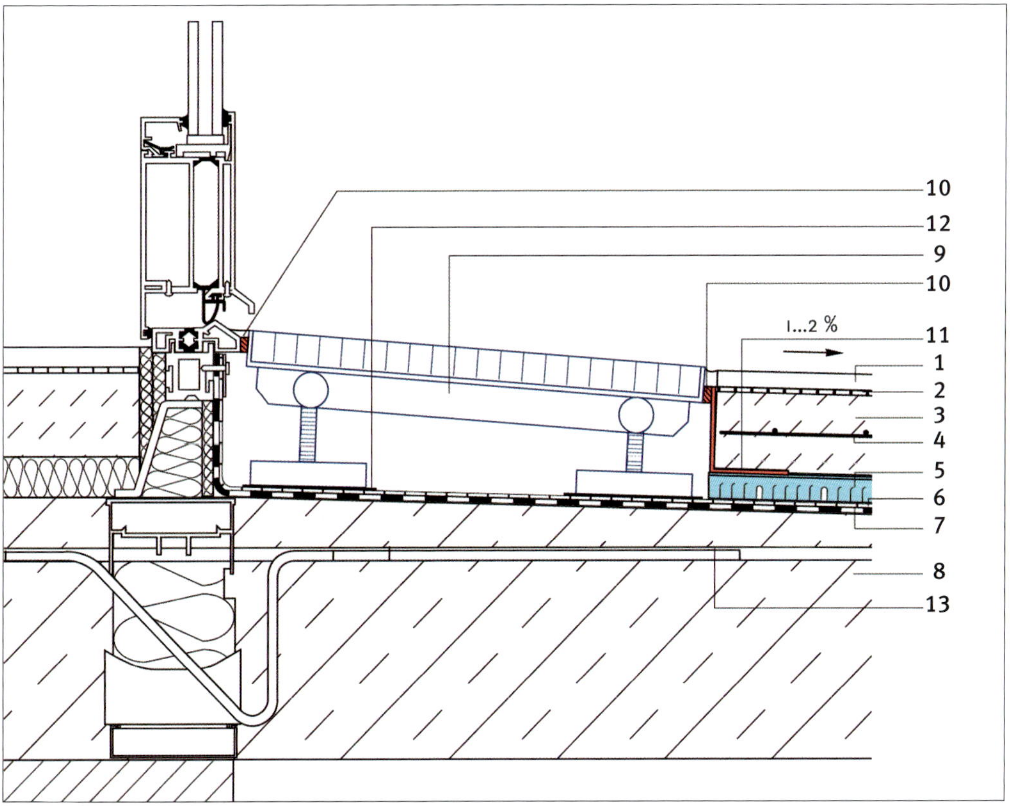

Abb. 9.39 Ansicht eines schwellenfreien Türbeschlages *Zeichnung: Gutjahr Innovative Bausysteme GmbH, Bickenbach*

1 Fliesen- oder Plattenbelag
2 Dünnbettmörtel bzw. Kontaktschicht
3 Zementestrich als Lastverteilungsschicht (mind. 50 mm)
4 nichtstatische Bewehrung
5 AquaDrain® FE+ Drainagematten (8 oder 16 mm), Lamellen in Gefällerichtung verlegt
6 Trennlage (Lt. Richtlinie ist auf druckfesten Verbundabdichtungen, wie z. B. Dichtschlämmen, keine Trennlage erforderlich.)
7 Abdichtung nach DIN 18195, Teil 5
8 Balkonkragplatte im Gefälle
9 AquaDrain® BF Drainrost (20 oder 30 cm), Neigungswinkel verstellbar
10 AquaDrain® Fugenband SL
11 AquaDrain® Lochwinkel auf Drainage
12 Schutzplatte unter Drehfüßen
13 Schöck Isokorb K

9.4 Maßnahmen für eine Wohnraumanpassung bei Demenzerkrankung

Das bereits in Kapitel 7 zur Wohnraumanpassung für Demenzerkrankte Gesagte wird hier noch einmal zusammengefasst und konkretisiert. Ein zentrales Thema bildet die Schaffung eines sicheren und Geborgenheit vermittelnden Wohnbereichs. Die Anpassung sollte so unauffällig und behutsam wie möglich erfolgen. Vertraute Gegenstände mit einem hohen emotionalen Wert für den Betroffenen sollten Bestandteil der Einrichtung bleiben.

> **Denn nur Vertrautes schafft Geborgenheit, jede Veränderung lässt Ängste aufkommen.**

Ziele der Anpassungen sollten sein:

- Wahrung der Autonomie,
- Förderung der Selbstständigkeit,
- Erhalt und Förderung der Lebensqualität,
- individuelle Fähigkeiten und Vorlieben erhalten und fördern,
- Abneigungen berücksichtigen,
- Förderungen der Ressourcen,
- Entlastung von Angehörigen und Pflegepersonal.

Bei allen Überlegungen zu einer Wohnraumumgestaltung sollte man immer bedenken, dass die unterschiedlichen Ursachen für eine Demenz auch unterschiedliche Folgeerscheinungen hervorbringen.

Allen Demenzformen ist jedoch – wenn auch in individueller und schwankender Ausprägung bzw. Intensität – eigen:

- Die Unfähigkeit der Selbsteinschätzung,
- Gefahren werden nicht rechtzeitig erkannt,
- Ruhelosigkeit und damit verbunden ein starker Bewegungsdrang.

Diese individuellen Unterschiede verlangen große Aufmerksamkeit für die Bedürfnisse des Einzelnen, will man die o. g. Ziele der Wohnungsumgestaltung erreichen.

- Anpassungsmaßnahmen sollten für den Betroffenen leicht verständlich sein. Sie dürfen nicht zu weiterer Verwirrung führen.
- Maßnahmen, die die Sinnes- und Denkfunktionen unterstützen, sind sinnvoll.
- Ebenso ist es hilfreich, Mobilität und die Weiterführung gewohnter Aktivitäten durch entsprechende Gestaltung der Wohnung so lange wie möglich zu fördern.
- Die räumliche Orientierung innerhalb der Wohnung kann z. B. durch verständliche Kennzeichnung von Türen und der dahinter liegenden Räume, Offenlassen oder Beseitigen von Türen oder den Einbau von Glastüren erleichtert werden.
- Die zeitliche Orientierung kann durch Uhren mit großem arabischen Zifferblatt, Kalender, Blumen und Essen nach Jahreszeit sowie auch ritualisierte Handlungsabläufe unterstützt werden.

Für den inneren Wohnbereich gilt, dass

- Türen immer auch von außen geöffnet werden können,
- Fenster mit abschließbaren Griffen und Kippmöglichkeiten versehen sind,
- Regler an den Heizkörpern gesichert werden und
- Steckdosen mit Sicherungen versehen sind.

Neben der Wohnung selbst ist auch ein gutes Wohnumfeld für Menschen mit Demenz unterstützend. Dazu gehören neben netten Nachbarn ein gutes Netzwerk und ein wohnungsnaher Raum, in dem alle wichtigen Besorgungen erledigt werden können. Belebte Straßenräume vermitteln das Gefühl, dabei zu sein. Eine ausreichende Beleuchtung der Straßen gibt ein Sicherheitsgefühl in der Dunkelheit.

9.4.1 Das Treppenhaus

Grundsätzlich ist es einfacher, wenn das Leben auf einer Ebene stattfinden kann und keine Treppen vorhanden sind. Falls dies nicht möglich ist, sind folgende Hinweise zu beachten.

Handläufe

Sie sollten möglichst 30 cm über die erste und letzte Stufe der Treppe hinausgehen, 3,5 cm bis 4,5 cm Durchmesser und einen ausreichenden Wandabstand haben. Das erhöht nicht nur die Sicherheit, sondern bildet auch ein »Trainingsgerät«, das immer zur Hand ist. Die Handläufe müssen gut zu greifen, am besten beidseitig vorhanden und bei schlecht sehenden Personen mit taktilen Hilfen ausgestattet sein. Die richtige Farbgestaltung und günstige Lichtverhältnisse lassen sie gut erkennbar werden.

Treppe

Markierte Stufenkanten sind leichter als solche zu erkennen und geben somit Sicherheit beim Treppengehen. Vor allem die erste und die letzte Stufe sollten eindeutig markiert werden. Unterschiedliche Höhen von Stufen sollten möglichst so verändert werden, dass die Stolper- und Sturzgefahr durch Hängenbleiben an der Kante beseitigt wird.

Ob und inwiefern ein Treppenlifter oder mobile Treppensteigehilfen sinnvoll sind, hängt von der jeweiligen Situation und dem Betroffenen ab und muss im Einzelfall möglichst vorab praktisch erprobt werden.

Oberhalb einer Treppe kann eine faltbare oder schwenkbare Tür oder eine andere bewegliche Barriere eingebaut werden, um so Stürze auf die Treppe zu verhindern und die Sicherheit für Betroffene und Angehörige zu erhöhen.

Beleuchtung

Eine ausreichende, ausgewogene und blendfreie Beleuchtung macht Treppen sicherer: 500 Lux 20 cm über dem Fußboden ist eine sinnvolle Anordnung.
Die Beleuchtungsintervalle im Treppenhaus sind entsprechend zu verlängern.

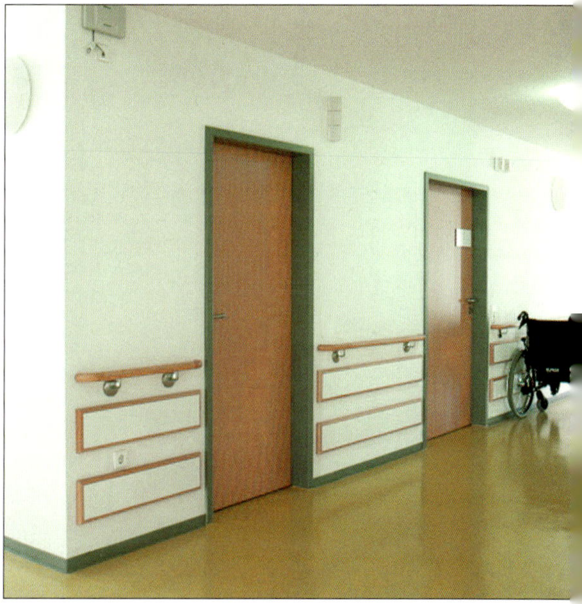

Abb. 9.40 und 9.41 Farblich gut abgesetzte und gut greifbare Handläufe geben Sicherheit, links Beispiel für Treppenaufgang, rechts Beispiel für Flur *Fotos: HEWI Heinrich Wilke GmbH, Bad Arolsen*

9.4.2 Der Flur

Bauliche Türen

Die Eingangstür sollte so beschaffen sein, dass sie in jedem Fall von außen zu öffnen ist, also keine Riegel oder Ketten innen angebracht sind.
Bleiben im Flur interessante Gegenstände, Bilder oder Erinnerungsfotos im Hellen und die Eingangstür eher im Dunkeln, kann häufig von der Idee, die Wohnung verlassen zu wollen, abgelenkt werden. Auch ein bequemer Sitzplatz, der zum Ausruhen einlädt, kann den Blick wieder in Bereiche der Wohnung richten, in denen interessante Betätigungen »warten«. Auch ein Vorhang vor der Tür oder mit Tapete verkleidete Türen können die Benutzung uninteressant werden lassen. Der Betroffene darf aber nicht den Eindruck bekommen, eingesperrt zu sein. Das kann zu nachhaltigen Panikattacken führen.

Abb. 9.42 Verbindungstür TSA 150 mit gut sichtbarem Orientierungshinweis
Foto: GEZE GmbH, Leonberg

Gegenüber der Eingangstür sollte möglichst kein Spiegel hängen, da beim Betreten der Wohnung das eigene ICH als fremder Mensch vermutet wird, wenn der Demenzkranke sich selbst nicht mehr erkennt.
Stolperfallen sollten beseitig werden. Bei Gegenständen, die der Orientierung dienen, muss genau überlegt werden, welche unentbehrlich sind.
Türen können zudem generell mit der Funktion des Raumes gekennzeichnet werden.

Eingangstüren können mit einem Bewegungsmelder versehen werden, der ein Signal (z. B. Glockenspiel, sensorischer Melder, Funkmelder) auslöst. So kann vermieden werden, dass ein an Demenz Erkrankter unbemerkt die Wohnung oder das Haus verlässt.

Beleuchtung

Auch im Flur schafft eine ausreichende, ausgewogene und blendfreie Beleuchtung – 300 Lux 20 cm über dem Boden – Sicherheit und Orientierung und verhindert Ängste.

9.4.3 Bad und WC

Sicherheit

Die Türen sollten nach außen zu öffnen sein, damit sie im Falle eines Sturzes problemlos zu öffnen sind und dem Betroffenen geholfen werden kann.
Herkömmliche Badezimmerschlösser können entfernt und durch von außen zu öffnende ersetzt werden.
Haltegriffe, Stangen oder auch Duschstangen können die Sicherheit deutlich erhöhen, wenn sie fest installiert und stabil sowie durch kontrastreiche Farben gut zu erkennen und zu greifen sind. Außerdem müssen sie in der richtigen Form und an der richtigen Stelle angebracht sein.

Bodenbelag

Böden im Bad, auch in Duschen und Badewannen, sollten rutschhemmende Oberflächen haben. Diese können oft auch im Nachhinein eingearbeitet oder durch geeignete Gummimatten oder -aufkleber geschaffen werden. Sie müssen aber besonders gut zu reinigen sein und regelmäßig auf sichere Haftung überprüft werden. Wer absolut nicht auf Vorleger verzichten will, sollte auch hier regelmäßig die Bodenhaftung überprüfen.

Dusche und Wanne

Füllstandsmelder für die Badewanne und den Waschtisch zu installieren, ist sinnvoll, wenn der Kranke noch weitgehend ohne fremde Hilfe im Bad auskommt.
Der Einsatz einer Thermostatarmatur in der Dusche bzw. der Badewanne verhindert das Verbrühen. Bei stark kalkhaltigem Wasser ist eine solche Armatur oft zu entkalken. Bei Durchlauferhitzern ist ein elektronisches Gerät von Vorteil, weil die Wassertemperatur voreingestellt werden kann und das Wasser in der gewünschten Temperatur aus dem Hahn kommt. Ob eine Einhebel- oder Zweihebelarmatur besser geeignet ist, muss im Einzelfall geprüft werden. Die Einhebelarmatur hat bei entsprechender Ausführung den Vorteil, dass man hineingreifen und sie somit auch mit nur zwei Fingern bewegen kann. Die Zweihebelarmatur hat den Vorteil, dass man nicht so leicht versehentlich auf zu kalt oder zu warm stellt und ihre Funktionsweise bereits im Langzeitgedächtnis gespeichert ist.

Abb. 9.43 Bodengleiche Dusche mit Sitz
Foto: HEWI Heinrich Wilke GmbH, Bad Arolsen

Durch Einbau einer bodengleichen Dusche werden Stolperfallen abgebaut und die Pflege erleichtert. Duschvorhänge sind bequem, sicher und pflegeleicht. Bei ausreichendem Abstand und entsprechender Qualität kleben sie nicht am Körper. Beim Duschen kann das Festkleben am Körper durch einen Spalt und somit veränderten Luftzug verhindert werden. Feste Abtrennungen schränken oftmals den Bewegungs- und Einstiegsraum ein und erschweren Hilfestellungen von außen. Nach außen zu öffnende Duschtüren können durch herabtropfendes Wasser zusätzlich Rutschgefahr verursachen. Alle Vor- und Nachteile sollten sehr genau abgewogen werden, denn gerade bei diesem Thema liegen Wunsch und Wirklichkeit oft weit auseinander.

Den Wannenrand kann man besser erkennbar machen durch Anbringen eines farbigen Klebestreifens, der zusätzlich den Kontrast zwischen Wasser und Badewanne erhöht.
Ob ein Wannenlift, ein Duschstuhl o. Ä. erforderlich ist, muss im Einzelfall geprüft werden. Tiefe Seifenschalen verhindern, dass Seife versehentlich auf den Boden fällt und somit zur Rutschgefahr wird. Die Waschutensilien des an Demenz Erkrankten in seiner Lieblingsfarbe anzubieten, kann Verwechslungen mit dem Waschzubehör anderer Bewohner verhindern.

Abb. 9.44 WC mit seitlichen Stützen
Foto: HEWI Heinrich Wilke GmbH, Bad Arolsen

Dusch-, Reinigungs- und Körpermittel sollten für den Erkrankten nicht frei zugänglich sein, um die Gefahr der falschen Nutzung oder des Verschluckens auszuschließen. Ebenso sollten Medikamente nicht im Badezimmer aufbewahrt werden, da es dort meistens zu warm und zu feucht ist. Empfohlen wird z. B. die Aufbewahrung in einem abschließbaren Schrank im Schlafzimmer der Angehörigen.

Das WC

Eine zu niedrige Toilette kann durch eine höhere ersetzt oder durch Aufsätze erhöht werden. Bei der Auswahl ist darauf zu achten, wie hoch die Toilette angebracht werden soll und ob die Mitbewohner auch damit zurechtkommen. Eventuell ist eine mobile Erhöhung günstiger. Ob Armstützen und ein stabiler Deckel gebraucht werden und ob die Reinigung gut zu bewältigen ist, sollte ebenfalls geprüft werden.

Eine farbige Toilettenbrille kann helfen, die Toilette besser als solche zu erkennen. Abfalleimer werden häufig mit der Toilette verwechselt und sollten deshalb in einem Schrank oder außerhalb des Badezimmers untergebracht werden.

Beleuchtung

Eine ausreichende Beleuchtung im Badezimmer (500 Lux in 85 cm Höhe, im Toilettenbereich 300 Lux über dem Fußboden) hilft, Stürze zu vermeiden. Nachtlichter auf dem Weg zum und im Badezimmer dienen zudem der Orientierung. Ob automatisches Einschalten des Lichts durch Bewegungsmelder sinnvoll ist, hängt von der Akzeptanz durch die Betroffenen ab. Die Nachtbeleuchtung muss unbedingt blendfrei sein.

9.4.4 Das Wohnzimmer

Möblierung

Ein Fensterplatz mit Lieblingssessel, der so steht, dass man bequem aus dem Fenster sehen kann, lädt zur Teilnahme am Geschehen vor dem Haus ein. Zu niedrige Sessel sollten so erhöht werden, dass beim Sitzen mindestens ein rechter Winkel zwischen Ober- und Unterschenkel entsteht und somit das Aufstehen leichter fällt. Bei Anschaffung eines neuen Sessels sollte gleich darauf geachtet werden, dass die Höhe stimmt und eine bequeme Sitzfläche vorhanden ist. Ein Fußhocker ist auch ratsam, um die Beine hochlegen zu können.
Offene Regale oder Möbel mit Glastüren helfen bei der Orientierung, weil von außen gesehen werden kann, was sich in ihnen befindet.
Wichtig sind Übersichtlichkeit und ausreichende Bewegungsflächen, dies jedoch nicht auf Kosten von besonderen Erinnerungsstücken. Mit der richtigen Farbgestaltung und verschiedenen Düften kann das Wohlbefinden des Erkrankten ebenfalls positiv beeinflusst werden.

Elektrik und Kommunikationsmittel

Die Notwendigkeit einer ausreichenden, ausgewogenen und blendfreien Beleuchtung – 500 Lux in 85 cm Höhe über dem Boden – kann gar nicht genug hervorgehoben werden, denn sie schafft Sicherheit, hilft bei der Orientierung und verhindert das Entstehen von Ängsten.
Kabel als Stolperfallen können durch das Verlegen von Kabelschächten beseitigt werden.

Ein schnurloses Telefon ist meist nur dann sinnvoll, wenn es zusätzlich ein schnurgebundenes gibt, denn schnurlose Telefone werden oft verlegt oder nicht ausreichend aufgeladen. Ein Telefon mit Wählscheibe kann mit Erinnerungen verbunden und daher leichter bedienbar sein. Aber auch große Tasten und mögliche Voreinstellungen erleichtern dem Kranken das Bedienen.

Abb. 9.45 Bequeme Sitzmöbel, angenehme Farbkombination und Übersichtlichkeit in den Regalen *Foto: WIBU Wirtschaftsbund Sozialer Einrichtungen, Ahrensburg*

9.4.5 Die Küche

Technische Küchengeräte

Küchengeräte müssen einfach und verständlich zu bedienen sein, d. h. große Beschriftungen an großen Bedienknöpfen, die nicht stufenlos, sondern mit Raster arbeiten. Wichtig ist auch hier die Erinnerung. So ist ein Elektroherd mit Platten sinnvoller als einer mit Cerankochfeld und ein Kochkessel manchmal besser als ein oftmals sicherer Wasserkocher. Herdsicherungen und Rauchmelder schaffen zusätzliche Sicherheit. Zu prüfen ist immer, wann der Zugang zu Elektro- oder Gasherd aus Sicherheitsgründen für den Betroffenen nicht mehr möglich sein sollte.

Essplatz

Wenn ausreichend Platz vorhanden ist, ist ein Sitzplatz in der Küche sinnvoll, um bequem und gemütlich zusammenzuarbeiten oder auch um nur beim Arbeiten zuschauen zu können. Küchentische sind oft zu groß oder falsch platziert und haben überzählige Sitzplätze. Kleine gemütliche Sitzecken hingegen ermöglichen es, die Mahlzeiten aus den meist schwerer zu reinigenden Wohnzimmern herauszuhalten.

Ausstattung

Unterfahrbare Arbeitsbereiche, z. B. auch an Herd und Spüle, ermöglichen das Arbeiten auch im Sitzen. Eine höher eingebaute Spül- oder Waschmaschine erleichtert das Ein- und Ausräumen. Gleiches gilt für Kühlschrank und Backofen. Diese Maßnahmen sind nur sinnvoll, wenn die Geräte auch problemlos erreicht werden können.

Abb. 9.46 Elektrogeräte in Augenhöhe erleichtern das Ein- und Ausräumen.
Foto: Ropox A/S, Dänemark

Für den Bau oder Umbau der Küche ist Folgendes empfehlenswert:

- Für Kochnischen oder Kleinküchen sollte aus Platzgründen die einzeilige Form gewählt werden.
- Die Winkelform schafft einen zentralen Hauptarbeitsplatz, von dem aus bei übersichtlicher Anordnung der Küchenutensilien ein leichtes Arbeiten möglich ist. Sie benötigt jedoch mehr Platz.
- Arbeitet hauptsächlich ein Familienmitglied oder eine den Erkrankten betreuende Person in der Küche, sollte an einen Nebenarbeitsplatz gedacht werden, an dem leichte Küchenarbeiten vom Erkrankten erledigt werden können.
- Arbeits- und Essplätze sollten auch hier unterfahrbar sein, damit man die Arbeiten auch im Sitzen ausführen kann. Zur Unterfahrbarkeit der Spüle ist ein Unterputz- oder Flachputzsiphon erforderlich.
- Eine automatische Ausschaltvorrichtung für Elektroherde ist in jedem Fall sinnvoll, um Unfälle zu vermeiden, aber auch um Energie zu sparen.

Schränke mit Glastüren schaffen Orientierung. Ähnlich wirken Zeichnungen auf Schränken oder Beschriftungen der Schranktüren mit den Inhalten in den Schränken. Auch das Entfernen von Schranktüren ist eine Möglichkeit, die Orientierung zu erleichtern. Gebrauchsgegenstände sollten gut sichtbar positioniert werden.
Reinigungsmittel sind möglichst außerhalb der Reichweite des Kranken aufzubewahren, da die Gefahr des Verwechselns und der Vergiftung besteht.

9.4.6 Das Schlafzimmer

Bett

Das Bett sollte erhöht werden, so dass das Hinlegen bzw. Aufstehen einfach ist. Hier gilt dieselbe Regel wie bei Sesseln und Stühlen: beim Sitzen an der Bettkante sollte zwischen Ober- und Unterschenkel mindestens ein rechter Winkel sein. Es kann auch ein höhenverstellbarer Lattenrost verwendet werden.

Sinnvoll ist manchmal auch die Einrichtung getrennter Schlafzimmer. So kann sich der Ehepartner besser erholen und Kräfte sammeln.

Die Farben der Bettwäsche spielen eine große Rolle für das Wohlbefinden und sollten deshalb sehr hell und warm gewählt werden.

Bei Rauchern sollte die Bettwäsche aus schwer entflammbarem Material sein. Die Installation eines Rauchmelders ist grundsätzlich angebracht.

Der Nachtschrank sollte eine ausreichend große Ablage haben, so dass alle benötigten Gegenstände gut erreichbar sind. Abgerundete Ecken mindern das Verletzungsrisiko.

Beleuchtung

Für das nächtliche Aufstehen hat sich eine unterhalb der Bettkante angebrachte blendfreie Beleuchtung bewährt, die z. B. mittels Bewegungsmelder eingeschaltet wird. Falls es jedoch ein Haustier gibt, das sich ebenfalls im Schlafzimmer aufhält, muss dagegen ein vom Bett aus gut erreichbarer Schalter installiert werden, da der Bewegungsmelder durch das Tier öfter aktiviert werden könnte.
Bei Menschen mit Angst vor Dunkelheit ist ein Nachtlicht im Schlafzimmer angezeigt.
Generell gilt: Die Beleuchtung sollte vom Bett aus schaltbar installiert werden.

Der Weg zur Toilette sollte ebenfalls beleuchtet sein. Auch hier kann man Bewegungsmelder oder Geräuschmelder nutzen.

Schrankausstattung

Um mehr Bewegungsraum im Schlafzimmer zu schaffen, kann der Einbau von Schiebetüren an Schränken sinnvoll sein. Das Entfernen von Möbeln, die nicht mehr benötigt werden und auch nicht zu den unbedingten Lieblingsmöbeln zählen, dient ebenfalls der Übersichtlichkeit und schafft mehr Bewegungsfläche.

Eine sinnvolle Ordnung und Übersicht in den Schränken kann, wenn sie angenommen wird, die Selbstständigkeit beim Ankleiden deutlich länger erhalten. Funktionelle Ablagemöglichkeiten in Anlehnung an die frühere »Schrankordnung« und nicht zu viel Garderobe erleichtern dem Erkrankten das Zurechtfinden in seinen persönlichen Sachen. Kleidungsstücke, die einen Erinnerungswert haben, sollten nicht entfernt werden.
Eine ganz neue Ordnung kann, weil sie unbekannt und fremd ist, aber auch zu zusätzlicher Verwirrung führen. Es ist also genau zu überlegen, was sich im Einzelnen ohne negative Auswirkungen auf den Erkrankten ändern lässt.

Abb. 9.47 Warme, helle Farben für die Bettwäsche der Demenzerkrankten
Foto: WIBU Wirtschaftsbund Sozialer Einrichtungen, Ahrensburg

9.4.7 Balkon, Terrasse und Garten

Balkon und Terrasse

Das Absenken des Balkon- oder Terrassenübergangs ist zu empfehlen. Dazu werden von Firmen jeweils optimale Lösungen angeboten. Manchmal genügt aber auch schon ein Haltegriff o. Ä.

Garten

Ein umschlossenes Grundstück, das Geborgenheit mit der Möglichkeit vieler Aktivitäten im Garten verbindet, bietet Betroffenen und Angehörigen Sicherheit, Beschäftigung und Entspannung.
Ein Zugang zur Straße sollte aus Sicherheitsgründen für den Demenzkranken möglichst nicht als solcher zu identifizieren sein.
Ein breiter, barrierefreier Übergang vom Haus zum Garten ermöglicht selbst im Fall der Bettlägerigkeit den Aufenthalt im Garten.

Sitzplätze im Garten sollten komfortabel, ausreichend hoch, mit gerader Sitzfläche und Arm-

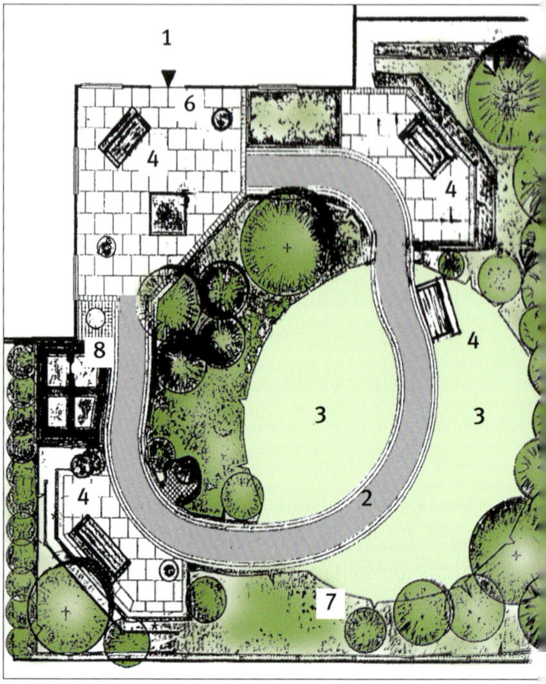

Abb. 9.48 Rundweg
1 Gebäude; 2 Rundweg; 3 Rasen; 4 Bänke; 5 Hochbeet; 6 Pflanzkübel; 7 Hecken; 8 Kräutergarten

Abb. 9.49 Bewohner können Blumen pflegen – Anregung der Sinne *Foto: EHL AG, Kruft*

Abb. 9.50 Begegnung *Foto: EHL AG, Kruft*

lehnen ausgestattet sein. Es sollte Sitzmöglichkeiten für Aktivitäten wie Grillen, Umtopfen, Arbeiten an einem Hochbeet und natürlich auch für Plaudereien und zum Ausruhen geben. Sie sollten vor zu viel Sonne und Wind geschützt sein und einen Ausblick auf Tiere oder Lieblingspflanzen bieten. Besonders duftende Pflanzen regen die Sinne an, aber zu viele können auch verwirren. Bekannte Pflanzen können Erinnerungen auslösen.

Giftige Pflanzen sind unbedingt aus dem Garten zu entfernen.

Alle diese Plätze sollten zwar ungestört sein, aber zur Sicherheit trotzdem Einblick vom Haus aus gewähren.

Ein Rundweg durch den Garten kann zusätzlich Anregungen schaffen. Er sollte so breit sein, dass sich Fußgänger und Rollstuhlfahrer nebeneinander bewegen können. Für den Weg dürfen wegen der Stolper- und Sturzgefahr keine losen Bodenbeläge (z.B. Kies oder Schotter) verwendet werden. Es sollte ebenso kein Bodenbelag verwendet werden, der reflektiert oder glänzt (Irritation) bzw. rutschig ist (Sturzgefahr). Bei Rollstuhlfahrern sind Randsteine sinnvoll, wenn der Weg durch Beete führt.

Gemüse- und Kräuterbeete sowie Obstbäume können die Orientierung erleichtern, weil sie Hinweise auf die Jahreszeit geben, verloren gegangene Kompetenzen können geweckt werden.

Abb. 9.51 Bepflanzte Mauer als Alternative zum Zaun *Foto: EHL AG, Kruft*

Die vier verschiedenen Gartenformen

Der **Szenariengarten** ist so gestaltet, dass die Bewohner verschiedene vertraute Erfahrungen und Handlungen wie Rosen pflegen, Wäsche aufhängen oder Tiere füttern wiederfinden können.

Der **Phasengarten** geht in seinen Unterteilungen auf verschiedene Stadien der Demenz ein, es gibt einen »aktiven« Bereich und einen Bereich, der Ruhe und Geborgenheit bietet.

Ein **Sinnesgarten** ermöglicht durch Objekte und Installationen vielfältige Sinneserfahrungen.

Das Konzept »**Begegnung zwischen Jung und Alt**« geht von der Erfahrung aus, dass für alte Menschen die Begegnung mit Kindern besonders beglückend ist. [13]

Abb. 9.52 Ein Platz zum Schauen und Ausruhen *Foto: EHL AG, Kruft*

9.5 Planungsempfehlungen für Demenzwohngruppen

Wenn die demenziell erkrankten Personen sich wie vorab beschrieben in der dritten Stufe befinden, so ist ein Leben und Wohnen in einer Demenzwohngruppe angebracht.

Folgendes muss hier bei der Planung berücksichtigt werden:

- Alle Räume sollten ausreichend dimensioniert sein und möglichst keine Höhenunterschiede aufweisen. Planungsgrundlage ist die DIN 18040 Teil 1 – Rollstuhlbenutzer.
- Obwohl Doppelzimmer nicht mehr als Standard gelten, können sie dennoch im Einzelfall den Bedürfnissen der Bewohner entsprechen. Räume mit weniger als 16 m² reiner Nutzfläche haben sich als zu klein erwiesen.
- Bei Umbaumaßnahmen sollten die Abmessungen und Stellmöglichkeiten von Bett und Rollstuhl bzw. eine Rollatorbenutzung eingeplant werden.
- Ein Vorraum/Flur zum Bad sowie Abstellmöglichkeit sollten geschaffen werden.
- Die Zimmer sollten so konzipiert werden, dass sie über eine Schlafnische verfügen.
- Die Gemeinschaftsfläche sollte ebenfalls ausreichend dimensioniert sein. Bei Gruppengrößen von 12 bis 15 Personen kann es sonst in der Wohnküche eng werden. Auch ist für eine gute Belüftung zu sorgen, ohne dass dabei die Bewohner der Zugluft ausgesetzt sind.
- Den Flur ist so zu dimensionieren, dass mehrere Rollstuhlfahrer sich gut darin bewegen können. [7]

9.5.1 Gestaltungshinweise

Außenbereich

Den Außenbereich sollten die Bewohner nutzen können. Es ist abzusichern, dass der Zugang keine Gefahren birgt. Ein Weglaufen der Bewohner ist durch Lichtschranken, Infrarotanzeiger oder Bewegungsmelder zu verhindern.

Abb. 9.53 Gemeinschaftsraum mit Wohlfühlatmosphäre *Foto: Herbert Waldmann GmbH & Co. KG, Villingen-Schwenningen*

Für Bewegungsmöglichkeiten sollte durch gepflasterte Wege mit Sitzbänken, Blumen, Sträuchern und Kräutern, eventuell auch einen Teich und Tierhaltung gesorgt werden. Gärten können zur Milieutherapie beitragen, indem sie den Bewohnern ein Stück Eigenerleben zurückgeben: Durch den Vegetationszyklus der Pflanzen stellen sich Jahreszeitbezüge her, die die zeitliche Orientierung stärken. Kräuter regen den Geruchssinn an, und Tiere sind für die Psyche der Bewohner sehr wichtig.
Die Sinne werden durch Farben, Gerüche und ertastbare Gegenständen trainiert. [13]

Eingangsbereich

Der Eingangsbereich kann als Erlebnisbereich gestaltet werden; wenn das baulich nicht möglich ist, kann auch ein interessanter Außenbereich zum Erlebnismittelpunkt werden.

Flure und Orientierungshilfen

Oft sind gerade die Flure sehr lang und bedürfen – der Orientierung wegen – einer besonderen Gestaltung. Hier können Pflanzenkübel und Bilder beim Zurechtfinden helfen.
Orientierungshilfen haben eine große Bedeutung, denn selbst schwer Demenzkranke finden bei guter Gestaltung ihr Zimmer ohne fremde Hilfe wieder. Entscheidend ist hierbei, mit Farben, Licht und Material so zu arbeiten, dass das Symbol an der Zimmertür an Erinnerungen anknüpft. Dazu bieten sich am besten Themen an wie Obst, Blumen oder Motive früherer Hobbys der Bewohner. Das Symbol sollte in Augenhöhe innerhalb eines Leitstreifens neben der Tür erscheinen.
Auch bei außerhalb der eigenen Räume liegenden Toiletten hilft ein farbiges Leitsystem den Bewohnern, den Weg leichter zu finden.

Fenster

Fenster sollten weder von innen noch von außen zugestellt bzw. durch Pflanzen zugewachsen sein, damit immer ein Ausblick und somit eine Teilnahme am Geschehen möglich ist.

Farbe

Farben spielen für die Demenzerkrankten eine nicht zu unterschätzende Rolle: Sie geben einem Gebäude in allen seinen Teilen Ordnung und Struktur und bieten damit ein hohes Maß an Orientierungsmöglichkeit. Farbkontraste schaffen Unterscheidungen zwischen dem Bodenbelag, den Wände und der Decke sowie zu Fenstern und Türen. Sie unterstützten so eine bessere Raumwahrnehmung.
Die Oberflächen sollen nicht reflektieren oder bei Lichteinstrahlung blenden.

Auf die Wirkung von Farben wurde bereits in Kapitel 8 detailliert eingegangen.

Bodenbelag

Besonders geeignet sind Holzdekore. Die Industrie bietet Linoleum-Bogenbeläge oder Vinyl-Bodenbeläge mit sehr gut nachgeahmter Holzmaserung an (vgl. Abb. 8.4, S. 49). Auf keinen Fall darf der Bodenbelag glänzend oder schwarz sein. Ein Glanzeffekt löst häufig Angst vor Rutschgefahr aus; ein schwarzer Belag kann Unsicherheit verursachen.

Ausleuchtung

Die Ausleuchtung der Räume spielt für das Befinden der Bewohner ebenfalls eine große Rolle. Grundsätzlich ist eine möglichst hohe Tageslichtausnutzung durch eine Raumanpassung oder ein Lichtlenksystem anzustreben (tagsüber 200 Lux bis 500 Lux).
In den Aktivzonen kann bei geminderter Lichtqualität der Einsatz einer ausreichend hohen Beleuchtungsstärke Ausgleich schaffen, z. B. durch die so genannten Vollspektrum-Leuchten. [14] Flimmer- und Blendfreiheit ist gegenüber den beeinträchtigten Bewohnern zu gewährleisten. Die Lichtausstattung soll in Farbtemperatur und Helligkeit dem Tagesrhythmus nachempfunden sein.

Ausstattung

Neben dem Licht und der Farbgestaltung wirkt auch das Material der Ausstattung auf die Si-

Abb. 9.54 Sicherheit durch richtige Beleuchtung in Flur und Treppenhaus *Foto: Herbert Waldmann GmbH & Co. KG, Villingen-Schwenningen*

cherheit und Befindlichkeit der Bewohner. Die taktile Wahrnehmung des Raumes unterstützt und kompensiert die nachlassende Sehfähigkeit und die Gehunsicherheiten.
Für Möbel, Handläufe, wenn möglich auch für den Bodenbelag, sollte das Material Holz gewählt werden.

Gemeinschaftsräume

Gemeinschaftsräume sollen sich farblich vom übrigen Bereich abheben.
Die Küche sollte ausreichend Platz bieten, damit Bewohner, Angehörige und Personal diese ohne Einschränkungen nutzen können.

Eigene Räume

Die eigenen Räume sollten möglichst mit Erinnerungsstücken ausgestattet sein, z. B. eigene Möbelstücke, dies gibt dem Raum nicht nur eine persönliche Note, sondern schafft eine vertraute Atmosphäre.

9.6 Maßnahmen für eine Wohnraumanpassung bei Sehbehinderung

An dieser Stelle sei noch einmal auf die Ausführungen in Kapitel 5 zu den verschiedenen Formen von Sehbehinderungen und die Bemerkungen in Kapitel 8 zu den Wirkungen von Farbe und Licht verwiesen.
Jede Art von Kontrast erleichtert Sehbehinderten den Umgang mit dem Umfeld.
Günstig wäre eine zentral gelegene Wohnung mit einer guten Anbindung an den Nahverkehr. Das Umfeld sollte gut begehbar sein.

Begriffserklärung

Die **äußere Leitlinie** ist die ertastbare Gehwegbegrenzung zur Fahrbahn hin. Dies kann der Bordstein sein, eine Pflanzbeeteinfassung oder nur ein Belagwechsel (beispielsweise gepflasterte »Unterstreifen«).

Ein **Auffangstreifen** ist ein quer über den gesamten Gehweg verlaufendes Aufmerksamkeitsfeld.

Ein **Aufmerksamkeitsfeld** ist eine mit Bodenindikatoren belegte Fläche, die den Beginn eines Leitsystems oder eine Verzweigung im Leitstreifen, eine Querungsstelle, eine Haltestelle oder einen Bahnübergang markiert.

Bodenindikatoren sind Bodenbelagselemente, die Blinden und Sehbehinderten als Orientierungshilfe dienen. Dies können Platten mit einer Oberflächenstruktur aus Rillen, Noppen, aber auch der Bord- oder Pflasterstreifen sein.

Als **innere Leitlinie** dient die von der Fahrbahn abgewandte(!) Gehwegsbegrenzung, sofern sie ertastbar ist. Das kann ein Haus, eine Mauer, ein Rasenkantenstreifen oder auch ein dichter Zaun sein. Geschäftsauslagen, Kaffeetische oder Fahrradständer bilden keine »innere Leitlinie«. Die »innere Leitlinie« ist die wichtigste Orientierungslinie für Sehbehinderte.

Abb. 9.55 Der Langstock erfasst die taktilen Bodenstrukturen. *Foto: Heinrich Klostermann GmbH & Co. KG, Coesfeld*

Abb. 9.56 Unterschiedliche Bodenindikatoren weisen den Sehbehinderten u. a. auf eine Gefahrenstelle hin. *Foto: Heinrich Klostermann GmbH & Co. KG, Coesfeld*

Durch den **Langstock** ertasten blinde und sehbehinderte Personen die unmittelbare Umgebung vor den Füßen (Schutzwirkung). Dadurch wird es möglich, unterschiedliche Bodenstrukturen und Hindernisse rechtzeitig wahrzunehmen und der Situation entsprechend zu reagieren (Abb. 9.55).

Sehbehinderte benötigen **Leitlinien**, um sich orientieren zu können. Dies können Mauern, Kanten, Borde, Rinnen oder Grenzlinien zwischen kontrastreichen Bodenbelägen (Platten, Pflaster) sein. An schwierigen oder wichtigen Stellen können Leitstreifen aus Rillenplatten verlegt werden.

Als **Leitstreifen** werden an schwierigen und unübersichtlichen Stellen Bodenindikatoren (Rillenplatten oder auch Pflaster) verlegt, um Sehbehinderten eine Führung zu bieten.

Noppenplatten werden als Bodenindikatoren eingesetzt. Die Platten haben an der Oberfläche Noppen. Die Noppen haben in der Regel die Form von Kugelkalotten oder Kegelstümpfen. Sie sind (bei ausreichendem Kontrast zum Umfeld) mit dem Langstock und mit den Füßen ertastbar (Abb. 9.56).

Rillenplatten sind Platten mit vertieften Rillen, die als Bodenindikator eingesetzt werden. Sie sind in der üblichen Form nicht mit den Füßen, sondern nur mit dem Langstock ertastbar, wenn sie parallel zur Gehrichtung liegen. Die Rillen sind mit mindestens 20 mm über der Oberfläche vorstehenden Rippen unter Umständen sogar mit den Füßen ertastbar. Sie werden aber seltener eingesetzt, weil sie beim Bau und im Unterhalt Probleme bereiten.

Taktile Wahrnehmung (Oberflächensensibilität) ist die Wahrnehmung von Oberflächenstrukturen mit dem Tastsinn, mit Händen, Füßen, auch mittels Langstocks. Gelegentlich wird in der Literatur auch der Begriff **haptisch** verwendet. Dies ist der Oberbegriff und umfasst zusätzlich auch das Ertasten von Bewegungen.

Nach dem **Mehr-Sinne-Prinzip** müssen alle wichtigen Informationen über mehrere, mindestens aber zwei Sinne mitgeteilt werden, damit Menschen, bei denen ein Sinn ausfällt oder geschädigt ist, diese Information auch erhalten. Danach sollten im Bahnhof eine Anzeige und eine Ansage erfolgen, das Freigabesignal einer Ampel als Lichtsignal und als akustisches Signal wahrzunehmen sein.

Im Verkehr sind die wichtigsten Sinne das Sehen, das Hören und das Fühlen (Tasten). Informationen erfolgen also optisch, akustisch oder taktil. Oft wird auch eingeschränkt vom »Zwei-Sinne-Prinzip« gesprochen. [15]

9.6.1 Der Eingangsbereich

Sicherheit

Hausnummernschilder sollten bereits von der Straße aus gut zu sehen und lesbar sein.
Eine optimale Außenbeleuchtung, eventuell durch Bewegungsmelder aktiviert, erleichtert die Orientierung. Stolperfallen im Eingangsbereich sollten beseitigt oder aber für den Betroffenen erkennbar gestaltet werden.

Türen im Eingangsbereich sollten immer voll geöffnet oder ganz geschlossen sein.
Kontrastreich gestaltete Türen und Glastüren erleichtern die Orientierung der Sehbehinderten. Bei langen Wohnfluren kann ein Handlauf für zusätzliche Sicherheit sorgen.

Abb. 9.57 Kontrastreich setzt sich diese Tür von der übrigen Wandfläche ab.
Foto: GEZE GmbH, Leonberg

In Kopfhöhe darf es keinerlei Hindernisse für den Bewohner geben.
Wandlampen sollten daher in ausreichender Höhe angebracht werden.
Große, gut erreichbare Lichtschalter mit kontrastreicher Gestaltung helfen bei der Orientierung. Ebenso wichtig sind ausreichend lange Intervalle für das Treppenlicht.
Als günstig erweist sich ein Bewegungsmelder, der das Licht bei Betreten des Wohnflures sofort einschaltet.

Ein Sicherheitsschloss an der Wohnungstür sollte Standard sein, und auch hier gilt: den Schlüssel nie von innen stecken lassen, damit im Notfall die Tür geöffnet werden kann.

Zur Sicherheit kann eine spezielle Sicherheitskette angebracht werden oder ein einfach handhabbares Alarmgerät, das griffbereit an einer bestimmten Stelle positioniert wird.

Treppen

Der Raum unterhalb freistehender Treppen ist so zu bemessen, dass der frei zugängliche Bereich eine Höhe von mindesten 2,10 m hat, um Kopfverletzungen auszuschließen.

Abb. 9.58 Handläufe links und rechts sowie die Markierung der ersten und letzten Stufe geben Sehbehinderten zusätzliche Sicherheit.
Foto: I.L.I.S., Hannover

Abb. 9.59 Deutliche Stufenkantenmarkierung für Treppen
Foto: I.L.I.S., Hannover

Freistehende Treppen können mit dem Langstock nicht erfasst werden.

Von hochgradig sehbehinderten Menschen mit Gesichtsfeldausfällen werden sie ebenfalls nicht erkannt.

Stirn- und Oberseite der Stufen sollten kontrastreich gestaltet sein (Abb. 9.59). Die Markierungen sollten mindestens 4 cm, wenn möglich 8 cm breit sein und direkt an der Vorderkante der Stufe angebracht werden.

An freien seitlichen Stufen ist eine 2 cm hohe Aufkantung nötig.

Handläufe sollten optisch kontrastierend zum Hintergrund gestaltet werden oder durch Hinterlegung mit einer farblich kontrastierenden Fläche von mindestens 12 cm Breite deutlich hervorgehoben werden.

Ein Handlauf sollte gleichlaufend mit dem Beginn und dem Ende der jeweiligen Treppe bzw. des jeweiligen Treppenabsatzes angebracht sein.

9.6.2 Bad und WC

Sicherheit

Das Badezimmer für Blinde und Sehbehinderte muss zusätzlich zur Barrierefreiheit noch folgende Merkmale aufweisen:

- keine Hindernisse in Kopfhöhe;
- die Badezimmertür sollte im Notfall von außen entriegelt werden können;
- der Bodenbelag sollte auch bei Nässe rutschfest sein. Glatte Fliesen sind eher ungeeignet, besser sind profilierter Kunststoffbelag oder rutschfeste Fliesen mit rauer Oberfläche;
- Antirutschmatten für Wanne und Dusche oder solche mit rutschfestem Boden schaffen Sicherheit;
- stabile Halte- und Stützgriffe sind besonders wichtig und sollten einen guten Kontrast zur Wand bilden;

Abb. 9.62 Kontrastreich, bodengleich und sicher durch Haltegriffe – eine Dusche, in der man sich sicher fühlt.
Foto: HEWI Heinrich Wilke GmbH, Bad Arolsen

Abb. 9.60 Starke, gut sichtbare Farbakzente fürs Bad *Foto: HEWI Heinrich Wilke GmbH, Bad Arolsen*

- auch Waschtisch und WC sollten im Kontrast zu den Wand- und Bodenfliesen stehen;
- eine kontrastreiche Gestaltung der Badmöbel und des Zubehörs erleichtern bei blendfreiem Licht dem Betroffenen die Verrichtungen in Bad und WC.

Praktische Helfer für den Sehbehinderten können u. a. sein:

- ein Badewannenwächter (akustische Angabe der Wassertemperatur),
- eine sprechende Personenwaage und
- Farberkennungsgeräte.

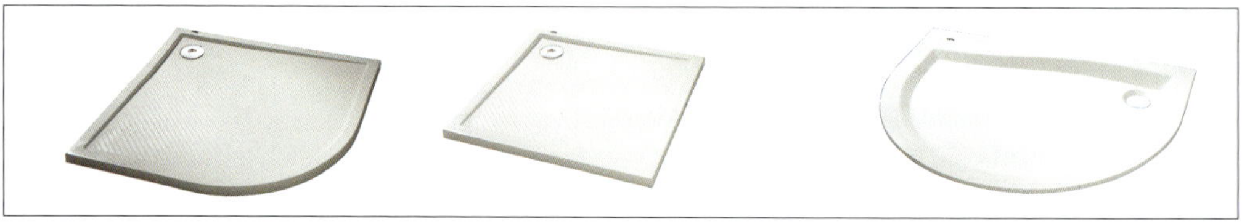

Abb. 9.61 Rutschfeste Duschböden gibt es schon in vielen Varianten und Formen.
Fotos: Hüppe GmbH & Co. KG, Bad Zwischenahn

9.6.3 Das Wohn- und Arbeitszimmer

Unterstützt von einer kontrastreichen Gestaltung und blendfreier Beleuchtung sind Lesen, und Schreiben wichtige Tätigkeiten, auf die auch bei einer Sehbehinderung nicht verzichtet werden sollte. Hilfe für den Betroffenen, aber auch für Angehörige und Freunde bietet die Brailleschrift (s. a. Abb. 5.1 und Anlage 3).

Sicherheit

Für das Wohn- und Arbeitszimmer empfiehlt es sich – wie für den gesamten Wohnbereich –, die Türen kontrastreich zu markieren, Glastüren mit besonders kontrastreichen Motiven zu versehen und am Boden mögliche Stolperfallen zu beseitigen. Ebenso sollte für die gesamte Wohnung eine blendfreie Beleuchtung installiert werden, wobei diese auch als Führungs- und Orientierungselement genutzt werden kann. Korridore sollten in Längsrichtung beleuchtet werden. [15]

Ansonsten gelten auch in diesem Fall die Maßnahmen aus Kapitel 9.3.4.

9.6.4 Das Schlafzimmer

Hier kann ebenfalls die am Beginn des Kapitels beschriebene barrierefreie Wohnungsanpassung die Grundlage bieten.

Dazu kommt die Wahl besonderer Bodenbeläge, die kontrastreich, aber ohne große Musterung sein sollten.

Die Abgrenzungen der Möbel (Bettkanten, Schrankecken und Türen) sollten ebenfalls mit einem Kontraststreifen versehen werden.

Abb. 9.63 Kontrastreiche Gestaltung ermöglicht auch Sehbehinderten, sich zurechtzufinden.
Foto: Stiegelmeyer Pflegemöbel GmbH & Co. KG, Herford

9.6.5 Die Küche

Ausstattung

Für den Bewohner müssen genügend gut und einfach zu reinigende Arbeitsflächen mit vielen Abstellmöglichkeiten vorhanden sein.
In Greifnähe sollten sich Handtücher, Haushaltsrollen, Reinigungsmittel und Abfalleimer befinden.
Wegen der Verletzungsgefahr ist es sinnvoll, Küchenmöbel mit Schiebetüren zu wählen.
Abgerundete Ecken und Kanten vermindern zusätzlich die Verletzungsgefahr.
Eine kontrastreiche Gestaltung der Möbel und Kanten sowie der Griffe ist auch in diesem Bereich notwendig. Spiegelnde Oberflächen führen zu Irritationen.

Der Herd sollte mit einer Sicherung versehen sein. Gasherde sind ungeeignet, deshalb sollten Elektroherde bevorzugt werden. Ein taktiler Streifen an der Herdkante kann sehr hilfreich sein.
Kontrastpunkte an Schaltern erleichtern die Einstellung.
Verschiedene Formen und Farben der Aufbewahrungsbehältnisse erleichtern das Finden.
Von der Industrie wird eine umfangreiche Produktvielfalt angeboten, die je nach Geldbeutel zum Einsatz gelangen kann.

Abb. 9.64 Abgerundete Ecken vermindern die Verletzungsgefahr. *Foto: Ropox A/S, Dänemark*

Zur Grundausstattung von Alltagshilfen sollten gehören:

- Markierungspunkte an elektrischen Küchengeräten wie Herd, Mikrowelle und Waschmaschine; diese können alternativ auch mit Konturpaste für Hinterglasmalerei erzeugt werden,
- dicke Küchen- oder Grillhandschuhe, die weit über die Handknöchel gehen, für Backofen, Mikrowelle und Töpfe,
- Topflappen in einwandfreier Qualität,
- Kochutensilien zum Tasten und Fühlen beim Kochen und Braten, z. B. Fleischgabel usw.
- Küchenwaage und Kurzzeitwecker mit Sprachausgabe,
- Flüssigkeitsstandanzeiger, der bei ausreichender Flüssigkeitmenge ein akustisches Signal gibt, was besonders bei heißen Flüssigkeiten sinnvoll ist,
- Trichter in verschiedenen Größen,
- Messbecher und Messlöffel mit unterschiedlichen Volumen,
- Abgießhilfen.

10 Hilfen für ein selbstständigeres Leben mit Behinderung

Der Wunsch, möglichst lange in den eigenen vier Wänden weiter leben zu können, ist verständlich.
Durch viele kleine und große Hilfen, die von der Industrie angeboten werden, ist dies auch möglich. Es sind sowohl Hilfsmittel zur Erleichterung der Pflege bzw. zur Linderung der Beschwerden des Betroffenen als auch solche, die zur Verbesserung seines Lebensumfeldes beitragen.

10.1 Orientierungshilfen

10.1.1 Taktile Orientierungshilfen und Leitsysteme in Verkehrsflächen, Außenanlagen und Gebäuden.

Die Orientierung im Gebäude muss durch Beschilderung von Ausgängen, Notausgängen, Aufzügen, WC, Arbeitszimmer und Flur auch für Sehbehinderte und Blinde möglich sein.

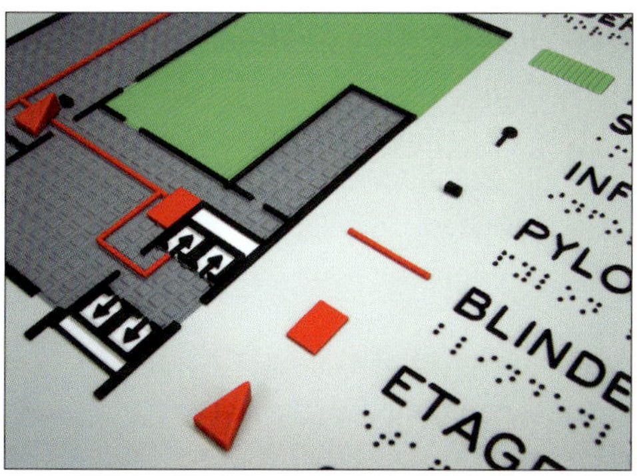

Abb. 10.1 Taktile Informationen für Sehbehinderte *Foto: I.L.I.S., Hannover*

Abb. 10.2 Taktile Orientierungshilfe von der Treppe bis zum Ein-/Ausgang *Foto: I.L.I.S., Hannover*

Abb. 10.3 Orientierung durch taktile Markierungen auf Treppe und Bodenbelag *Foto: I.L.I.S., Hannover*

Abb. 10.4 Beschilderung mit Braille-Schrift – Informationen für jeden zugänglich *Foto: I.L.I.S., Hannover*

Abb. 10.5 Hinweise in Blindenschrift (Brailleschrift) erleichtern den Betroffenen die Orientierung. *Foto: I.L.I.S., Hannover*

Abb. 10.7 Taktile Piktogramme geben Auskunft über die Raumfunktionen.

Abb. 10.6 Handlauf mit taktiler Hilfe
Foto: I.L.I.S., Hannover

Abb. 10.8 Handlauf mit taktiler Orientierungshilfe *Foto: I.L.I.S., Hannover*

Ertastbare Markierungen wie taktile Beschriftungen an Handläufen oder unterschiedliche Strukturen in Bodenbelägen können Richtungsänderungen oder Hindernisse anzeigen. Hinweistafeln und Türschilder sollten gut lesbar und kontrastreich sein.

Die Informationen durch Orientierungshilfen und Leitsysteme sollen alle Menschen, insbesondere aber Menschen mit sensorischen und kognitiven Einschränkungen, bei der Nutzung der gebauten Umwelt unterstützen.

Beispiele

- **Taktile Orientierungshilfen und Leitsysteme**

Integrative Leitsysteme und taktile Wegeleitsysteme, Beschilderung, Fluchtwegeplan, Rettungswegeplan, Schilder, Pyramidenschrift, Handlaufinformationen;

- **Blindenleitplatten und Stufenmarkierungen**

Außenanlagen, Beläge, Treppen, Rampen.

Abb. 10.9 Boden mit taktiler Orientierungshilfe
Foto: I.L.I.S., Hannover

Abb. 10.10 Taktile Bausteine für Aufmerksamkeitsfelder und Leitlinien
Foto: I.L.I.S., Hannover

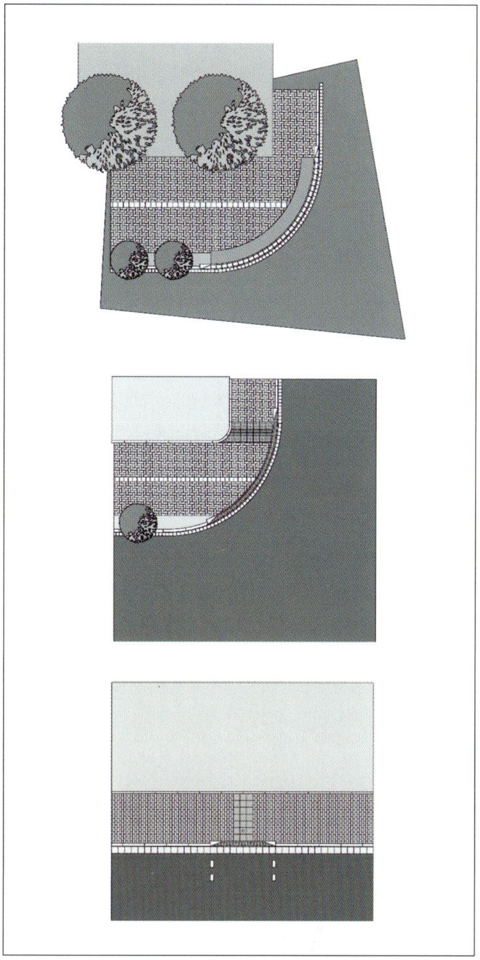

Abb. 10.11 Unterschiedliche Beläge enthalten Informationen für den Betroffenen. *Foto: Heinrich Klostermann GmbH & Co. KG, Coesfeld*

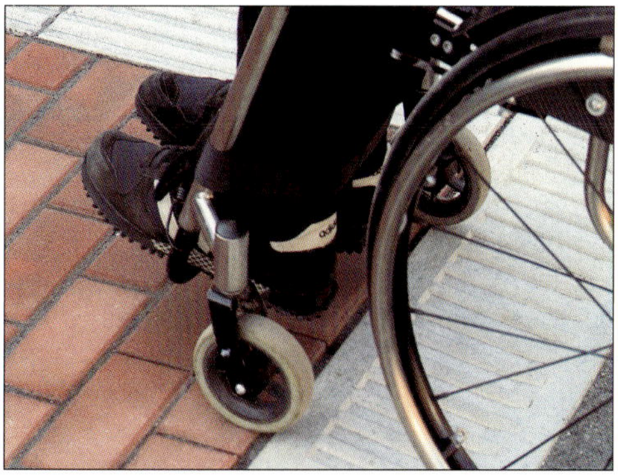

Abb. 10.12 Behindertengerechtes, taktiles Rollbord *Foto: Heinrich Klostermann GmbH & Co. KG, Coesfeld*

10.2 Treppen, Rampen, Handlauf

Treppen sind als einzige vertikale Verbindung unzulässig. Sie sind durch Rampen oder Aufzugsanlagen zu ergänzen. Das Gefälle von Rampen darf max. 6 % betragen.

Treppen sollen gradläufig und nicht gewendelt sein. Durch farbliches Abheben der Stufenvorderkanten wird die Erkennbarkeit günstig beeinflusst.
Treppen sollen an beiden Seiten griffsichere, kontrastreiche, durchgehende Handläufe erhalten, die über Treppenabsätze sowie über die letzte Stufe 30 cm waagerecht hinauszuführen sind.

Treppen und Rampen sind einschließlich der Zwischenpodeste beidseitig mit Handläufen zu versehen. Der Handlauf am Treppenauge soll am Podestbereich nicht unterbrochen werden.

Beispiele

▮ Stufenmarkierung im öffentlichen Raum
Die Stufenmarkierung sollte trittsicher, dauerhaft und somit optimal sein.

▮ Mobile Teleskop-Rampen
Sie sind für Rollstuhlbenutzer und auch Gehbehinderte zu Hause, auf dem Weg zum Arbeitsplatz oder zum Einkaufen, in Hotels, Restaurants und Kneipen unverzichtbar.

▮ Handlauf und Geländer für Treppen, Rampen, Gehweg und Brüstungen
Behinderten- und altersgerechte Geländersysteme sollten auch im öffentlichen Raum selbstverständlich sein.

▮ Treppenhandlauf, Haltegriffe
Für mehr Sicherheit und Mobilität auf Treppen, Stufen, im Flur, im Bad und auf Wegen in und um das Haus.
Taktile Handlaufinformationen für Menschen mit Sehbehinderung und Blinde erleichtern die Orientierung.

▮ Handlauf für Treppen, Wand und Geländer
Sie sollten durchlaufend und kontrastreich sein, taktile Elemente, die aber keine scharfen Kanten und Ecken haben dürfen.

Abb. 10.13 Handlauf in zwei verschiedenen Höhen mit Plattformlift *Foto: Lifta GmbH, Köln*

Abb. 10.14 Mobile Rampe für daheim und unterwegs *Foto: Altec GmbH, Singen*

Abb. 10.15 Für kleine Barrieren – auch für unterwegs *Foto: Altec GmbH, Singen*

▮ Mobile Rampen und Schwellen
Für Türen, innen und außen und auch im Bad für die Dusche oder für unterwegs sind sie hochbelastbar, formschön und leicht zu bewegen.

▮ Rollstuhlrampen
Aus Aluminium sind sie für Treppenstufen, Türprofile oder Türschwellen geeignet.

▮ Taktile Orientierungshilfen und Leitsysteme
Treppeninformationen, Handlaufinformationen für Innen- oder Außenbereiche aus Aluminium mit Beschichtung in Punkt- als auch tastbarer Schrift.

▮ Außenanlagen, Beläge, Treppen, Rampen
Betonsteine, Natursteine, Pflaster, Ökobeläge, Platten, Hangbefestigungen, Randbefestigungen, Stufen, Möblierungselemente für die öffentliche und die private Außen- oder Gartenanlage.

10.3 Aufzüge

Man unterscheidet hier folgende Aufzugausführungen:

- Behindertenaufzug,
- Senkrechtaufzug,
- Personenaufzug,
- Hauslift,
- Heimlift.

In öffentlich zugängigen Gebäuden müssen Aufzüge nach DIN EN 81-70 eingebaut werden. Die Fahrkorbmaße sind dann 1,10 m x 1,40 m. Die lichte Durchgangsbreite muss mindestens 0,90 m, die Bewegungsfläche vor dem Aufzug mindestens 1,50 m x 1,50 m betragen.
Gegenüber von Aufzugtüren dürfen keine aufwärts führenden Treppen angeordnet sein, lässt sich dies nicht vermeiden, ist ein Abstand von mindestens 3,00 m einzuhalten.
Die Höhenlagen der Rundknöpfe, der Bedienungstableaus und der Haltestangen sind in den Tabellen 11 und 12 vermerkt (zusätzliche senkrechte Bedienungstableaus s. DIN 15325).

Beispiele

▮ Hauslift
Der Lift für das Eigenheim; er gestattet den Einsatz innen oder außen bis zu 12 m Förderhöhe.

Abb. 10.16 Der Hauslift – bequem und komfortabel *Foto: Lift-Reith, Ehrenberg*

Behindertenaufzug, Senkrechtlift
Behindertenaufzug mit selbsttragendem Schacht; Senkrechtlift mit geringem Platzbedarf.

Aufzug Sonderfertigung
Aufzüge nach Sondermaßen, Sonderanfertigungen

Behinderten-Lift, Senkrechtaufzug
Senkrechtaufzug; BLS (Blindenleitsystem) bis zu 11 m Höhenunterschied.

Personenaufzug und Hebebühne
Der Personenaufzug bietet mit automatischen Kabinenabschlusstüren für den Nutzer dieselbe Sicherheit und den Komfort wie ein Hochhausaufzug.

Plattformlift, Hebelift, Hebeplattform, Hublift
In Gebäuden, in denen der Einbau eines Schrägaufzuges nicht möglich und die Verwendung eines großen Senkrechtaufzuges wegen des geringen Höhenunterschieds nicht nötig ist, sind bis ca. 1,5 m Hebeplattformen zum senkrechten Transport von Behinderten in Rollstühlen, Gehbehinderten oder auch Kinderwagen sinnvoll. Die Anordnung einer platzaufwändigen Rampe ist somit unnötig.

Abb. 10.18 Barrierefrei ins eigene Heim
Foto: Lift-Reith, Ehrenberg

Abb. 10.17a Hublift zum senkrechten Transport von kleinen ...

Abb. 10.17b ... und großen Leuten
Fotos: Lift-Reith, Ehrenberg

Die DIN EN 81 Teil 41 (2004) *Vertikale Plattformaufzüge für Behinderte* enthält Sicherheitsregeln für die Konstruktion und den Einbau von Aufzügen und speziellen Aufzügen für Personen- und Gütertransporte.

Sie behandelt Sicherheitsanforderungen an Bau, Herstellung, Einbau und Wartung von elektrisch betriebenen vertikalen Plattformaufzügen, die an einem Gebäudeteil montiert und für die Benutzung durch Behinderte bestimmt sind.

Hebelift, Hebeplattform, Treppenausgleichspodest

Rollstuhllift als Durchfahrtslift mit gerader Einfahrt und Ausfahrt oder mit Durchfahrt über Eck.

Hebeplattformlift, Hubbühne, Hebebühne

Hubbühne BLM bis zu 1 m Höhenunterschied; Hubbühne BLB bis zu 3 m Höhenunterschied; Hebebühne bis max. 1,5 m für den senkrechten Transport von Behinderten in Rollstühlen und Gehbehinderten.

Personenaufzug

Dafür gibt es zahlreiche Systeme, auch für die Anbringung an der Außenseite des Hauses.

Abb. 10.19 Platz bietender Hebelift zur Überwindung von Eingangsstufen
Foto: Lifta GmbH, Köln

Abb. 10.20 Aufzug für Krankentragen und Personen im Rollstuhl
Foto: FB-Aufzüge GmbH & Co. KG, Dresden

Abb. 10.21 Klapplift, auch geeignet für den Rollstuhltransport
Foto: Lift-Reith, Ehrenberg

Abb. 10.22 Aufzug für den Außenanbau – für mehrere Etagen
Foto: FB-Aufzüge GmbH & Co. KG, Dresden

Treppenlift, Plattformlift, Sitzlift, Deckenlift, Schienenliftsystem

Geeignet für alle Treppenneigungen; Treppenlifte für die Innen- oder Außenseite der Treppe, im Haus oder im Freien, mit oder ohne Rollstuhl als Treppensitzlift.

Treppenlifte sind nützliche und oft notwendige Einrichtungen, um alten und gehbehinderten Menschen das Erreichen anderer Nutzungsebenen (z. B. Stockwerken/Geschossen in Wohngebäuden) zu ermöglichen, wenn Aufzüge nicht vorhanden sind. An Treppenlifte, außer in Wohngebäuden der baulichen Gebäudeklassen 1 und 2, sowie Treppen innerhalb von Wohnungen werden besondere bauaufsichtliche Anforderungen gestellt.

DIN EN 81-40:2009-04

Sicherheitsregeln für die Konstruktion und den Einbau von Aufzügen – Spezielle Aufzüge für den Personen- und Gütertransport – Teil 40: Treppenschrägaufzüge und Plattformaufzüge mit geneigter Fahrbahn für Behinderte.

Diese Norm enthält Sicherheitsanforderungen an den Bau, die Herstellung, den Einbau, die Wartung und die Demontage von elektrisch betriebenen Treppenaufzügen (mit Sessel, Stehplattform oder Rollstuhlplattform), die an einem Gebäudeteil montiert sind, sich in einer geneigten Ebene bewegen und für die Benutzung durch Behinderte bestimmt sind.

Treppensitzlifte

Für jede Treppe und alle Treppenneigungen geeignet, sind sie an der Außen- oder Innenseite des Treppenhauses geführt absolut kurvengängig. Zum Auf- und Absteigen ist der Stuhl in der oberen Halteposition um 90° drehbar. Minimale Treppenbreite ab ca. 750 mm, Wandabstand bei hochgeklapptem Stuhl: ca. 350 mm.

Schienengeführte Deckenlifte

Mit Rollstuhlaufhängung oder Teleskopsitz.

Rollstuhllifte, Schienenlift

Durch die clevere Schienenführung an der Decke steht die Treppe in voller Breite zur Verfügung.

Treppenplattformlift

Treppenplattformlifte für Treppen mit Kurven und Podesten, für gerade Treppen.

10.23

10.24

Treppen- und Plattformlifte für das Wohnen auf mehreren Ebenen
Abb. 10.23 Treppenlift für außen
Abb. 10.24 Treppenlift für den geraden Treppenverlauf
Abb. 10.25 Treppenlift für die gewendelte Treppe
Fotos: Lifta GmbH, Köln

10.25

»... Kein Lift – aber ein Lifter, der die Arbeit erleichtert.
Der Gardinenlifter gestattet mit einfacher Handhabung das Auf- und Abhängen von Gardinen oder Rollos und erspart somit die Leiter.«

Foto: AMS Baugruppenmontage, Berlin

10.4 Fenster und Türen

Fenster sollen sich deutlich von der Wand abheben, leicht zu öffnen und zu schließen sein. Schwingflügelfenster sind für Rollstuhlbenutzer ungeeignet. Ist der Kraftaufwand zum Öffnen zu hoch, können kraftbetätigte Fenstersysteme zum Einsatz kommen.
Auch bei öffentlichen Gebäuden sollten Fensterelemente kontrastreich gestaltet und eingeordnet werden.

Bei Türen sind die Bewegungsflächen wichtig, die für Rollstuhlfahrer beim Öffnen der Türen erforderlich sind. Er muss vor- und zurückfahren sowie die Richtung ändern können, um die Bedienvorrichtungen zu erreichen und die entsprechenden Bewegungen auszuführen.

Vor Drehflügeltüren, Schiebetüren und Fahrstuhltüren sind für Rollstuhlfahrer Bewegungsflächen von 150 cm x 150 cm Größe sinnvoll. Schiebetüren sind oftmals die bessere Lösung, eine Alternative bietet auch die Raumspartür. Türen unter 80 cm Breite sollten nicht mehr eingebaut werden, früher wurden diese oftmals bei Sanitärräumen eingesetzt.
Türen von Sanitärräumen sollen nach außen aufgehen. Das vergrößert den Bewegungsraum in Bad/WC und dient der Sicherheit, wenn jemand im Bad stürzt.
Untere Türanschläge und Türschwellen sind zu vermeiden. Sind sie erforderlich, dürfen sie höchstens 2 cm hoch sein. Auf gute Überfahrbarkeit ist zu achten.

Beispiele

▮ Fenster, Haustüren, Vordächer, Einbruchschutz

Das Komfortfenster ist ein senioren- und behindertengerechtes Fenster, bei dem sich der Griff am unteren Teil des Fensterflügels befindet. Geeignet sind Schiebefenster aus Holz und Vertikal-Schiebe-Fenster. Der Einbruchschutz kann mit Hilfe einer elektronischen Überwachung gesichert werden.

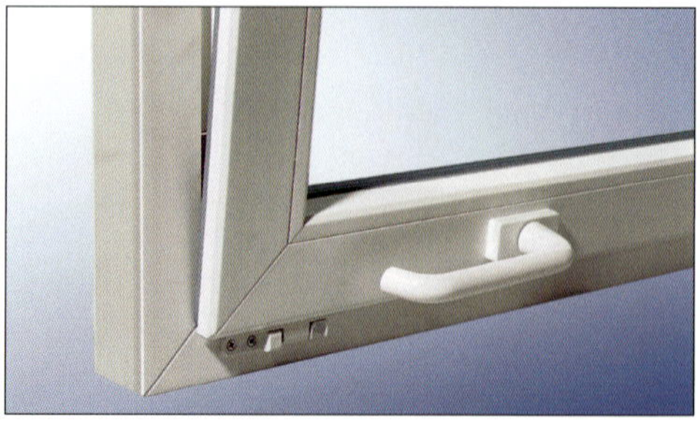

Abb. 10.26 Durch die Anordnung des Griffes unten waagerecht können auch Fenster einfach und komfortabel bedient werden, die bisher unerreichbar waren. *Foto: Alkuba Vertriebs GmbH, Berlin*

Abb. 10.27 Automatischer Türöffner, Fingerprint *Foto: Schüco International KG, Bielefeld*

Abb. 10.28 Barrierefreie Türschwelle, bodengleiche Schwelle *Foto: Schüco International KG, Bielefeld*

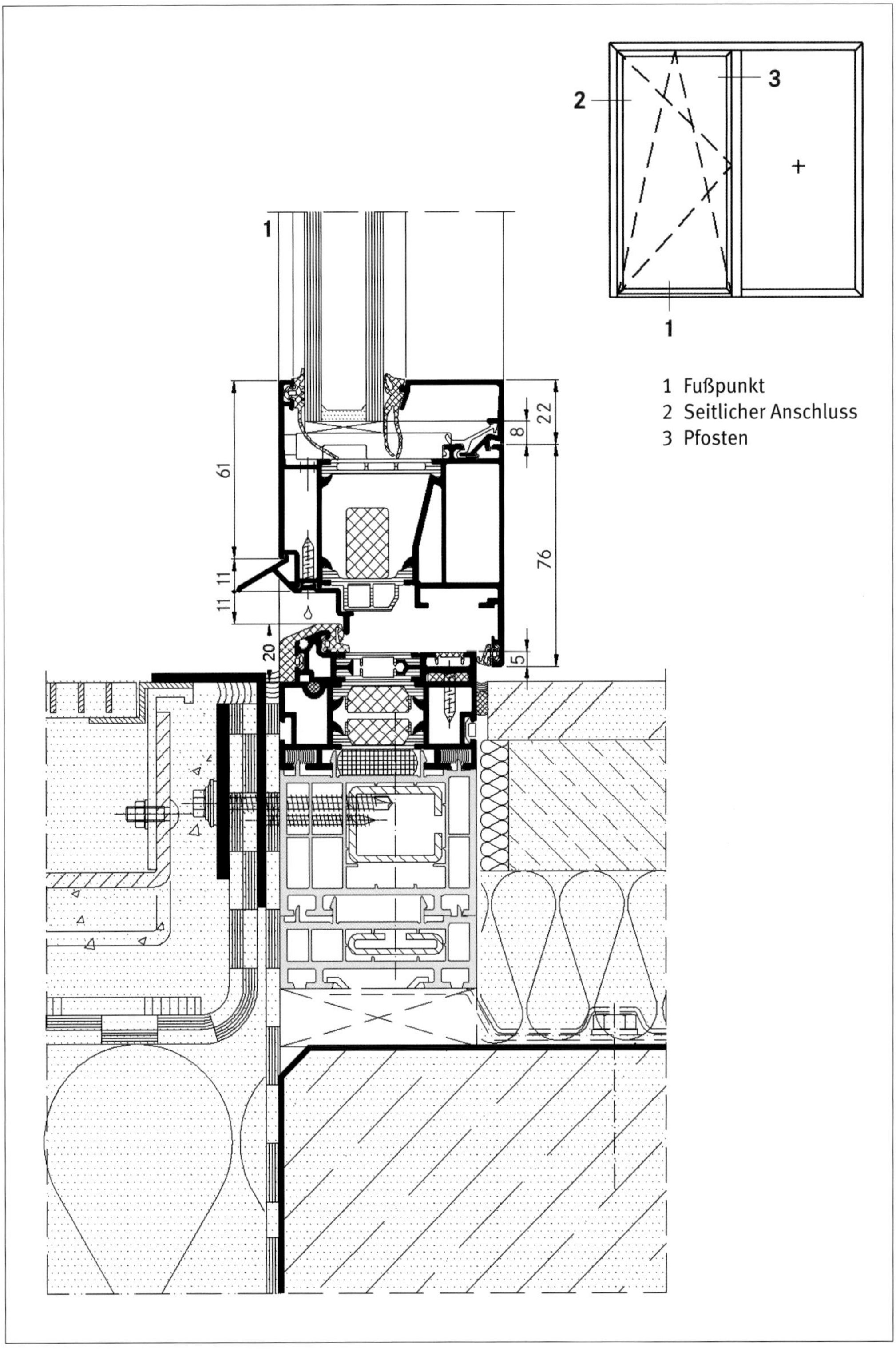

Abb. 10.29 Barrierefreie Tür, Fußpunkt barrierefreie Schwelle *Zeichnung: Schüco International KG, Bielefeld*

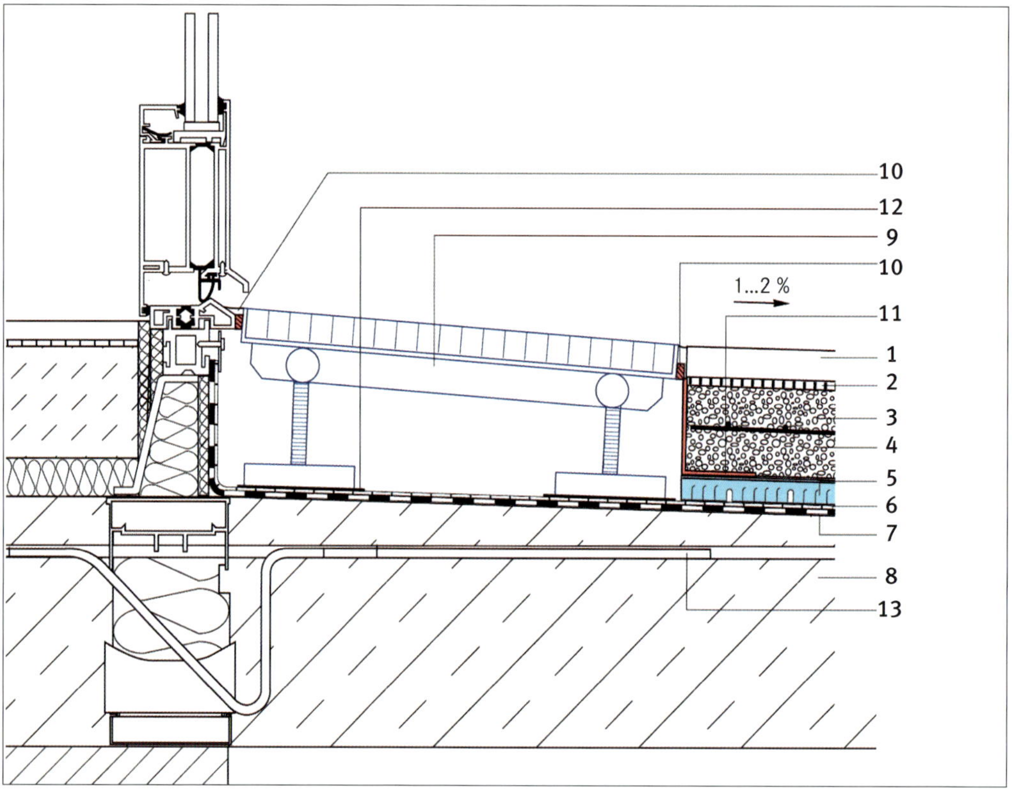

Abb. 10.30 Zeichnerische Darstellung eines schwellenfreien Austritts Wohnung – Balkon
Zeichnung: Gutjahr Innovative Bausysteme GmbH, Bickenbach
1. Natur-/Betonwerksteinbelag; 2. Haftbrücke/Klebemörtel; 3. ausreichend tragfähige Lastverteilungsschicht aus Einkornmörtel (mind. 50 mm); 4. nichtstatische Bewehrung; 5. AquaDrain® EK Drainagematten (8 oder 16 mm), Lamellen in Gefällerichtung verlegt; 6. Trennlage (wie durch Richtlinie vorgegeben); 7. Abdichtung nach DIN 18195, Teil 5; 8. Balkonkragplatte im Gefälle; 9. AquaDrain® BF Drainrost (20 oder 30 cm), Neigungswinkel verstellbar; 10. AquaDrain® SL Fugenband; 11. AquaDrain® Lochwinkel auf Drainage; 12. Schutzplatte unter Drehfüßen; 13. Schöck Isokorb

Abb. 10.31 Anbindung vom Balkon zur Wohnung
Foto: Gutjahr Innovative Bausysteme GmbH, Bickenbach

Barrierefreie Türschwellen

Bei Haustür, Balkon- oder Terrassentür und allen Innentüren schützt die absolute Magnetdoppeldichtung vor eindringendem Wasser, verhindert Zugluft und mindert den Schall.

Automatische Drehtüren, Schiebetüren

Drehtürantriebe oder Freilauftürschließer sind besonders geeignet für Büro, Krankenhaus und Seniorenwohnheime oder Hauseingangstüren. Schiebetürantriebe eignen sich auch für Teleskoptüren oder Halbrund- und Rundschiebetüren.

Als einflügelige Türen an Behinderten-WCs und als Bestandteil von Rettungswegsystemen sowie im eigenen Heim bieten sie leichte Handhabbarkeit.

▮ Balkon und Terrasse: barrierefreie Schwellen

Barrierefreie Schwellen an Balkon- und Terrassentüren sowie eine rückstaufreie Entwässerung in Verbindung mit losen Belagsaufbauten bieten Sicherheit.

Der Einsatz keramischer Beläge ist auch zum Nachrüsten bei bestehenden Terrassen und Balkonen bestens geeignet.

▮ Raumspartür – Behindertentür

Diese Tür ermöglicht eine vorteilhafte Raumplanung, die in barrierefreien Bereichen durch den Einsatz beispielsweise von Rollstühlen oder aber aufgrund von Fluchtwegbestimmungen erforderlich ist.

▮ Umfeldsteuerung, Steuerungssysteme

SICare standard und SENIOR pilot können u. a. zur Bedienung von Beleuchtung, Jalousien, Türen, Fenstern oder Türsprechanlagen empfohlen werden.

10.5 Bodenbeläge

Grundsätzlich müssen alle Bodenbeläge, ob für Wohnräume, für Duschen, Toiletten, für Treppen, Rampen, Außenanlagen oder Verkehrsflächen, rutschhemmend, rollstuhlgeeignet und fest verlegt sein. Sie sollten sich deutlich kontrastierend von anderen Baukonstruktionen und Ausstattungselementen abheben.

Für Bodenbeläge von Verkehrsflächen für Fußgänger im Freien gilt zudem, dass sie für Rollstuhlfahrer leicht und erschütterungsarm befahrbar sein müssen.

Beispiele

▮ Bodenbelag für Duschen, Toiletten, Wellness- und Pflegebereiche

Hierbei ist ein fugenloser Boden-Wand-Übergang durch wannenförmige Verlegung erforderlich, die absolut wasserdicht, hygienisch, und pflegeleicht ist.

▮ Textilbelag

Unter anderem ist Flotex zu empfehlen, ein beflockter Textilbelag in Bahnen und Fliesen. Er zeichnet sich durch seine extreme Strapazierfähigkeit und guten Reinigungseigenschaften

Abb. 10.32 Automatische Tür
Foto: Jung-Produktion GmbH, Düsseldorf

Abb. 10.33 Bodenbelag in Holzoptik
Foto: Forbo Flooring GmbH, Paderborn

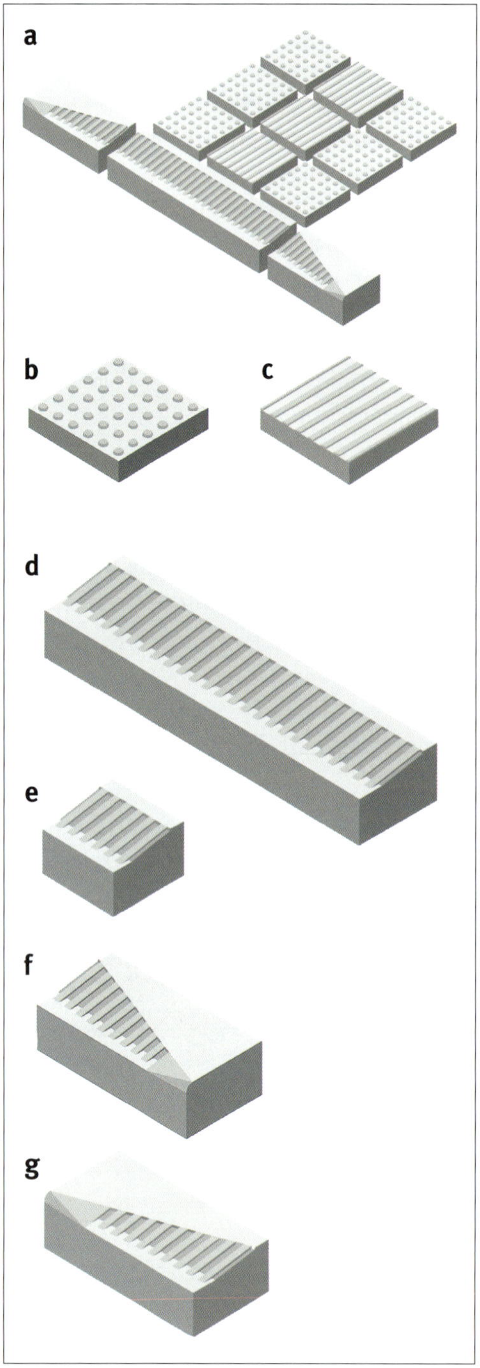

Abb. 10.34 Taktile Bodenplatten
a Bausteine; b Noppenplatte; c Rillenplatte; d Rollbord; e Rollbord 25 cm x 25 cm; f Rollbord links; g Rollbord rechts
Zeichnung: Heinrich Klostermann GmbH & Co. KG, Coesfeld

Abb. 10.35 Blindenleitfläche – Sicherheit an Fußgängerüberwegen *Foto: Heinrich Klostermann GmbH & Co. KG, Coesfeld*

aus. Zudem vereint er die Vorteile eines Hartbelages mit dem Komfort eines herkömmlichen Teppichbodens.

Außenanlagen, Beläge, Treppen, Rampen

Hier können für öffentliche oder private Außen- oder Gartenanlagen Betonstein, Naturstein, Pflaster, Ökobeläge oder Platten als Hangbefestigungen, Randbefestigungen oder für Stufen verwendet werden.

Den Bodenbelägen im Außenbereich kommt eine größere Bedeutung zu, als man sich das gemeinhin vorstellt. Jeder, der schon einmal Einschränkungen in der Fortbewegung in Kauf nehmen musste, wird das bestätigen. Soweit man also Einfluss auf den baulichen Außenbereich hat, sollte man die Unterschiede, die Vor- und Nachteile der einzelnen Beläge einschätzen können.

Pflasterziegel
Verlegehinweise genau beachten, Höhenunterschiede/Aufwerfungen von max. 2 mm sind zulässig.

Betonsteinpflaster
Wie auch bei Pflasterziegeln ist hier die Rutschhemmung und die taktile Hilfe für Sehbehinderte zu beachten.

Beton-Gehwegplatten
Auch hier ist wie bei Pflasterziegeln die Rutschhemmung zu beachten.

Beton-Rillenplatten
Eignen sich gut für Blindenleitstreifen (auch Mosaikpflaster).

Natursteine
Gut: großformatige Natursteinplatten, Mosaikpflaster (6 cm x 6 cm), an Grundstückzufahrten auch sortiertes Kleinpflaster, Höhenunterschiede von max. 5 mm sind zulässig.

Asphaltdecke
Bestens geeignet, aber in der Regel nur außerorts (Denkmalpflege).

Sandgeschlämmte Decke
Für Wege in Parks und Gärten ist sie ausreichend, wenn die Ausführung mit Untergrunddrainage ordnungsgemäß erfolgt ist und ständige Unterhaltspflege (Auswaschungen) durchgeführt wird.

ungeeignet
Ungeeignete Bodenbeläge sind die, die lose/aufgeschüttet, rund, krumm oder geschliffen sind. Was mehr als 2 cm große Fugenspalten hat oder auf 4 m Länge Dellen über 2 cm aufweist, sollte ebenfalls nicht verwendet werden (Maßtoleranzen gemäß DIN 18318).

10.6 Bad und WC

Für barrierefreie Badeinrichtungen im Generationenbad, zu Hause und in Behinderteneinrichtungen, in Sauna und Wellnessbereichen sind höhenverstellbare WCs, barrierefreie Duschabtrennungen, mobile Haltegriffe, passende Spiegel und Inhandspender unverzichtbar.
Alle Ausstattungen und Ausrüstungen müssen kontrastreich ausgeführt werden.

WC verstellbar – horizontal und vertikal
Toiletten mit Höhenverstellung, höhenverstellbare WC-Systeme zur Nachrüstung mit Stützklappgriffen, seitenverstellbare WC-Systeme zur Einsparung von bis zu 20 % der benötigten Raumfläche nach DIN 18040 Teil 1 und Teil 2 sind zu empfehlen. Ebenso sind höhenverstellbare Waschtische, Wickel- oder Pflegetische oft hilfreich.

Bodengleiche Dusche
Für Neubau und Umbau bei geringer Fußbodenaufbauhöhe geeignet, ideal für Duschen im Kellergeschoss.

Abb. 10.36 Generationenbad – ein modernes Bad für jedes Alter, die Einstiegshilfe mit Sitz erleichtert das Ein- und Aussteigen *Foto: Erlau AG, Aalen*

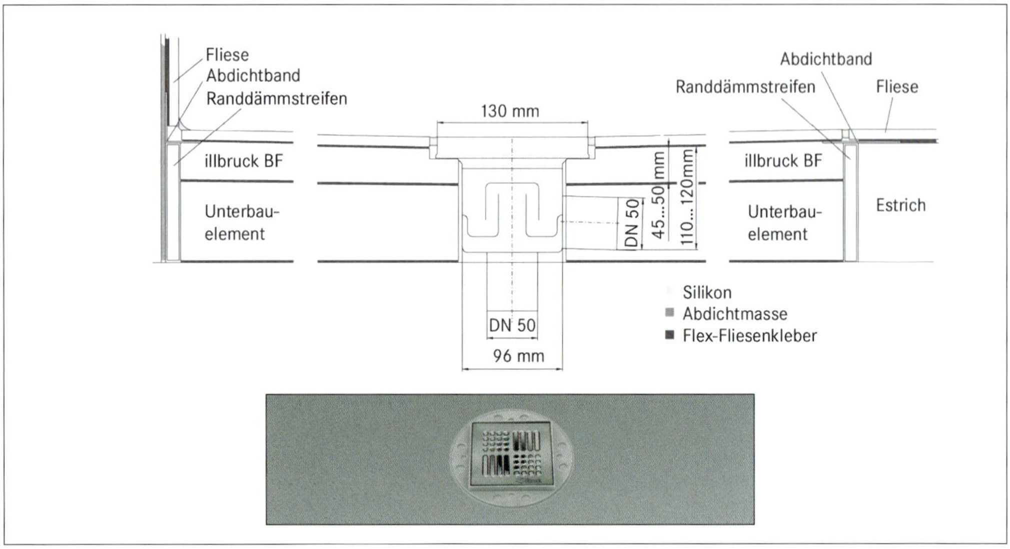

Abb. 10.37 Barrierefrei duschen
Zeichnung und Foto: Illbruck Sanitärtechnik GmbH, Bad Wildungen

Bodenebene Duschrinne

Die bodenebene Duschrinne mit Designrost-Sortiment oder Fliesmulde. Eine Alternative zum herkömmlichen Bodeneinlauf.

Duschsitz zum Verschieben und Drehen

Er dient dazu, die Beine in die Dusche heben zu können, wenn keine bodengleiche Dusche vorhanden ist.

Abb. 10.38 Barrierefrei duschen
Foto: Alkuba Vertriebs GmbH, Berlin

Abb. 10.39 Barrierefrei duschen
Foto: TECE GmbH, Emsdetten

Waschtisch, Dusche, Toilette, Pflegeliege

Alle diese Ausstattungen sollten fest montierte Stützgriffe haben.

Behindertengerechtes Bad

Zur Sicherheit im behindertengerechten Bad gehören Stützgriffe, Klappgriffe, Handläufe, Duschsitze, Umsetzhilfen und sonstiges Zubehör, abgestimmt auf die jeweiligen Bedürfnisse des Nutzers.

Mobile Haltegriffe

Zuhause und unterwegs bieten sie ohne handwerklichen Aufwand Sicherheit und Hilfe, z. B. aus dem Roth-Sanitärprogramm. Zu beachten wäre dabei, dass die Haltegriffe einen farblichen Kontrast zur Wand haben.

Abb. 10.40 Stütz- und Haltegriffe richtig montiert bieten Sicherheit
Fotos: HEWI Heinrich Wilke GmbH, Bad Arolsen (a, d); Erlau AG, Aalen (b, c)

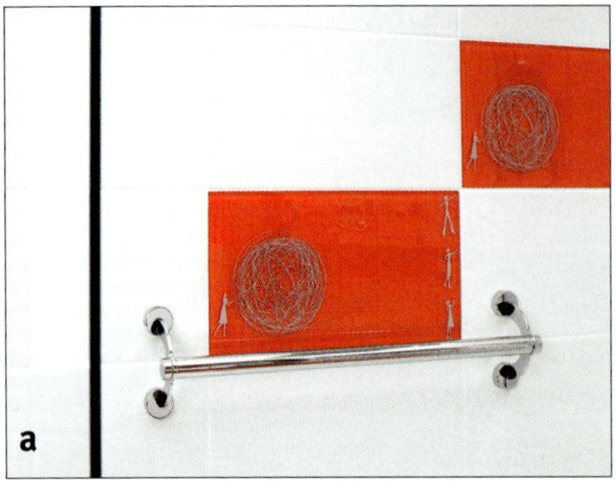

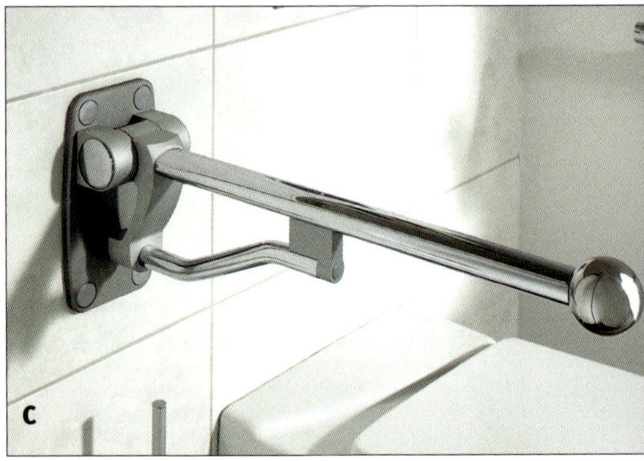

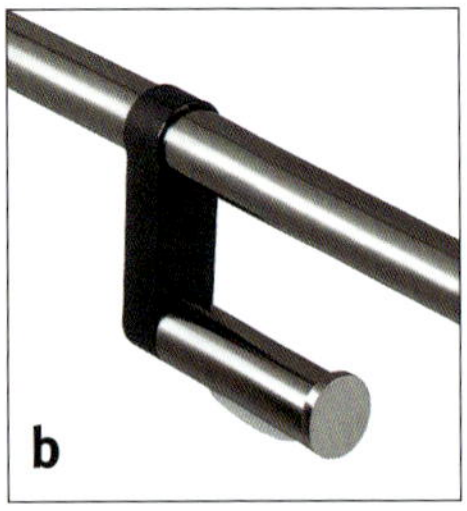

Abb. 10.41 Robuste und schöne Stützgriffe aus Edelstahl
Fotos: HEWI Heinrich Wilke GmbH, Bad Arolsen (a); Erlau AG, Aalen (b, c)

Abb. 10.42 Kontrastreiches Bad mit Haltestangen und Duschsitz aus Edelstahl
Foto: HEWI Heinrich Wilke GmbH, Bad Arolsen

Edelstahl im Bad

Haltegriffe, Sicherheitsstützgriffe, Klappgriffe, Duschläufe und Duschsitze aus rostfreiem Edelstahl sind hygienischer und haltbarer als solche aus anderen Materialien.
Man bekommt sie u. a. in Fachgeschäften für Heimbedarf, Pflegebedarf oder Krankenhausbedarf.

Spiegel

Sinnvoll ist ein mind. 100 cm hoher Spiegel, der über dem Waschtisch so anzuordnen ist, dass dieser sitzend und stehend genutzt werden kann. Großflächige Spiegel mit verdeckten Spendersystemen und Spiegelkomplettsysteme bieten eine gute Handhabung – gerade bei körperlichen Behinderungen.

Dusch-WC, Bidet

Bei einem Dusch-WC ist eine Dusch- bzw. Reinigungs- oder Bidetfunktion in ein WC integriert. Dabei befindet sich der Duscharm im hinteren oberen Teil des WCs oder des WC-Sitzes. Während der Körperreinigung befindet er sich sichtbar in physiologisch sinnvoller Position innerhalb des WCs, vor und nach der Reinigung ist er geschützt und verdeckt. Ist die Dusche nicht in Betrieb, sieht die Toilette wie ein herkömmliches WC aus, ist sie eingeschaltet, erlebt der Benutzer eine physiologische, zuverlässige und schonende Reinigung mit temperiertem Wasser durch den ausfahrbaren

Duscharm, ohne auf ein Bidet umsteigen zu müssen. Nach Gebrauch wird der Duscharm wieder in das Gerät zurückgeführt.

Aus der Beschreibung geht hervor, dass die Richtung des Duschstrahls nach oben gerichtet ist, was eine selbstreinigende Funktion ohne Beteiligung der Hände ermöglicht. Durch den stumpfen Winkel von Duscharm und Duschstrahl kommt das gebrauchte Wasser nicht mit den Düsen in Berührung.

Nach der Reinigung kann der Warmluftföhn zum Trocknen aktiviert werden. Sowohl die Dusche als auch der Föhn können bei motorischer Einschränkung im Hand-, Finger- und Schulterbereich durch eine Fußbedienung aktiviert werden. Die meisten Dusch-WCs verfügen über eine Geruchsabsaugung und eine Softclosevorrichtung, die ein leises, langsames Schließen des Deckels ermöglicht, wenn man nicht in der Lage ist, ihn manuell abzusenken. Ein Stoß, u. U. mit dem Ellenbogen, genügt in diesem Falle. Günstig ist auch ein Sensor im hinteren Teil des WC-Sitzes, der den Duschvorgang nur dann ermöglicht, wenn die Toilette benutzt wird. Er dient als Kindersicherung und zum eigenen Schutz. Steht man beim Duschen plötzlich auf, wird der Wasserstrahl sofort unterbrochen. Es gibt Dusch-WCs mit einer beheizbaren Toilettenbrille, was bei einigen Formen der Spastik günstig ist. Bei neurologischen Störungen werden sie jedoch, wie z. B. bei Multipler Sklerose, von Ärzten wegen einer durch Wärme hervorgerufenen funktionalen Störung des Reizleitungssystems abgelehnt. Auch Keime vermehren sich eher im warmen Milieu.

Gute Dusch-WCs sind mit Fernbedienung, festem Bedienfeld und bei Bedarf mit Fußbedienung erhältlich.
Das Duschwasser wird in einem Boiler aufgeheizt, somit benötigt jedes Gerät Wasser und Strom. Das frische Wasser wird vor dem Spülkasten in einen Boiler geleitet. Einige Hersteller bieten dazu standardisierte Verbindungsmodule an. Bei der Stromversorgung sind die Bedingungen unterschiedlich. Der Installateur kann durch einen Blick auf Leitungen, Steckdosen und Lichtschalter die individuelle Situation beurteilen. Es ist auch möglich, die Stromleitung von der Rückseite der Wand zu nutzen. Ein guter Installateur kann diese Arbeiten auch ohne Erfahrung mit Dusch-WCs durchführen.

Die Hygienevorschrift verlangt den Einbau eines Rohrunterbrechers, damit das gebrauchte Wasser nicht in den Trinkwasserbereich zurückfließen kann. Gute Dusch-WCs sind entsprechend ausgestattet.

Abb. 10.43 Dusch-WC – sanfte Reinigung mit Wasser
Foto: Geberit Vertriebs GmbH, Pfullendorf

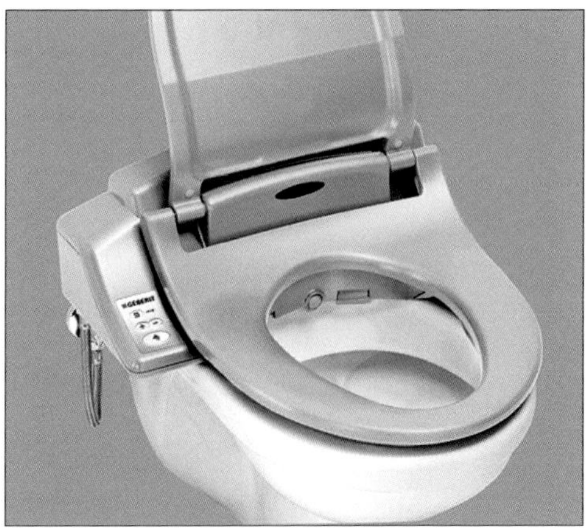

Abb. 10.44 Bequeme Handhabung, auch bei Gelenkerkrankungen
Foto: Geberit Vertriebs GmbH, Pfullendorf

Wenn das Bad renoviert werden soll, kann ein spezieller Spülkasten mit Leerrohr für die Wasserzufuhr und einer Steckdosenführung für den Stromanschluss günstig sein. Dies sollte man mit dem Installateur vor der Renovierung besprechen. Soll das Dusch-WC zu einem späteren Zeitpunkt eingebaut werden, kann ein spezieller Spülkasten dies erheblich erleichtern und außerdem die Anschlüsse verdecken.

Dusch-WCs gibt es als Aufsatzmodell, passend für die meisten Hänge- oder Stand-WCs, oder als Komplettanlage, wobei die WC-Keramik mit eingeschlossen ist.

Das Angebot ist vielfältig. Allerdings sollte man auch auf die Unterschiede bei Qualität und Service achten. Nicht alle verfügbaren Geräte entsprechen den europäischen technischen und hygienischen Vorschriften. Im Übrigen gibt es Produkte in unterschiedlichen Preislagen und für jeden Geschmack.

Vorausschauende Menschen lassen sich ein Dusch-WC bereits einbauen, wenn sie noch gesund und beweglich sind, um für das doch unausweichliche Alter gerüstet zu sein. Viele Dusch-WCs werden überwiegend für den Wellnessbereich konzipiert, ohne dass die Hilfsfunktion dadurch vernachlässigt wird. Gerade diese Produkte werden bei der vorausschauenden Planung akzeptiert. So kann man zuerst Wellness und Lifestyle, später Unabhängigkeit und Selbstständigkeit genießen.

Abb. 10.45 Strom- und Wasseranschluss in der Vorwand *Foto: Geberit Vertriebs GmbH, Pfullendorf*

Finanzierung

Leider sind Dusch-WCs nicht ganz billig. Preiswerte Produkte aus dem asiatischen Raum sind z. T. in Deutschland nicht zugelassen, oft gibt es keinen Kundendienst oder keine Ersatzteile. Aber auch seriöse Hersteller bieten eine Vielzahl von Produkten in unterschiedlichen Preislagen an. Vor dem Preisvergleich sollte man immer seine Bedürfnisse beachten. Sehr korpulente Menschen benötigen u. U. eine Komplettanlage. Mieter erhalten mit einem Aufsatz mehr Flexibilität.

Man sollte sich vor der Renovierung auch die folgenden Fragen stellen: Wie aufwändig darf die Badrenovierung sein? Soll der Spülkasten sichtbar oder in einer Vorwand angebracht sein? Welche Bedeutung haben Farben bei der Badeinrichtung?

Auf jeden Fall lohnt es sich, vor dem Einbau die Wohnberatungsstelle, das Sanitätshaus, den Installateur oder den Pflegedienst zu befragen. Bei der Internetrecherche gilt es zunächst, die Spreu vom Weizen zu trennen.

Einige Dusch-WC-Aufsätze haben eine Hilfsmittelnummer. Hierfür übernimmt die Krankenversicherung die Kosten, wenn eine »Ohnhändigkeit oder Ohnhändigähnlichkeit« wie es in der Fachsprache heißt, vorliegt. Gemeint ist damit eine Krankheit oder Behinderung, bei der die Hände nicht mehr ausreichend bewegt werden können, auch wenn dies nur schubweise geschieht. Mitunter schränkt die Krankenkasse ihre Leistungen ein, wenn bereits eine Betreuung finanziert wird. Die Kostenerstattung bezieht sich im Wesentlichen auf die erste Gruppe der zuvor genannten Krankheiten. Wichtig ist auch die korrekte ärztliche Verordnung. Nicht nur die Diagnose muss ersichtlich sein, auch das Symptom, das zu der Notwendigkeit führt, ein Dusch-WC benutzen zu müssen.

Ein weiterer Kostenträger wäre die Pflegeversicherung, sofern eine Pflegestufe vorliegt. In diesem Falle kann der Pflegebedürftige eine Unterstützung erhalten, die für bauliche Veränderungen und Hilfsmittel verwendet werden kann.

An Arbeitsstätten kommen ggf. Integrationsämter für die Kosten auf. Beschäftigt ein Betrieb Behinderte, so sollten im Rahmen des Gleichstellungsgesetzes Dusch-WCs eingebaut werden.
Auch Kommunen unterstützen alte, behinderte Menschen, die zu Hause leben, durch finanzielle Mittel.

Grundsätzlich müssen Hilfsmittel im Verständnis der Kostenträger »rückbaubar« sein. Daraus ergibt sich, dass Komplettanlagen keine Hilfsmittelnummer erhalten können. Ist aber ein solches Modell auf Grund der Behinderung, des Krankheitsbildes oder des Körpergewichtes zur Erhaltung der Selbstständigkeit notwendig, übernimmt die Krankenkasse auch hier die Kosten.

Wie immer bei Finanzierungen geht es auch hier bei Kassen und Wohnorten mehr oder weniger großzügig zu. Entscheidend ist aber immer die Schwere der Erkrankung.

Badewanne

Badewannen für zu Hause und für Behinderteneinrichtungen, Saunen und Wellnessbereiche dienen nicht nur der Hygiene, sondern auch der Erholung und Entspannung. Je nach Möglichkeit und Bedarf kann man wählen zwischen:

- Pflegebadewanne,
- Sitz-Duschbad mit Tür,
- Sitzwannen mit Tür,
- Badewanne,
- Liegewanne,
- Sitzbadewanne,
- Kippbadewanne.
- Temperaturbegrenzer,
- Wasserflussregler,
- Armaturen mit Sensor (reagieren auf Bewegung).

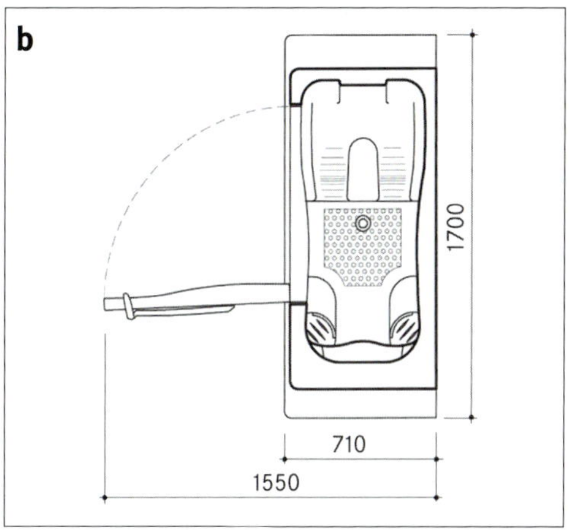

Abb. 10.46 Badezeit – auch mit Behinderungen ein wohltuendes Vergnügen
a Sitzbadewanne
b Skizze (Draufsicht)
Foto und Zeichnung: AMS Sanitär- und Rehatechnik GmbH, Schwaigern

10.7 Barrierefreie Küche

Hier gilt das Motto, alles sollte leicht erreichbar und griffbereit sein und sich nach Gebrauch auch ebenso leicht wieder verstauen lassen. Kleinere Veränderungen haben oft schon eine erstaunlich positive Wirkung.

Beispiele

- Schubladen mit Leichtlauf-Vollauszügen,
- variable Arbeitshöhen,
- gute Erreichbarkeit der Schrankinhalte,
- Backöfen mit komplett umschwenkbaren Drehtüren,
- Cerankochflächen,
- kontrastreiche, optisch und taktil gut wahrnehmbare Bedienungselemente,
- barrierefreie Möbelsysteme,
- barrierefreie Einbauküche,
- Liftsysteme für Küchen,
- Herdüberwachungssysteme für Elektroherde.

Abb. 10.47 Unterfahrbare Arbeitsplatte und Spüle in der richtigen Höhe sorgen für angenehmes Arbeiten in der Küche.
Foto: Ropox A/S, Dänemark

Abb. 10.47 Leichtes Ein- und Ausräumen durch Leichtlauf-Vollauszüge
Foto: Ropox A/S, Dänemark

10.8 Möbel

Bei der Auswahl der Möbel müssen selbstverständlich die individuellen Wünsche des Nutzers berücksichtigt werden. Auch und gerade für Rollstuhlfahrer sollten die Möbel dem Geschmack des Bewohners entsprechen und eben nicht nur funktionell sein.

Beispiele

- **Drehregale in bedarfsgerechter Höhe**
Sie ermöglichen die Entnahme des Inhalts ohne Probleme.

Abb. 10.48 Die richtige Sesselsitzhöhe ermöglicht ein entspanntes Sitzen.
Foto: WIBU Wirtschaftsbund sozialer Einrichtungen, Ahrensburg

Stuhl mit elektrischer Hebefunktion
Unterstützt beim Aufstehen und Hinsetzen in angenehmer Weise, ohne Kraftaufwand und fremde Hilfe.

Sitzmöbel
Bei der Auswahl sollte besonders auf eine genügende Tiefe des Sitzes und eine entsprechende Rückenlehne geachtet werden. Die Füße des Sitzenden sollten immer den Boden berühren, damit ein sicheres und bequemes Aufstehen möglich ist.

Tische
Wie bereits in vorangegangenen Abschnitten erwähnt, ist die Unterfahrbarkeit von Tischen für Rollstuhlbenutzer eine unverzichtbare Notwendigkeit. Bei den Tischen ist eine Rundung der Kanten von Vorteil, um der Verletzungsgefahr vorzubeugen.

10.9 Kommunikationselektronik

Beispiele

Rufanlagen
Gewährleisten eine leichte und sichere Kommunikation mit Besuchern.

Haussteuerungssystem
Zur Bedienung von Beleuchtung, Jalousien, Türen, Fenstern, Heizung, Telefon, Türsprechanlagen, Rufverstärkern, TV, Video und Hifi-Anlagen.

Ergonomische Großtastentelefone
(Fototastentelefone)
Sie sind eine sichere Kommunikationslösung, z. B. das schnurlose Großtastentelefon easy-DECTXL2 mit Notruffunktion.

Notfallwarnsysteme
Sichere Rettung durch Alarm- und elektroakustische Warnsysteme (ENS-Systeme).

Behindertengerechter Arbeitsplatz
Dazu gehören motorhöhenverstellbare Schreibtische und Regale, Computer-Hilfsmittel, Kommunikationshilfen, Sondertastatur und -Maus sowie Tastaturersatz.

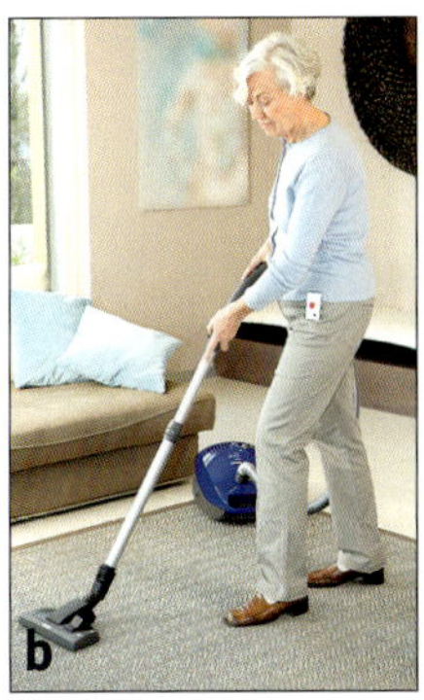

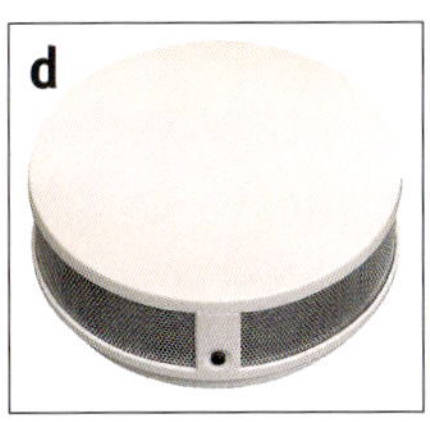

Abb. 10.49 Helfer für die Sicherheit
a Hausnotruftelefon und Funksender
b und c Sensoren leiten Meldungen weiter
d Rauchmelder
Fotos: Bosch Sensortec GmbH, Reutlingen

10.10 Verkehrsanlagen, Außenanlagen

Beispiele

▌ Verkehrsflächen – barrierefreie Leitsysteme

Barrierefreie Querungsstellen und Leitsystem mit berollbaren Bordsteinen und taktil wahrnehmbaren Bodenbelägen sind für blinde und mobilitätsbehinderte Menschen hilfreiche Mittel, um die Selbstständigkeit im Wohnumfeld zu behalten.

Abb. 10.50 Barrierefreie Querungsstellen
Fotos: Heinrich Klostermann GmbH & Co. KG, Coesfeld (a – d), I.L.I.S., Hannover (e)

Flachbordstein-System, Kasseler Querungsbord
Beim Bau von barrierefreien Querungen bildet der Kasseler Querungsbord an der Schnittstelle Fahrbahn/Gehweg ein wichtiges Glied der barrierefreien Mobilitätskette.

Niederflurgerechte Haltestelle
Eine dauerhafte und wartungsarme Haltestellenkante, die gleichzeitig eine innovative Lösung für das moderne Niederflursystem darstellt.

Außenanlagen, Beläge, Treppen, Rampen
Das sind: Betonstein, Naturstein, Pflaster, Ökobeläge, Platten, Hangbefestigungen, Stufen mit Stufenmarkierungen, Mobilitätselemente für die öffentlichen und die privaten Außen- oder Gartenanlagen.

Abb. 10.51 Außenbeläge für barrierefreie Freizeitanlagen
a Betonstein terra-braun;
b und c Betonstein grau;
d Naturstein
Fotos: Berding Beton GmbH, Steinfeld (a, c); EHL AG, Kruft (b, d)

a

b

c

d

10.11 Freizeit-, Garten- und Verkehrsflächen

Beispiele

▮ Barrierefreie Freizeit- und Grünanlagen
Sie bieten Erholung und Kommunikationsmöglichkeiten im Wohnumfeld.

▮ Barrierefreier Sonnenschutz, Sonnensegel für den Handbetrieb, Sonnenschirme, Gesundheits-Sitzliege, ergonomische Freizeitmöbel
Im Garten oder auf dem Balkon ermöglichen sie auch stark mobilitätseingeschränkten Menschen den Aufenthalt im Freien.

Abb. 10.52a und b Barrierefreier Weg zur Lieblingsbank *Fotos: EHL AG, Kruft*

Abb. 10.53 Rollstuhlgerechte Verkehrsfläche durch Querungsbord
Foto: Heinrich Klostermann GmbH & Co. KG, Coesfeld

▮ Barrierefreie Freizeiträume
Für behinderte kleine, große, junge und alte Menschen muss der Zugang zu Spiel- und Freizeitangeboten barrierefrei sein. Das wären z. B. der Spielplatz, der Park, die Fußgängerzone, Erlebniswelten, Ausstellungen, Einkaufszentren, Wohnanlagen, Schwimmbäder, Hotels, Raststätten, Kindergärten und Schulen.

▮ Rollstuhlrampen
Geeignete Bodenbeläge dafür sind alle, die leicht, erschütterungsarm und gefahrlos auch bei ungünstiger Witterung begeh- und befahrbar sind.

▮ Wichtige Verkehrsflächen
Sie müssen bei jeder Witterung gefahrlos zu nutzen und mit dem Rollstuhl leicht und erschütterungsarm befahrbar sein. [16]

10.12 Vorschriften für Bodenbeläge

Im Folgenden werden einige der in Tabelle 11.1 aufgelisteten Anforderungsmerkmale für barrierefreie Räume näher erläutert.

Leicht begeh- und befahrbar

Feste Bodenbeläge, bei denen der Gehstock keine »Eindrücke« hinterlässt.

Erschütterungsarm begeh- und befahrbar

- Ebene Oberflächen,
- Höhenabsätze innen max. 1,5 mm im Belag, außen max. 4 mm,
- schwellenlose Türen (Ausnahme: bis 2 cm),
- bei gepflasterten Wegen max. 2 cm Fugenspalt.

Gefahrlos begeh- und befahrbar (auch bei ungünstiger Witterung)

- Ohne Stolperstellen und Baustellensicherung (bes. für Blinde),
- Muldenausbildungen nicht tiefer als 1/30 ihrer Breite,
- Stauwasserbildung vermeiden (mindert Glatteisbildung im Winter),
- erforderliche Rutschhemmung sichern,
- Vermeidung von Sehbehinderungen,
- Vermeidung von Sichtbehinderungen.

Reflexionsarm

- Glänzende Oberflächen vermeiden,
- Glanzeffekte erhöhen sich mit zunehmend glatten Oberflächen und bei Wasser- und Lichteinwirkung.

Rutschhemmend nach BG-Regeln – BGR 181

Siehe BGR 181 – Anhang 1 »Anforderungen an die Rutschhemmung von Bodenbelägen in Arbeitsräumen, -bereichen und betrieblichen Verkehrswegen mit Rutschgefahr«

Anforderungen an nassbelastete Barfußbereiche (im gewerblichen Bereich)

Siehe GUV I 8527 (ehemals GUV 26.17) Bewertungsgruppen: A, B, C.

Rollstuhlgeeignet

Vergleichbar mit der Herstellerbezeichnung »Stuhlrollengeeignet« (für Bürostühle) bei textilen und elastischen Bodenbelägen.

Bewertungsgruppe	Einsatzbereich
R9 (mit geringsten Anforderungen)	in Eingangsbereichen, die direkt aus dem Freien betreten werden, – in Schalterräumen von Geldinstituten, – in Kundenräumen von Verkaufsstellen, – in Fluren (ganz allgemein), – in Pflegebereichen von Heimen und Krankenhäusern, – Pausenräumen von Arbeitsstätten, – Treppen, innen (auf die Feuchtigkeit hineingetragen wird)
R10 – R13 in Nassbereichen und Arbeitsstätten	– Außentreppen R10, R11, – Sanitärräume R10, – spezielle Arbeitsräume, R12 – R13

Fest verlegt

- Ganzflächig mit dem Untergrund verklebt,
- der Bodenbelag darf sich beim Drehen des Rollstuhls nicht aufwerfen,
- der Gehstock soll keine Dellen verursachen.

Nicht elektrostatisch aufladbar

Wo das antistatische Verhalten der Bodenbeläge lt. Herstellerangaben nicht ausreicht, ist der Belag leitfähig zu verlegen und zu erden.

Längsgefälle max. 3 %

Bei Längsgefälle von 3 % bis 6 % nach 10 m Länge, Verweilplätze unter 3 % Neigung.

Quergefälle max. 2 %

- Neigung des Gehweges zur Straße wegen Wasserablauf,
- Podestneigung vor Hauseingängen max. 2 %,
- bei Grundstückszufahrten max. 6 % Gefälle.

11 Vergleichende Betrachtung und Erläuterungen zu DIN 18040 Teil 1 und Teil 2

11.1 Allgemeines

Diese Normen enthalten Planungsgrundlagen zur barrierefreien Gestaltung des Lebensraumes, die es allen Menschen ermöglichen sollen, diese sicher und weitgehend unabhängig von fremder Hilfe nutzen zu können. Insbesondere wird dargestellt, unter welchen technischen Voraussetzungen Gebäude, bauliche Anlagen oder Wohnungen barrierefrei sind.

Ziel dieser Normen ist die Barrierefreiheit baulicher Anlagen, damit sie für Menschen mit Behinderungen in der allgemein üblichen Weise, ohne besondere Erschwernis und grundsätzlich ohne fremde Hilfe zugänglich und nutzbar sind (nach § 4 BGG Behindertengleichstellungsgesetz).

Die neuen Normen berücksichtigen insbesondere die Bedürfnisse folgender Personengruppen:

- Menschen mit Seh- und Hörbehinderung,
- Menschen mit motorischen Einschränkungen sowie
- Personen, die Mobilitätshilfen und Rollstühle benutzen.

Auch für andere Personengruppen, z. B. groß- und kleinwüchsige Personen mit kognitiven Einschränkungen, ältere Menschen, Kinder sowie Personen mit Kinderwagen oder Gepäck, führen einige Anforderungen dieser Normen zu einer Nutzungserleichterung.

DIN 18040-1:2010-10 Barrierefreies Bauen – Teil 1: Öffentliche zugängige Gebäude	DIN 18040-2:2011-09 Barrierefreies Bauen – Teil 2: Wohnungen
(früher DIN 18024-2, Barrierefreies Bauen – Teil 2 Straßen, Öffentliche zugängige Gebäude und Arbeitsstätten)	(früher DIN 18025-1 Barrierefreie Wohnungen – Wohnungen für Rollstuhlbenutzer + DIN 18025-2 Barrierefreie Wohnungen)
Änderungen gegenüber DIN 18024-2: – grundsätzliche Überarbeitung – Beschränkung auf öffentlich zugängige Gebäude – neu aufgenommen Anforderungen zur Sensorik – Schutzziele aufgenommen – Arbeitsstätten aus dem Anwendungsbereich gestrichen	Änderungen gegenüber DIN 18025-1 und DIN 18025-2: – Zusammenführung von DIN 18025-1 und DIN 18025-2 – grundsätzliche Überarbeitung – neu aufgenommen Anforderungen zur Sensorik

11.2 Anwendungsbereiche

DIN 18040-1	DIN 18040-2
Diese Norm gilt für die barrierefreie Planung, Ausführung und Ausstattung von öffentlich zugängigen Gebäuden und deren Außenanlagen. Sie gilt für Neubauten und sollte sinngemäß auch für die Planung von Umbauten oder Modernisierungen angewendet werden. Zu den öffentlich zugängig Gebäuden gehören insbesondere Einrichtungen des Kultur- und des Bildungswesens, Sport- und Freizeitstätten, Einrichtungen des Gesundheitswesens, Büro-, Verwaltungs- und Gerichtsgebäude, Verkaufs- und Gaststätten, Stellplätze, Garagen und Toilettenanlagen.	Diese Norm gilt für die Planung, Ausführung und Ausstattung von Wohnungen, Gebäuden mit Wohnungen und deren Außenanlagen. Sie gilt für Neubauten und sollte sinngemäß auch für die Planung von Umbauten oder Modernisierungen angewendet werden.
	Zusätzliche oder weitergehende Anforderungen an spezielle Wohnungen für uneingeschränkte Rollstuhlbenutzung sind mit einem **R** markiert.

11.3 Begriffe

Für die Anwendung dieser Normen wurden folgende Begriffe definiert:

Bedienelement
Überwiegend mit der Hand zu betätigende Griffe, Drücker, Schalter, Tastaturen, Knöpfe, Geldeinwürfe, Kartenschlitze u. Ä.

Bewegungsfläche
Erforderliche Fläche zur Nutzung eines Gebäudes und einer baulichen Anlage, unter Berücksichtigung der räumlichen Erfordernisse, z. B. von Rollstühlen, Gehhilfen, Rollatoren.

Bodenindikatoren
Bodenelemente mit einem hohen taktilen, akustischen und visuellen Kontrast zum angrenzenden Bodenbelag (DIN 32984, Begriff 3.1).

Leitstreifen
Leitstreifen aus aneinandergereihten Bodenindikatoren kennzeichnen den Verlauf einer Strecke.

Aufmerksamkeitsfelder
In der Regel quadratisches Feld, das auf Verzweigungen von Leitstreifen, Niveauwechsel oder Informationselemente aufmerksam macht.

Greifbereich
Horizontal oder vertikal definierter Bereich, der zum Erreichen eines Bedienelementes mit der Hand oder mit der Hand und dem Arm erforderlich ist.

Hörbehinderung
Hörbehinderung im Sinn dieser Norm umfasst sowohl Menschen ohne Hörvermögen als auch Menschen mit eingeschränktem Hörvermögen.

Sehbehinderung
Sehbehinderung im Sinn der Normen umfasst sowohl blinde Menschen als auch Menschen mit eingeschränktem Sehvermögen.

Grundsätzlich wird in der Norm der Oberbegriff »Sehbehinderung« verwendet. Nur an Stellen, wo auf Grund unterschiedlicher Anforderungen eine Differenzierung erforderlich ist, werden die Begriffe »blinde Menschen« bzw. »Menschen mit eingeschränktem Sehvermögen« verwendet.

Zwei-Sinne-Prinzip
Gleichzeitige Vermittlung von Informationen für bzw. von mindestens zwei Sinnen.

Neben visuellen Wahrnehmungen (Sehen) wird auch die taktile (Fühlen, Tasten z.B. mit Händen, Füßen) oder auch auditive (Hören) Wahrnehmung genutzt.

Motorische Einschränkung
Motorische Einschränkungen im Sinne dieser Norm sind z.B. Einschränkungen durch Gehbehinderungen, Bewegungsbehinderungen, z.B. der Arme, sowie die Nutzung von Mobilitätshilfen oder Rollstühlen.

Sensorische Einschränkungen
Sensorische Einschränkungen im Sinne dieser Norm sind z.B. Einschränkungen der klassischen fünf Sinne Hören, Sehen, Riechen, Schmecken und Tasten.

Kognitive Einschränkungen
Kognitive Einschränkungen im Sinne dieser Norm sind z.B. Einschränkungen hinsichtlich des Erkennens und Verstehens oder auch der Konzentrationsfähigkeit.

Orientierungshilfe
Information, die alle Menschen, insbesondere Menschen mit sensorischen Einschränkungen, bei der Nutzung der gebauten Umwelt unterstützt.

Bei Informations- und Leitsystemen sollte auch auf die Belange kognitiv eingeschränkter Menschen geachtet werden.

Leuchtdichte L
Wird in DIN 32975 als lichttechnische Größe, die der Helligkeit einer selbst leuchtenden oder angeleuchteten Fläche annähernd entspricht, definiert. Leuchtdichte (Maßeinheit cd/m^2) ist das Maß für den Helligkeitseindruck. Starke Leuchtdichtekontraste ergeben eine Blendung, die als Direktblendung oder Reflexblendung sehr störend wirkt.

Leuchtdichtekontrast K
Wird in DIN 32975 als relativer Leuchtdichteunterschied (hell/dunkel) benachbarter Flächen definiert. Die Kontrastwahrnehmung kann durch Farbgebung unterstützt werden. Ein Farbkontrast ersetzt nicht den Leuchtdichtekontrast.

11.4 Anforderungen an die Infrastruktur nach DIN 18040-1

DIN 18040-1, Öffentlich zugängige Gebäude unterscheidet zwischen Anforderungen an die Infrastruktur und an Räume.

Im Abschnitt Infrastruktur werden Vorgaben zu Bauteilen und technischen Einrichtungen eines Gebäudes gemacht, die der Erschließung von der öffentlichen Verkehrsfläche bis zum Ort der zweckmäßigen Nutzung im Gebäude dienen.

Dazu zählen hauptsächlich Zugangs- und Eingangsbereiche, Aufzüge, Flure und Treppen. Wichtigste Elemente bei der Planung der Infrastruktur sind ausreichende Verkehrs- und Bewegungsflächen. Sie sind immer für die Personengruppen mit dem größten Flächenbedarf – i.d.R. Personen mit Rollstühlen oder Gehhilfen – auszulegen.

Die nötigen Maße dürfen nicht durch Einbauten oder Ausstattungen wie Handläufe, Schaukästen, Feuerlöscher usw. eingeschränkt werden.

Mindesthöhe über Verkehrsflächen

Zur Verkehrssicherheit auch für großwüchsige Menschen sollte die nutzbare Höhe über Verkehrsflächen 220 cm nicht unterschreiten (mit Ausnahme von Türen, Durchgängen, lichten Treppendurchgangshöhen).

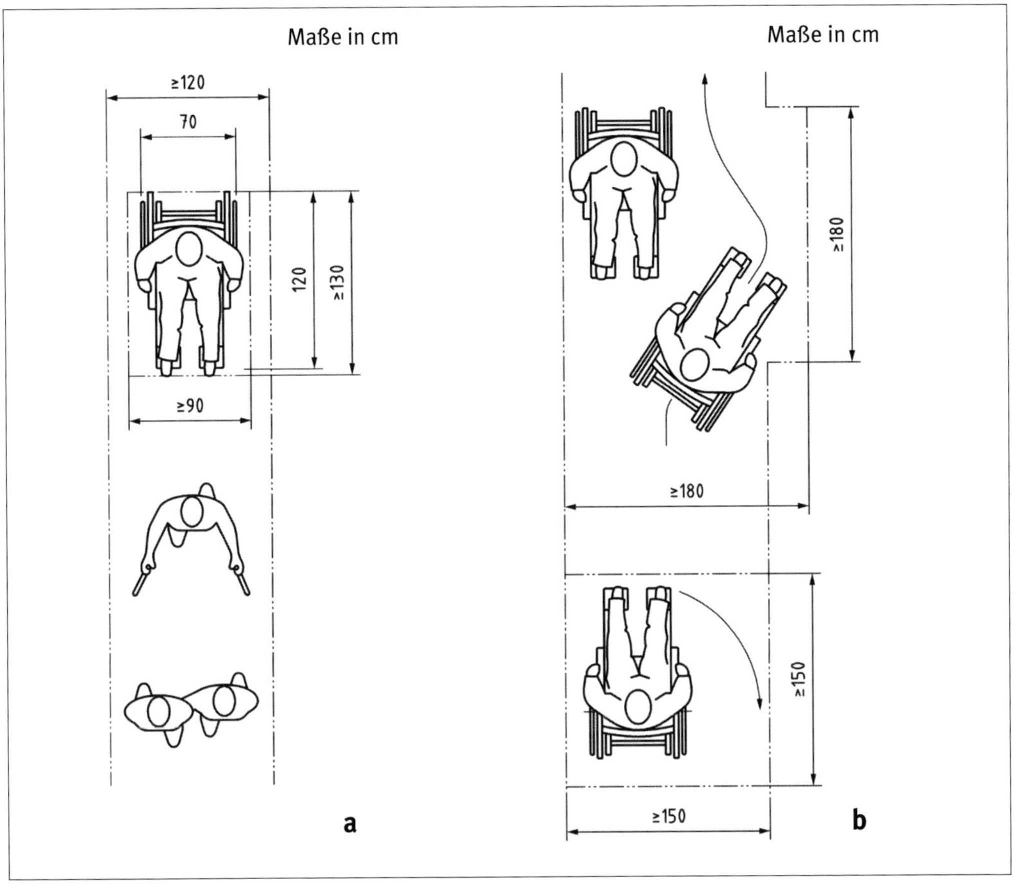

Abb. 11.1 Platzbedarf und Bewegungsflächen
a ohne Richtungsänderung; b mit Richtungsänderung und Begegnung

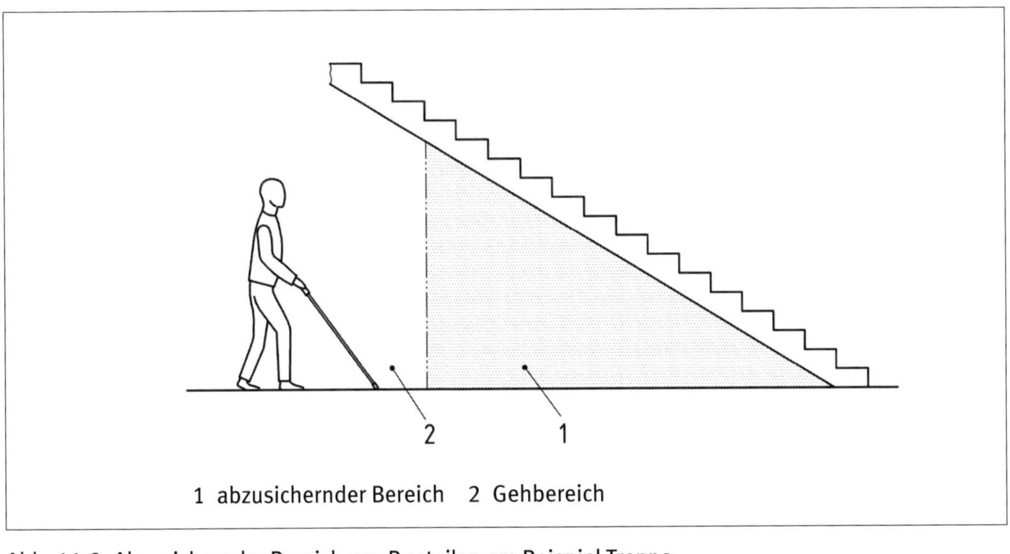

Abb. 11.2 Abzusichernder Bereich von Bauteilen am Beispiel Treppe

Anforderung an Gehwege/ Erschließungsflächen

- Breite für die Nutzung mit dem Rollstuhl oder mit Gehhilfen (auch im Begegnungsfall) mind. 150 cm x 150 cm
- Bewegungsfläche von 180 cm x 180 cm bei Längen über 18 m
- feste und ebene Oberfläche
- Querneigung max. 2,5 % oder Längsneigung max. 3 %
- Längsneigung 4 % bei < 10 m Weglänge erlaubt.

Gehwegsbegrenzungen sind so zu gestalten, dass sie mit dem Blindenstock leicht und sicher wahrgenommen werden können (z. B. mit Rasenkantensteinen von mind. 3 cm Höhe oder mit Bordsteinen von mind. 3 cm Höhe, die eine deutliche Kante aufweisen).

Anforderungen an PKW-Stellplätze

- Anordnung möglichst in der Nähe barrierefreier Zugänge
- Mindestmaße für PKW 350 cm x 500 cm
- Mindestmaße für Kleinbusse

350 cm x 750 cm, nutzbare Mindesthöhe 250 cm.

Anforderungen an Eingangsbereiche und Zugänge

Es werden zwei Grundanforderungen gestellt: leicht auffindbar und barrierefrei erreichbar.

Zur leichten Auffindbarkeit sind für Menschen mit eingeschränktem Sehvermögen und Menschen mit kognitiven Einschränkungen eine kontrastreiche Gestaltung und ausreichende Beleuchtung als besondere Maßnahmen zu berücksichtigen. Bei blinden Menschen müssen bei der Bodengestaltung taktil erfassbare unterschiedliche Bodenstrukturen oder bauliche Elemente als Wegbegrenzung berücksichtigt werden. Möglich ist auch die Führung mittels akustischer oder elektronischer Informationen. Zum Thema Bodenindikatoren finden sich in DIN 32984 genaue Vorgaben.

Barrierefreie Zugänge sind dann erreicht, wenn alle Haupteingänge ohne Stufen und Schwellen erreichbar sind, die Maximalneigungen zu diesen Eingängen wie bei Gehwegen eingehalten werden und spezielle Bewegungsflächen vor den Eingangstüren vorgesehen werden.

Kann die Maximalneigung der Flächen nicht eingehalten werden, sind Rampen oder Aufzüge vorzustellen. Bei einer Länge der Erschließungsfläche bis 10 m ist auch eine Längsneigung bis zu 4 % möglich.

Allgemeine Anforderungen an die innere Gebäudeerschließung

Bei der Planung ist festzulegen, welche Ebenen des Gebäudes barrierefrei erreichbar sein sollen. Flure und sonstige Verkehrsflächen dürfen nicht stärker als 3 % geneigt sein, anderenfalls sind Rampen oder Aufzüge vorzusehen. Bei einer Länge des Flures bzw. der Verkehrsfläche bis 10 m ist auch eine Längsneigung bis zu 4 % möglich. Eine barrierefreie vertikale Verbindung zwischen den Ebenen durch Treppen, Fahrtreppen und geneigte Fahrsteige allein kann nicht erreicht werden. Für Menschen mit begrenzten motorischen Einschränkungen und sehbehinderte Menschen sind aber bei Erfüllung der Norm Bedingungen einer barrierefreien Nutzung gegeben.

Anforderungen an Flure und Verkehrsflächen

- Breite für die Nutzung mit dem Rollstuhl oder mit Gehhilfen (auch im Begegnungsfall) mind. 150 cm
- Breite bei Durchgängen mind. 90 cm
- Begegnungsfläche von 180 cm x 180 cm bei Längen nach höchstens 15 m Flurlänge zur Begegnung von Personen mit Rollstühlen oder Gehhilfen.

Glasflächen oder großflächig verglaste Wände sind durch kontrastreiche Sicherheitsmarkierungen oder andere Maßnahmen deutlich erkennbar zu gestalten, z.B. Schaufenster mit Auslage und entsprechender Beleuchtung.

Anforderungen an Türen

Erkennbarkeit, leichte Bedienbarkeit und sichere Benutzbarkeit stehen im Vordergrund aller Maßnahmen.

Das lichte Durchgangsmaß darf 90 cm in der Breite und 205 cm in der Höhe nicht unterschreiten.

Untere Türanschläge und -schwellen sind nicht zulässig. Sind sie technisch unabdingbar, dürfen sie nicht höher als 2 cm sein.

Ist für eine manuell zu betätigende Tür ein höherer Kraftaufwand als 25 N erforderlich (entsprechend Klasse 3 nach DIN EN 12217 mit Ausnahme der Fingerbetätigung), sind automatische Türsysteme vorzusehen (siehe DIN 18650-1 und DIN 18650-2). Automatisch öffnende und schließende Türen sollten generell als Eingangstüren öffentlicher Gebäude vorgesehen werden.

Weitere Anforderungen:

- Bei Einsatz von Türschließern die Größe 3 nach DIN EN 1154 nicht überschreiten, andernfalls sind Feststellanlagen oder Freilauftürschließer erforderlich.
- Für Menschen mit motorischen Einschränkungen sind zur sicheren Passage ggf. Schließverzögerungen einzuplanen.
- Federbänder oder andere Schließmittel mit unkontrolliertem Schließablauf sind nicht zulässig.
- Bei Pendeltüren ist ein Durchpendeln, z.B. mit Pendeltürschließern nach DIN EN 1154, zu verhindern.
- Karusselltüren und Pendeltüren sind als einziger Zugang ungeeignet, da diese nicht barrierefrei sind.
- Können Türschwellen nicht vermieden werden, dürfen sie max. 2 cm hoch sein.
- Türbeschläge, wie Drücker und Griffe, sind so auszubilden, dass sie auch motorisch eingeschränkte und sehbehinderte Menschen nutzen können. Drehgriffe, z.B. Knauf und eingelassene Griffe, sind deshalb ungeeignet

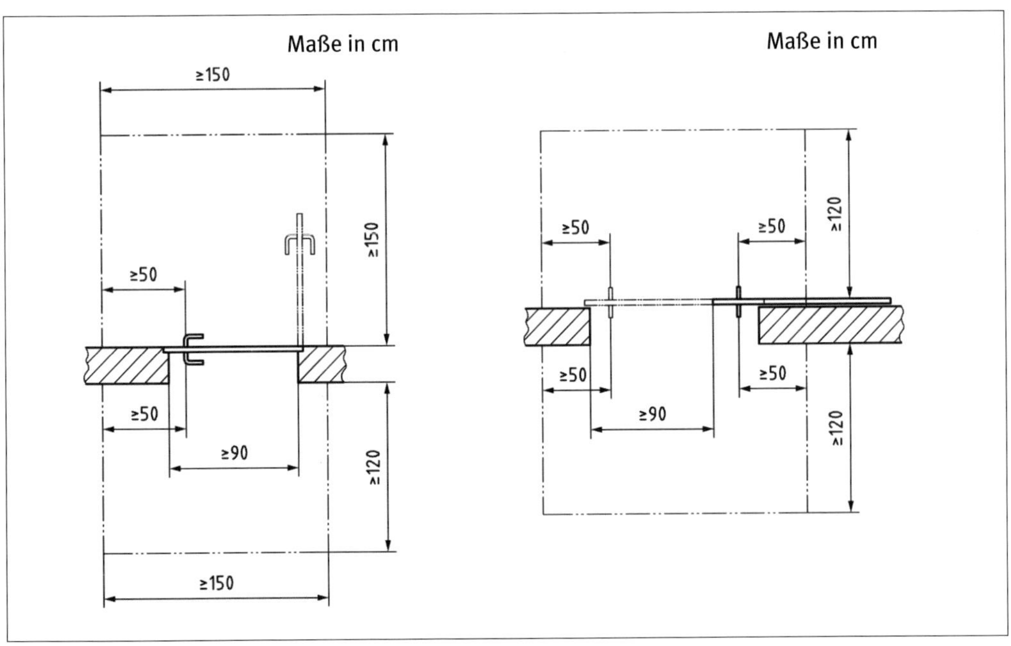

Abb. 11.3 Maße für Bewegungsflächen vor Drehflügel und Schiebetür

(eingelassene Griffe sind jedoch aus Sicherheitsgründen bei Sporthallen ggf. erforderlich).
- Die Bewegungsflächen vor Drehflügeltüren müssen mind. 150 cm x 150 cm auf der Türanschlagseite betragen.
- Bei Schiebetüren ist eine Bewegungsfläche (B x T) von 190 cm x 120 cm erforderlich.

Bei allen barrierefreien Türen ist durch eine kontrastreiche Gestaltung oder spezielle Markierungen die Auffindbarkeit und Erkennbarkeit für Menschen mit eingeschränktem Sehvermögen oder mit kognitiven Einschränkungen zu ermöglichen. Besonders Ganzglastüren und großflächige verglaste Türen müssen sicher erkennbar sein. Vorhandene Schwellen sind besonders zu kennzeichnen.

Orientierungshilfen an Türen

Auffinden und Erreichbarkeit von Türen und deren Funktion müssen auch für blinde und sehbehinderte Menschen möglich sein:

- taktile eindeutig erkennbare Türblätter oder -zargen
- visuell kontrastierende Gestaltung, z. B. helle Wand/dunkle Zarge, heller Flügel/dunkle Hauptschließkante und Beschlag
- zum Bodenbelag visuell kontrastierende Ausführung von eventuell vorhandenen Schwellen.

Ganzglastüren und großflächig verglaste Türen müssen sicher erkennbar sein durch Sicherheitsmarkierungen, die
- über die gesamte Glasbreite reichen
- visuell stark kontrastierend sind
- jeweils helle und dunkle Anteile (Wechselkontrast) enthalten, um wechselnde Lichtverhältnisse im Hintergrund zu berücksichtigen
- in einer Höhe von 40 cm bis 70 cm und von 120 cm bis 160 cm über OFF angeordnet werden.

Anforderungen an Bodenbeläge

- rutschhemmend (sinngemäß mindestens R 9 nach BGR 181)
- rollstuhlgeeignet und fest verlegt
- deutlicher Kontrast zu anderen Bauteilen (z. B. Wänden, Türen, Stürzen) – sorgt für bessere Orientierungsmöglichkeiten für Menschen mit eingeschränktem Sehvermögen; Spiegelung und Blendung ist zu vermeiden.

Anforderungen an Aufzugsanlagen

- keine abwärts führenden Treppen gegenüber von Aufzugstüren anordnen; im Ausnahmefall Abstand mind. 300 cm
- Bewegungs- und Wartefläche vor Aufzügen mind. 150 cm x 150 cm
- Bei Überlagerung dieser Fläche mit anderen Verkehrsflächen muss ein Passieren des wartenden Rollstuhlnutzers möglich sein; Zugangsbreite mind. Lichtmaß 90 cm
- Aufzüge müssen mind. Typ 2 nach DIN EN 81-70:2005-09, Tabelle 1, entsprechen; lichte Zugangsbreite mind. 90 cm.

Anforderungen an Fahrtreppen und geneigte Fahrsteige

Die barrierefreie Nutzung durch Menschen mit begrenzten motorischen Einschränkungen und sehbehinderte Menschen setzt folgende Eigenschaften voraus:

- Geschwindigkeit max. 0,5 m/s
- mind. 3 Stufen Vorlauf bei Fahrtreppen
- Steigungswinkel der Fahrtreppen max. 30° (entspricht 57,7 %), der Fahrsteige max. 7° (entspricht 12,3 %).

Die Kennzeichnungen für Menschen mit eingeschränktem Sehvermögen oder blinde Menschen sind sinngemäß wie bei den Treppen vorzunehmen. Die Kammplatten sind an Zu- und Abgängen mit einem 8 cm breiten Streifen zu kennzeichnen.

Anforderungen an Treppen

Treppen, die für Menschen mit begrenzten motorischen Einschränkungen und sehbehinderte Menschen barrierefrei nutzbar sein sollen, müssen folgende Anforderungen erfüllen:

- gerade Läufe, gebogene Läufe erst ab Treppenaugen Innendurchmesser von 200 cm
- generell mit Setzstufen, die Trittstufe muss mit der Vorderkante der Setzstufe abschließen, zulässig sind Unterschneidungen bis 2 cm.

Handläufe:

- beidseitige Ausstattung mit Handläufen ohne Unterbrechung an z. B. Treppenaugen und Zwischenpodest
- Die Handlaufenden am Anfang und Ende des Treppenlaufes sind weitere 30 cm waagerecht zu führen. Weisen die Enden frei in den Raum, sind sie mit einer Rundung anzuschließen.
- Die optimale Höhe der Handlaufoberkanten liegt zwischen 85 cm bis 90 cm.
- Der Querschnitt der Handläufe sollte rund oder oval mit einem Durchmesser von 3 cm bis 4,5 cm sein, um eine gute Griffsicherheit zu gewährleisten; lichter Abstand zur Wand oder zur Halterung 5 cm.
- Speziell für Menschen mit eingeschränktem Sehvermögen sind alle Elemente der Treppe so zu kennzeichnen, dass sie leicht wahrgenommen werden können.
- Dafür geeignet sind Markierungselemente an den Stufen, kontrastreiche Gestaltung der Handläufe und taktile Informationen (Etagen- oder Wegweisermarkierungen) zur Orientierung direkt an den Handläufen.
- Handläufe müssen sich visuell kontrastierend vom Hintergrund abheben.
- Für blinde Menschen sind Treppen, die frei im Raum beginnen oder enden, mit Aufmerksamkeitsfeldern zu kennzeichnen.

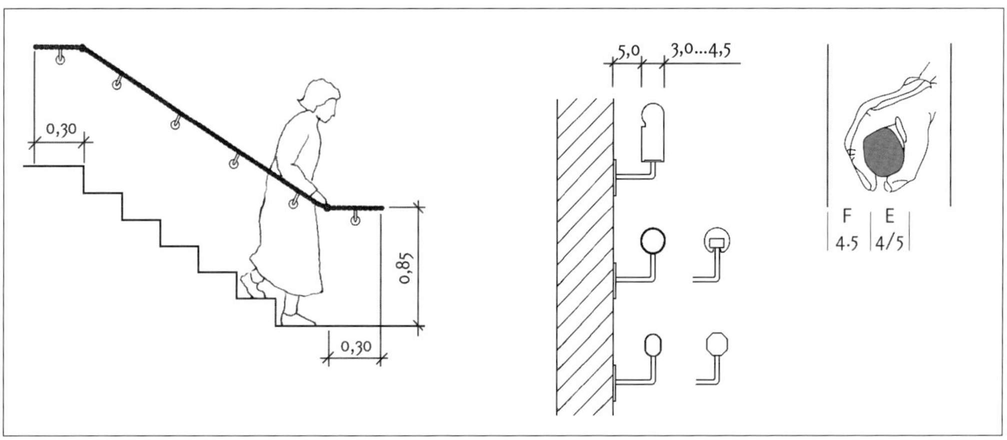

Abb. 11.4 Treppen mit Setzstufen

Anforderungen an Rampen

Leichte Benutzbarkeit und Verkehrssicherheit von Rampen sind oberstes Gebot. Deshalb sind folgende Anforderungen einzuhalten:

- max. Längsneigung 6 %, keine Querneigung zulässig
- sicher funktionierende Entwässerung für Rampen im Freien
- Bewegungsflächen am Anfang und Ende, Mindestgröße 150 cm x 150 cm
- längster Rampenlauf ohne Zwischenpodest max. 600 cm
- Zwischenpodest mind. 150 cm lang, bei langen Rampen und Richtungsänderungen
- in der Verlängerung einer Rampe keine abwärts führende Treppe.

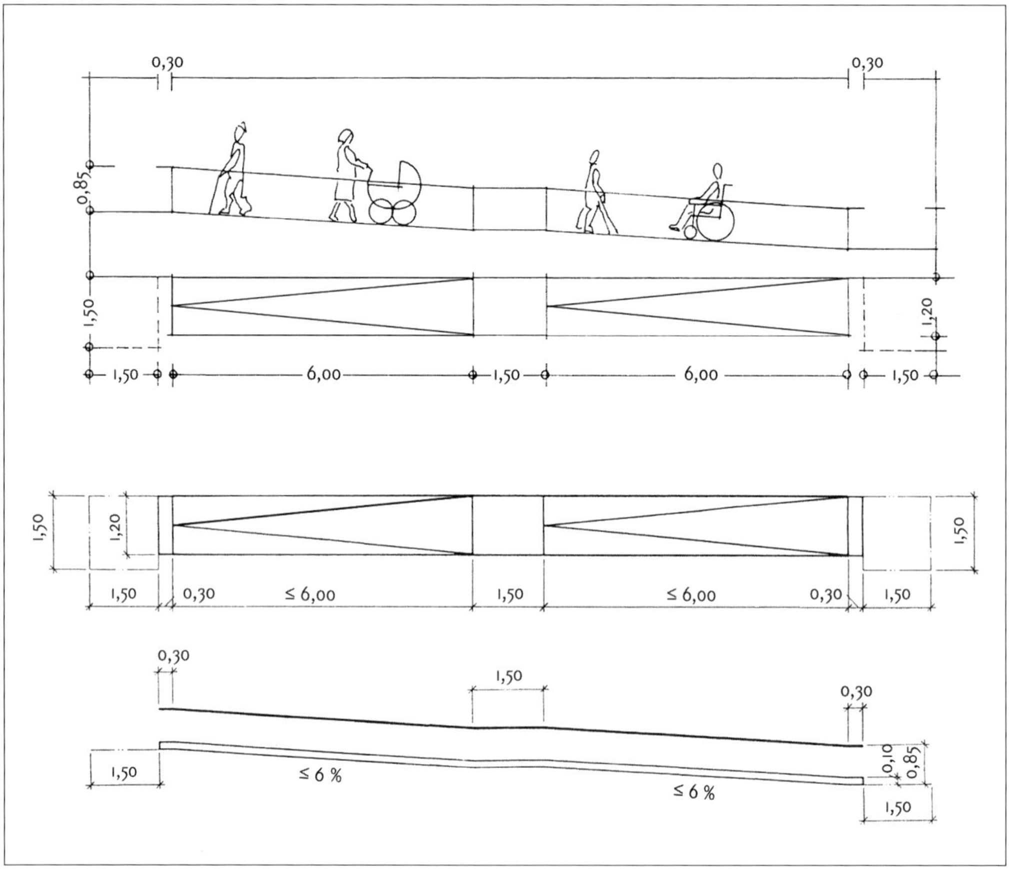

Abb. 11.5 Rampe: Längsschnitt und Grundriss

Radabweiser und Handläufe:
An Rampenläufen und -podesten sind beidseitig in einer Höhe von 10 cm Radabweiser anzubringen. Sie sind nicht erforderlich, wenn die Rampen seitlich durch eine Wand begrenzt werden. Handläufe sind beidseitig über die gesamte Länge vorzusehen, die waagerechte Weiterführung um 30 cm gilt analog den Treppenanforderungen.

Handläufe und Radabweiser müssen lotrecht in einer Ebene übereinander liegen. Als optimale Höhe der Oberkante der Handläufe wird eine Höhe von 85 cm bis 90 cm angesehen.

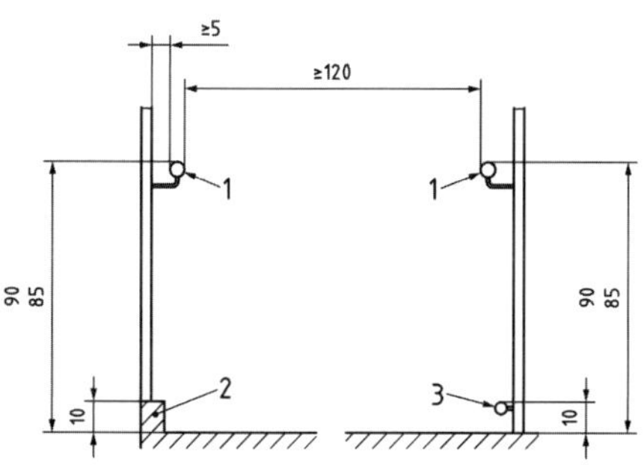

1 Handlauf
2 Aufkantung als Radabweiser
3 Holm als Radabweiser

Abb. 11.6 Querschnitt Rampe

Anforderungen an Rollstuhlabstellplätze

Solche Plätze sind in Gebäuden vorzusehen, wo die Nutzung einen Rollstuhlwechsel erfordert.

Die Bewegungsfläche muss mind. 180 cm x 150 cm betragen; vor den Plätzen ist eine Rangierfläche der gleichen Größe einzuplanen.

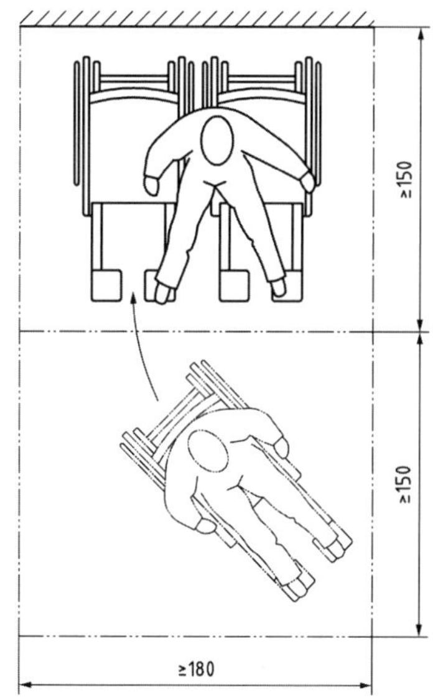

Abb. 11.7 Rollstuhlabstellfläche

Anforderungen an Informationen zum Warnen, Orientieren, Informieren und Leiten

DIN 18040-1 gibt in einem gesonderten Abschnitt spezielle Hinweise zur Informationsvermittlung an Menschen mit sensorischen und/oder kognitiven Einschränkungen. Alle Informationen sind für das Zwei-Sinne-Prinzip aufzubereiten, d. h., die Wahrnehmung soll durch mindestens zwei Sinne erfolgen.
Informationen können:

- visuell (durch Sehen)
- auditiv (durch Hören)
- taktil (durch Fühlen, Tasten, auch mit den Füßen)

wahrnehmbar gestaltet werden.
Je nach Wahrnehmungsart sind unterschiedliche bauliche Voraussetzungen zu erfüllen. Hinweise, die warnen, orientieren, informieren oder leiten, sollten nicht im gleichen Blick-/Hörfeld angeordnet werden wie Hinweise anderer Art (z. B. Werbung).
Bei Ausstattungen mit Informations- und Leitsystem sollten Durchgängigkeit und ein lückenloses System in allen zugänglichen Verkehrsflächen beachtet werden. Bei Anlagenkomplexen ist das Informations- und Leitsystem bis zu den Außenanlagen fortzuführen, beispielsweise Flure und sonstige Verkehrsflächen.

Aufbereitung visueller Informationen

Visuelle Informationen müssen auch für Menschen mit eingeschränktem Sehvermögen sichtbar und erkennbar sein.

Dabei sind die wichtigsten Einflussfaktoren auf das Sehen/Erkennen zu berücksichtigen:

- Leuchtdichtekontraste (hell/dunkel)
- Größe des Sehobjektes
- Form (z. B. Schrift)
- räumliche Anordnung (Position) des Sehobjektes
- Betrachtungsabstand
- ausreichende und blendfreie Belichtung bzw. Beleuchtung.

Daraus ergeben sich notwendige Anforderungen für eine gute visuelle Wahrnehmung:

- Visuelle Informationen müssen hinsichtlich der Leuchtdichte zu ihrem Umfeld einen Kontrast aufweisen. Ein hoher Leuchtdichtekontrast verbessert die Erkennbarkeit. Hohe Kontrastwerte werden mit Schwarz/Weiß- bzw. Hell/Dunkel-Kombination erreicht. Eine zusätzliche Farbgebung kann die Kontrastwahrnehmung unterstützen, aber nicht ersetzen.
- Blendung, Spiegelung und Schattenbildungen können visuelle Informationen beeinträchtigen und sind zu vermeiden. Lösungen dafür bieten geeignete Werkstoffe und Oberflächen, z. B. entspiegeltes Glas, matte, raue Oberflächen und die Anordnung zur Sichtachse (textliche Beschreibung neben Ausstellungsstücken in Museen).
- Sind Informationen nur aus kurzer Lesedistanz wahrnehmbar, ist dafür Sorge zu tragen, dass auch Menschen mit eingeschränktem Sehvermögen oder Rollstuhlnutzer ausreichend nah an den Informationsträger herankommen.

Aufbereitung akustischer Informationen

Akustische Informationen müssen auch für Menschen mit eingeschränktem Hörvermögen erfassbar sind:

Beeinträchtigungen zur Wahrnehmung akustischer Informationen sind:

- Verhältnis zwischen Nutzsignal S (Signal) und Störgeräusch N (Noise)
- Nachhallzeit und die Lenkung der Schallenergie zum Hörer.

Der Abstand zwischen Nutzsignal S und Störgeräusch N sollte S – N = 10 dB nicht unterschreiten. Die automatische Anpassung des Nutzsignals an wechselnde Störschallpegel ist anzustreben.

Akustische Informationen als Töne oder Tonfolgen sind so aufzubereiten, dass eine eindeutige Unterschiedlichkeit zu Alarm- und Warnsignalen gegeben ist. Sprachliche Informationen müssen leicht verständlich sein.

Aufbereitung taktiler Informationen

Taktil erfassbare schriftliche Informationen müssen sowohl durch erhabene lateinische Großbuchstaben und arabische Ziffern (Profilschrift) als auch durch Blindenschrift nach DIN 32976 vermittelt werden. Taktil erfassbare Beschriftung. Sonderzeichen oder Piktogramme sollten z. B. angebracht werden:

- bei WC- und Duschanlagen sowie Umkleidebereichen mit einer geschlechterspezifischen Trennung
- vor Zimmertüren (Raumbezeichnungen).

Die taktilen Orientierungshilfen müssen sich im Umfeld so deutlich unterscheiden, dass sie sicher mit den Fingern, mit den Händen oder über den Langstock und das Schuhwerk ertastet werden können.

Auch bauliche Elemente, kontrastreiche Bodenstrukturen oder Bodenindikatoren können als Orientierungsmöglichkeit dienen.

Besondere Gefahrenstellen und gefährliche Hindernisse sind für blinde und Menschen mit eingeschränktem Sehvermögen zu sichern.

Taktil erfassbare Orientierungshilfen müssen sich vom Umfeld deutlich unterscheiden, z. B. durch Form, Material, Härte und Oberflächenrauigkeit, so dass sie sicher mit den Fingern oder über den Langstock und das Schuhwerk ertastet werden können.

Anforderungen an Bedienelemente, Kommunikationsanlagen und Ausstattungselemente

Barrierefrei erkennbar und nutzbar – dies gilt für alle Bedienelemente und Kommunikationsanlagen, die zur zweckentsprechenden Nutzung des Gebäudes durch die Öffentlichkeit erforderlich sind.

Anforderungen an Bedienelemente

Bedienelemente sind so zu gestalten, dass sie leicht erkannt und zielsicher genutzt werden können. Sie sollen insbesondere

- visuell kontrastreich gestaltet und taktil wahrnehmbar (Zwei-Sinne-Prinzip) sein
- in ihrer Funktion erkennbar und bei wiederholter Anordnung auch wieder erkennbar sein
- so gestaltet werden, dass ein unbeabsichtigtes Auslösen beim Ertasten vermieden wird
- durch eine eindeutige Rückmeldung dem Nutzer die Funktionsauslösung quittieren
- ohne große Kraftanstrengung nutzbar sein (für Schalter und Taster sollte die anzuwendende Kraft 0,5 N bis 2,5 N nicht überschreiten).

Zur barrierefreien Erreichbarkeit von Bedienelementen sind folgende Anforderungen zu erfüllen:

- stufenloser Zugang
- Bewegungsfläche für Rollstuhlnutzung vor den Bedienelementen von mind. 150 cm x 150 cm; bei seitlicher Anfahrmöglichkeit und Nutzung ohne Wendevorgang Verringerung der Breite auf 120 cm

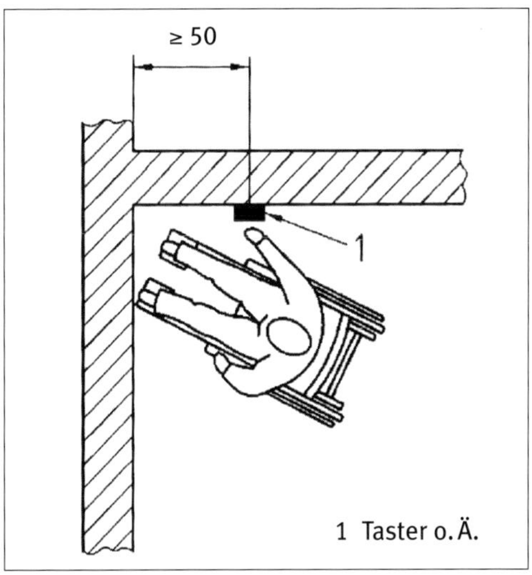

Abb. 11.8 Seitlicher Abstand und Unterfahrbarkeit

- seitlicher Abstand zu Wänden bzw. bauseitigen Einrichtungen von mind. 50 cm
- frontal zu betätigende Bedienelemente; sie müssen in der Tiefe von mind. 50 cm unterfahrbar sein
- für Greifhöhen und Bedienhöhen grundsätzliches Achsmaß 85 cm über OFF.

Werden mehrere Bedienelemente, z. B. mehrere Lichtschalter, übereinander angeordnet, darf das Achsmaß des obersten Bedienelementes 105 cm nicht überschreiten, das Achsmaß des untersten Bedienelementes 85 cm nicht unterschreiten.

Anforderungen an Kommunikationsanlagen

Zu barrierefrei gestalteten Kommunikationsanlagen zählen z. B. Türöffner- und Klingelanlagen, Gegensprechanlagen und Notrufanlagen, Telekommunikationsanlagen.

Die Hörbereitschaft der Gegenseite ist bei Gegensprechanlagen immer auch optisch anzuzeigen. Manuell betätigte Türen mit elektronischer Freigabe (Türsummer) müssen auch über eine optische Anzeige die Öffnungsfreigabe signalisieren.

Anforderungen an Ausstattungselemente

Ausstattungselemente sind z. B. Schilder, Vitrinen, Feuerlöscher, Automaten, Telefonhauben und Ähnliches.

Sie dürfen nicht die nutzbaren Breiten und Höhen von Räumen einschränken und sind so auszuführen, dass auch Menschen mit eingeschränktem Sehvermögen oder Blinde diese als Hindernis wahrnehmen können. Dazu sind die Ausstattungsgegenstände visuell kontrastreich zu gestalten; sie müssen durch blinde Menschen mit dem Langstock ertastbar sein, indem sie

- bis auf den Boden herunterreichen
- max. 15 cm über dem Boden enden
- durch einen mindestens 3 cm hohen Sockel, entsprechend den Umrissen des Ausstattungselements, ergänzt werden
- mit einer Tastleiste, die max. 15 cm über dem Boden endet, versehen sind.

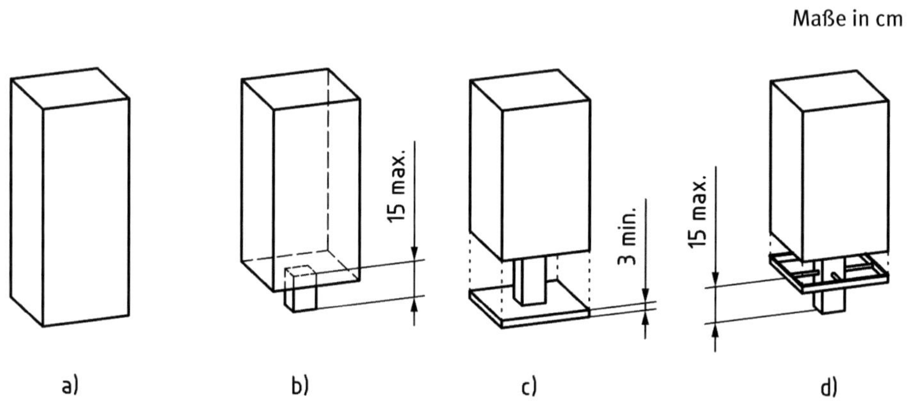

a) Herunterreichen bis zum Boden
b) unteres Ende max. 15 cm über dem Boden
c) Sockel von mind. 3 cm Höhe
d) Tastleiste max. 15 cm über dem Boden

Abb. 11.9 Wahrnehmbarkeit von Ausstattungselementen mit dem Langstock

Anforderungen an Service-Schalter, Kassen und Kontrollen

Ein leichter Zugang und die Nutzbarkeit dieser Einrichtungen von Menschen mit Sehbehinderung, eingeschränktem Hörvermögen und Rollstuhlnutzern kann durch die Berücksichtigung genannter Planungsanforderungen erreicht werden:

- Vor Kassen, Schalter, Kontrollen und Automaten ist eine Bewegungsfläche von 150 cm x 150 cm freizuhalten.
- Mindestens ein Tresen- oder Schalterplatz ist für die Benutzung durch Rollstuhlfahrer zu gestalten: Unterfahrbarkeit in einer Mindestbreite von 90 cm und Tiefe von 55 cm. Ist der Tresen in einer Breite von mind. 150 cm im Bereich der Bewegungsfläche unterfahrbar, kann die Tiefe der Bewegungsfläche auf 120 cm reduziert werden. Die Höhe des Tresens darf 80 cm nicht überschreiten.
- Durchgänge neben Schaltern, Kassen, Kontrollen und Automaten müssen eine nutzbare Breite von mind. 90 cm aufweisen. Vor und hinter diesen Durchgängen ist eine Bewegungsfläche von mind. 150 cm x 150 cm zu berücksichtigen.
- Service-Schalter mit geschlossenen Verglasungen und Gegensprechanlagen sind zusätzlich mit einer induktiven Höranlage auszustatten.
- Service-Schalter und Kassen in lautem Umfeld und Räumen zur Behandlung vertraulicher Angelegenheiten sollten ebenfalls mit einer induktiven Höranlage ausgestattet werden.
- Zur guten Auffindbarkeit und Wahrnehmung sind die Servicebereiche visuell kontrastreich zur Umgebung zu gestalten. Unterschiedliche Bodenstrukturen, besonders gestaltete bauliche Elemente, akustische oder elektronische Informationen, wie spezielle Leitsysteme, unterstützen die taktile Wahrnehmung. Sie ist auch durch Bodenindikatoren zu erreichen.

Besonderheiten zu Alarmierung und Evakuierung

Brandschutzkonzepte müssen die Belange von Menschen mit motorischen und sensorischen Einschränkungen berücksichtigen. Es ist darauf zu achten, dass sichere Bereiche für den Zwischenaufenthalt nicht zur Eigenrettung fähiger Personen vorgesehen werden.

Akustische Signale zur Alarmierung und Warnung müssen besonders in Räumen, in denen sich Hörgeschädigte allein aufhalten können, z. B. WC-Räume, zusätzlich für eine visuelle Wahrnehmung aufbereitet werden. Außerdem wird empfohlen, in optisch gekennzeichneten Rettungswegen (mit Kennzeichen nach DIN 4844-1) zusätzliche in Fluchtrichtung weisende akustische Systeme vorzusehen.

Voraussetzung zur barrierefreien Nutzung von Räumen

Für die barrierefreie Nutzbarkeit von Räumen lassen sich die Anforderungen an die Infrastruktur sinngemäß übertragen.

Für häufig vorkommende spezifische Nutzungen oder Funktionsbereiche werden besondere Anforderungen definiert. Anforderungen für nicht genannte Nutzungen lassen sich durch Analogien ableiten.

Anforderungen an Veranstaltungsräume

In Veranstaltungsräumen mit Reihenbestuhlung sind Flächen freizuhalten, die von Rollstuhlbenutzern und deren Begleitpersonen genutzt werden können. Je nach Anfahrmöglichkeit werden für diese Flächen Mindestmaße vorgegeben. Für Begleitpersonen sind Sitzplätze neben dem Rollstuhlplatz vorzusehen. Sind Tische fest eingebaut (z. B. in Vorlesungssälen), müssen auch die Plätze der Rollstuhlnutzer Schreibflächen vorweisen. Die Tischflächen sind unterfahrbar zu gestalten.

Feste Bestuhlung:

- Standflächen mit rückwärtiger bzw. frontaler Anfahrbarkeit: mind. 130 cm tief

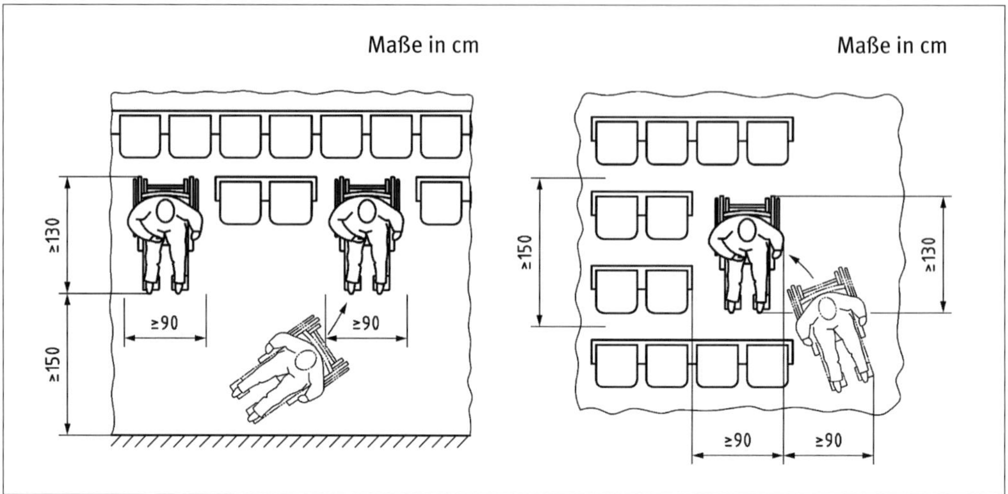

Abb. 11.10 Rollstuhlplätze in Räumen für Veranstaltungen

und mind. 90 cm breit je Standfläche; sich anschließende rückwärtige bzw. frontale Bewegungsflächen mind. 150 cm tief.

- Standfläche mit seitlicher Anfahrbarkeit: mind. 150 cm tief und mind. 90 cm breit je Standfläche; Breite sich seitlich anschließender Verkehrsflächen mind. 90 cm.

In beiden Fällen können sich Bewegungs- und Verkehrsflächen überlagern.

Anforderungen an Informations- und Kommunikationshilfen

In Versammlungs-, Schulungs- und Seminarräumen müssen für Menschen mit sensorischen Einschränkungen Hilfen für eine barrierefreie Informationsaufnahme zur Verfügung stehen.

Gemäß DIN 18041: sind elektroakustische Beschallungsanlagen vorgesehen, ist auch ein gesondertes Übertragungssystem für Menschen mit eingeschränktem Hörvermögen, das den gesamten Zuhörerbereich umfasst, einzubauen.

Anforderungen an Sanitärräume

DIN 18040-1 definiert die Anmessungen und Ausstattungen barrierefreier öffentlicher Sanitärräume, die mit Toiletten, Waschplätzen oder Duschplätzen ausgestattet sind. Neben den allgemeinen baulichen Anforderungen sind spezielle Vorgaben zu berücksichtigen.

Drehflügeltüren dürfen nicht in die Sanitärräume schlagen, um ein Blockieren der Türen zu vermeiden.

Türen von Sanitärräumen müssen von außen entriegelbar sein.

Als Auslaufarmaturen sind Einhebelarmaturen oder berührungslose Armaturen einzusetzen. Zur Vermeidung von Verbrühungen müssen Warmwasserarmaturen mit einer Temperaturbegrenzung ausgestattet sein (Auslaufarmatur auf 45 °C begrenzen).

Ausstattungselemente sind kontrastreich zur Umgebung zu gestalten, damit sie visuell gut erkannt werden.

Das WC-Becken muss beidseitig anfahrbar sein. Die Bewegungsflächen müssen mind. 150 cm x 150 cm mit einer Tiefe von 70 cm (von der Beckenvorderkante bis zur rückwärtigen Wand) und einer Breite von mind. 90 cm ausgebildet werden.

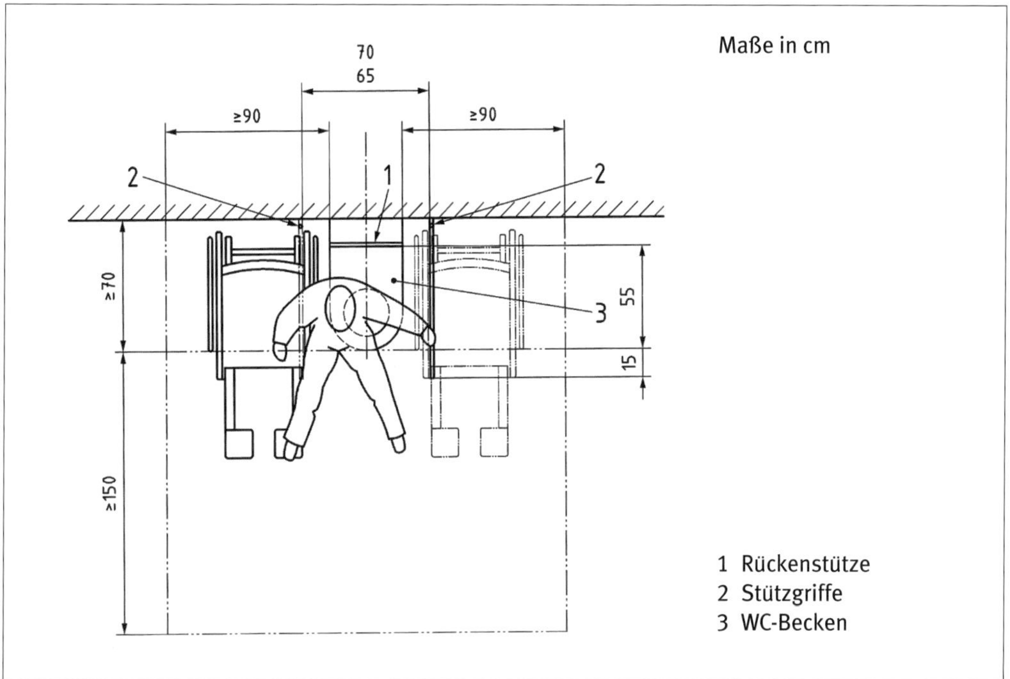

Abb. 11.11 Bewegungsfläche vor und neben dem WC-Becken

Toilettenanlagen

Jede Sanitäranlage muss mit mindestens einer barrierefreien Toilette ausgestattet sein. Diese ist in geschlechtsspezifisch getrennte Bereiche integriert oder separat geschlechtsneutral auszuführen.

- Maße WC-Becken: Tiefe mind. 70 cm: Höhe mit Sitz 46 cm bis 48 cm.
- Eine zusätzliche Rückenstütze ist 55 cm hinter der Vorderkante des WC anzuordnen.
- Die Spülauslösung muss mit Hand oder Arm bedienbar sein, ohne dass der Benutzer die Sitzposition verändert.
- Berührungslose Spülungen sind so auszuführen, dass ein ungewolltes Auslösen verhindert wird.
- Auf jeder Seite des WC-Beckens ist ein hochklappbarer Stützgriff zu montieren. Das Hochklappen muss mit wenig Kraftaufwand in selbst gewählten Etappen möglich sein. Der aufgeklappte Griff soll 15 cm über die Vorderkante des WC-Beckens hinausragen.
- Der lichte Abstand zwischen Stützgriffen muss 65 cm bis 70 cm betragen und die Oberkante der Stützgriffe 28 cm über der Sitzhöhe liegen.
- Die Befestigung der Stützgriffe muss einer Punktlast von mindestens 1 kN am Griffende standhalten.
- Auch der Toilettenpapierhalter muss ohne Veränderung der Sitzposition erreichbar sein.
- Für die hygienische Abfallentsorgung ist ein selbstschließender, mit einer Hand bedienbarer Abfallbehälter vorzusehen.

Notrufanlage:
Für Toiletten muss in der Nähe des WC-Beckens eine Notrufanlage vorgesehen werden. Diese ist so zu gestalten, dass sie visuell und taktil leicht erfassbar und auffindbar ist. Notrufe müssen auch vom Boden aus liegend abgesendet werden können.

Waschplätze

Barrierefreie Waschplätze erfordern die Unterfahrbarkeit von Waschtischen und sollten einen ausreichenden Beinfreiraum aufweisen. Dies ist gegeben bei einer Unterfahrbarkeit von mind. 55 cm und einem Abstand der Armatur zum vorderen Rand des Waschtisches von höchstens 40 cm. Der notwendige Beinfreiraum muss axial gemessen mindestens eine Breite von 90 cm aufweisen. Angaben zu den erforderlichen gestaffelten Bewegungs- und Abstandsmaßen können Abb. 11.12 entnommen werden. Die Vorderkante des Waschtisches darf max. 80 cm hoch sein. Ein mind. 100 cm hoher Spiegel ist über dem Waschtisch so anzuordnen, dass dieser sitzend und stehend genutzt werden kann.

Alle Ausstattungsgegenstände wie Seifenspender, Papierhandtuchspender/Handtrockner und

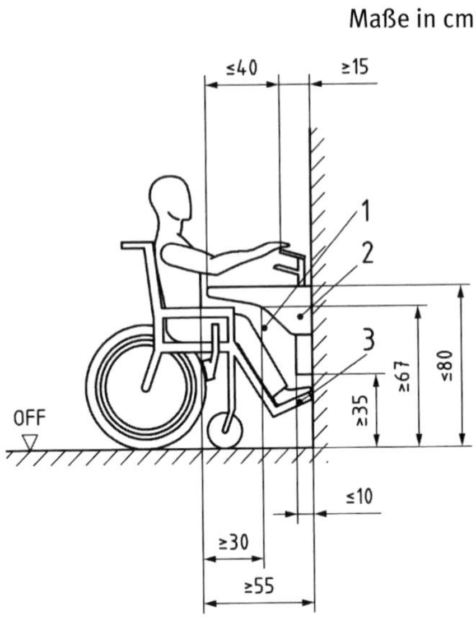

1 Beinfreiraum im Bereich des Knies
2 Bau-, Ausrüstungs- oder Ausstattungselement
3 Beinfreiraum im Bereich des Fußes

Abb. 11.12 Barrierefreier Waschtisch- und Beinfreiraum

Abfallbehälter sind im Bereich des Waschtisches anzuordnen.

Duschplätze

Barrierefreie Duschplätze sind niveaugleich zum angrenzenden Bodenbereich zu gestalten und dürfen max. 2 cm abgesenkt sein. Die Rutschhemmung des Duschbodens ist sinngemäß nach GUV-I 8527 mindestens Bewertungsgruppe B zu sichern.

Waagerechte Haltegriffe in einer Höhe von 85 cm über OFF (Achsmaß) und zusätzlich auch senkrechte Haltegriffe im Duschbereich geben den Nutzern Sicherheit.

Ein Dusch-Klappsitz mit einer Sitzhöhe von 46 cm bis 48 cm und einer Tiefe von mind. 45 cm ist erforderlich. Dieser wird auf jeder Seite mit einem leicht bedien- und stufenlos hochklappbaren Stützgriff ergänzt. Die Oberkante der Stützgriffe muss 28 cm über der Sitzhöhe liegen; die Vorderkante 15 cm über den Sitz herausragen. Der Abstand zwischen zwei Stützhaltegriffen muss 65 cm bis 70 cm betragen.

Liegen

Ist eine Liege für mobilitätseingeschränkte Menschen vorgesehen, muss der Raum so dimensioniert sein, dass eine Liege mit den Maßen von 180 cm Länge, 90 cm Breite, 46 cm bis 48 cm Höhe aufgestellt werden kann.

Die Bewegungsfläche vor der Liege muss mind. 150 cm tief sein. Eine gute Alternative stellen Klappliegen dar.

Es wird empfohlen, in Sanitärräumen von Raststätten und in Sportstätten mindestens eine Liege vorzusehen.

Umkleidebereich

Sport- und Badestätten oder Therapieeinrichtungen sollten mit mindestens einer Umkleidekabine für das Aufstellen einer Liege ausgestattet sein. Die Umkleidekabinen müssen von innen absperrbar und im Notfall von außen zu öffnen sein.

Schwimm- und Therapiebecken sowie andere Beckenanlagen

Der barrierefreie Zugang zu Schwimmbecken, Therapiebecken und Whirlpools sollte mit einer flachen Treppe ermöglicht werden, auf der auch sitzend hineingerutscht werden kann.

Ein möglichst beidseitiger Handlauf empfiehlt sich bei allen Becken, die nicht für sportliche Wettkämpfe genutzt werden sollen, so auch für das Umsteigen vom Rollstuhl und zum Herein- und Herausrutschen.

Zusätzlich müssen Schwimm- und Therapiebecken mit geeigneten technischen Ein- und Ausstiegshilfen (Hebevorrichtungen) ausgestattet werden können.

Ausstattungselemente und Einbauten dürfen nicht in den Beckenraum hineinragen. Ist ein Hineinragen nicht vermeidbar, müssen sie so ausgebildet werden, dass blinde und sehbehinderte Menschen sie erkennen können.

11.5 Anforderungen an die Infrastruktur nach DIN 18040-2

Unter Infrastruktur werden die Bereiche eines Gebäudes zusammengefasst, die zur Erschließung von der öffentlichen Verkehrsfläche aus bis einschließlich Wohnungseingang der barrierefreien Wohnung dienen (Zugangsbereiche, Eingangsbereiche, Aufzüge, Flure, Treppen usw.).

Die Planungsschwerpunkte bei der Infrastruktur richten sich vor allem auf die Verkehrs- und Bewegungsflächen. Diese sind immer für diejenigen Personen zu bemessen, die den größten Flächenbedarf haben, i. d. R. Personen mit Rollstühlen oder Gehhilfen.

R Sie können für die Bemessung von Verkehrsflächen auch innerhalb von Wohnungen für uneingeschränkte Rollstuhlnutzung zugrunde gelegt werden. Platzbedarf und Bewegungsflächen: siehe Abb. 11.1

Mindesthöhe über Verkehrsflächen
siehe Anforderungen nach DIN 18040-1 (vgl. Seite 128)

Anforderungen an Gehwege/ Erschließungsflächen
siehe Anforderungen nach DIN 18040-1 (vgl. Seite 130)

Anforderungen an PKW-Stellplätze

- möglichst in der Nähe barrierefreier Zugänge anordnen
- Mindestmaße für PKW 350 cm x 500 cm
- bei barrierefreien Stellplätzen in Garagen müssen die Garagentore mit einem Antrieb zum Öffnen und Schließen ausgerüstet sein
- Mindestmaße für Kleinbusse 350 cm x 750 cm und 250 cm hoch.

Anforderungen an Eingangsbereiche und Zugänge
siehe Anforderungen nach DIN 18040-1 (vgl. Seite 130)

Allgemeine Anforderungen an die innere Gebäudeerschließung
siehe Anforderungen nach DIN 18040-1 (vgl. Seite 130)

Anforderungen an Flure und Verkehrsflächen
siehe Anforderungen nach DIN 18040-1 (vgl. Seite 130)

Anforderungen an Türen

Erkennbarkeit, leichte Bedienbarkeit und sichere Benutzbarkeit stehen im Vordergrund. Für eine uneingeschränkte Rollstuhlnutzung darf das lichte Durchgangsmaß aller Türen dabei 90 cm in der Breite und 205 cm in der Höhe nicht unterschreiten. Durchgangstüren innerhalb von barrierefreien Wohnungen ohne Rollstuhlnutzung müssen über eine lichte Breite von mind. 80 cm verfügen.

R Ist in der Wohnungseingangstür ein Spion vorgesehen, muss dieser auch für sitzende

Personen nutzbar sein, z. B. durch Anordnung in einer Höhe von 120 cm über OFF.

Für die Anordnung von Beschlägen, Schildern und Bedienelementen werden in Abhängigkeit der Türart in der Norm Mindestabstandsmaße zum Fußboden definiert.

Drückergarnituren sind für motorisch eingeschränkte oder sehbehinderte Menschen greifgünstig auszubilden.

Bewegungsfläche vor Dreh- und Schiebetüren: siehe Abb. 11.3

Orientierungshilfen an Türen

Auffindbarkeit und Erkennbarkeit von Türen und deren Funktion müssen auch für Menschen mit eingeschränktem Sehvermögen und/oder Menschen mit kognitiven Einschränkungen möglich sein. Erforderlich sind:

- kontrastreiche Gestaltung, z. B. helle Wand/dunkle Zarge, heller Flügel/dunkle Hauptschließkante und Beschlag
- zum Bodenbelag kontrastierende Ausführung von eventuell vorhandenen Schwellen
- Vermeidung von Spiegelung und Blendung.

Ganzglastüren und großflächig verglaste Türen müssen sicher erkennbar sein und durch Sicherheitsmarkierungen, die

- über die gesamte Glasbreite reichen
- visuell kontrastreich sind
- jeweils helle und dunkle Anteile (Wechselkontrast) haben, um wechselnde Lichtverhältnisse im Hintergrund zu berücksichtigen
- in einer Höhe von 40 cm bis 70 cm und 120 cm bis 160 cm über OFF angeordnet werden.

Gemäß DIN 32975 visuelle Kontraste.

Anforderungen an Bodenbeläge

siehe Anforderungen nach DIN 18040-1 (vgl. Seite 132)

Anforderungen an Treppen

siehe Anforderungen nach DIN 18040-1 (vgl. Seite 133)

Anforderungen an Rampen

siehe Anforderungen nach DIN 18040-1 (vgl. Seite 134)
Rampen: siehe Abb. 11.5 und 11.6

Anforderungen an Rollstuhlabstellplätze

R Sind Wohnungen für Rollstuhlnutzer vorgesehen, dann ist für jeden ein Rollstuhlabstellplatz vor und in der Wohnung (nicht in Schlafräumen) vorzusehen.

Die Rollstuhlabstellplätze sind mit einem elektrischen Anschluss zur Batterieaufladung auszustatten. Die Bewegungsfläche muss mind. 180 cm x 150 cm betragen, vor den Plätzen ist eine Rangierfläche der gleichen Größe einzuplanen.

Rollstuhlabstellflächen siehe Abb. 11.7

Anforderungen an die Informationsvermittlung zum Warnen, Orientieren, Informieren und Leiten wie DIN 18040-1

Aufbereitung visueller Informationen

siehe Anforderungen nach DIN 18040-1 (vgl. Seite 136)

Aufbereitung akustischer Informationen

siehe Anforderungen nach DIN 18040-1 (vgl. Seite 136)

Aufbereitung taktiler Informationen

Taktil erfassbare Informationen müssen sowohl durch erhabene lateinische Großbuchstaben und arabische Ziffern (Profilschrift) als auch durch Blindenschrift nach DIN 32976 vermittelt werden.

Die taktilen Orientierungshilfen müssen sich vom Umfeld so deutlich unterscheiden, dass sie sicher mit den Fingern oder über den Langstock und das Schuhwerk ertastet werden können.

Auch bauliche Elemente, kontrastreiche Bodenstrukturen oder Bodenindikatoren können als Orientierungsmöglichkeit dienen.

Besondere Gefahrenstellen und gefährliche Hindernisse sind für blinde Menschen und Menschen mit eingeschränktem Sehvermögen zu sichern.

Anforderungen an Bedienelemente
siehe Anforderungen nach DIN 18040-1 (vgl. Seite 137)

R Vor Bedienelementen ist eine Bewegungsfläche von mind. 150 cm x 150 cm vorzusehen.

Wenn keine Wendevorgänge notwendig sind, z. B. bei seitlicher Anfahrt der Bedienelemente durch den Rollstuhlnutzer, ist eine Bewegungsfläche von 120 cm Breite x 150 cm Länge (in Fahrtrichtung) ausreichend.

Bedienelemente müssen einen seitlichen Abstand zu Wänden bzw. bauseitigen Einrichtungen von mind. 50 cm aufweisen.

Bedienelemente, die eine frontale Bedienung erfordern, müssen in der Tiefe von 55 cm unterfahrbar sein.

Anforderungen an Kommunikationsanlagen
siehe Anforderungen nach DIN 18040-1 (vgl. Seite 138)

Anforderungen an Ausstattungselemente

Ausstattungselemente sind z. B. Briefkästen, Feuerlöscher und Ähnliches.

Sie dürfen nicht die nutzbaren Breiten und Höhen von Räumen einschränken. Außerdem sind sie so auszuführen, dass auch Menschen mit eingeschränktem Sehvermögen oder Blinde sie als Hindernis wahrnehmen. Dazu sind die Ausstattungsgegenstände visuell kontrastreich zu gestalten und durch blinde Menschen mit dem Langstock ertastbar sein.

Wahrnehmbarkeit von Ausstattungselementen mit dem Langstock: siehe Abb. 11.9

Anforderungen zur barrierefreien Nutzung von Räumen in Wohnungen

Barrierefrei nutzbare Räume in Wohnungen sind so auszuführen, dass Menschen mit Behinderungen sie ihren speziellen Bedürfnissen entsprechend leicht nutzen, einrichten und ausstatten können.

Anforderungen an Flure

Um eine sichere Nutzung mit Rollstuhl oder Gehhilfe zu ermöglichen, sollten Flure eine Mindestbreite von 120 cm nicht unterschreiten.

R Es ist mindestens eine Bewegungsfläche von 150 cm x 150 cm vorzusehen.

Anforderungen an Türen

Für Wohnungseingangstüren gelten hier sinngemäß die Anforderungen an Türen wie im Abschnitt Infrastruktur.

Innerhalb von Wohnungen muss die lichte Durchgangsbreite mind. 80 cm betragen.

R Eine lichte Durchgangsbreite von mind. 90 cm ist notwendig.

Die Durchgangshöhe darf 205 cm nicht unterschreiten.

Um eine leichte Bedienung und sichere Passierbarkeit zu ermöglichen, sind greifgünstige Türdrücker oder Griffe in einer Höhe von 85 cm anzubringen.

Anforderungen an Fenster

Räume in barrierefreien Wohnungen sind so auszustatten, dass mindestens ein Fenster je Raum durch Menschen mit motorischen Einschränkungen und Rollstuhlbenutzer leicht bedient werden kann. Dazu darf der manuelle Kraftaufwand (Bedienkraft) zum Öffnen und Schließen höchstens 30 N, das maximale Moment 5 Nm betragen.

R Bei Fenstern, die zur Bedienung durch Rollstuhlnutzer vorgesehen sind, ist der Fenstergriff in einer Greifhöhe von 85 cm bis 105 cm anzubringen oder ein automatisches Öffnungs- und Schließsystem vorzusehen.

Fenster für Wohn- und Schlafräume sind so zu gestalten, dass auch in sitzender Position teilweise ein Durchblick in die Umgebung möglich ist. Dafür sind durchsichtige Brüstungen 60 cm über OFF anzubringen.

Anforderungen an Wohn- und Schlafräume sowie Küchen

Wohn- und Schlafräume sowie Küchen in barrierefreien Wohnungen für Menschen mit motorischen Einschränkungen und für Rollstuhlnutzer sind so zu bemessen, dass bei nutzungstypischer Einrichtung ausreichend Bewegungsflächen vorhanden sind. Die Bewegungsflächen dürfen sich nicht überlagern.

Jeder Raum muss für Dreh- und Wendemanöver über eine freie Bewegungsfläche von 120 cm x 120 cm verfügen.

R Rollstuhlnutzer: 150 cm x 150 cm.

Mindesttiefen von Bewegungsflächen vor Möbeln:

- an mindestens einem Bett eine Seite 120 cm, andere Seite 90 cm.

R Rollstuhlnutzer: eine Seite 150 cm, andere Seite 120 cm

- an anderen Möbeln 90 cm.

R Rollstuhlnutzer: 150 cm

- vor Kücheneinrichtungen 120 cm.

R Rollstuhlbenutzer: 150 cm (Bei der Planung der haustechnischen Anschlüsse ist in der Küche für Rollstuhlnutzer die Anordnung von Herd, Arbeitsplatte und Spüle übereck zu empfehlen.).

Bewegungsflächen dürfen sich überlagern.

Anforderungen an Sanitärräume

Die in der Norm definierten Anforderungen an Sanitärräume ermöglichen eine barrierefreie Nutzung durch Menschen mit motorischen Einschränkungen, Rollstuhlnutzer und sehbehinderte Menschen.

Drehflügeltüren dürfen nicht in die Sanitärräume schlagen, um ein Blockieren der Tür zu vermeiden. Die Türen von Sanitärräumen müssen von außen entriegelbar sein.

Als Auslaufarmaturen sind Einhebelarmaturen oder berührungslose Armaturen einzusetzen. Zur Vermeidung von Verbrühungen müssen Warmwasserarmaturen mit einer Temperaturbegrenzung ausgestattet sein.

Die Ausstattungselemente sind kontrastreich zur Umgebung zu gestalten, damit sie visuell erkannt werden können.

Bei der bauseitigen Ausbildung von Wänden ist eine mögliche Nachrüstung mit Stütz- und Haltegriffen und Klappsitz in den Bereichen neben dem WC-Becken sowie der Dusche bzw. Badewanne zu berücksichtigen. Dies gilt insbesondere für die Tragfähigkeit bei Trockenwänden.

Bei einer geplanten Fensterlüftung sind die Anforderungen an Öffnung und Schließung des Fensters aus dem Abschnitt »Anforderungen an Fenster« zu berücksichtigen.

Bewegungsflächen in Sanitärräumen

Vor den Sanitärobjekten wie WC-Becken, Waschtisch, Badewanne und Dusche muss eine Bewegungsfläche vorgesehen werde. Als Mindestfläche sind 120 cm x 120 cm ausreichend.

R Für Rollstuhlnutzer 150 cm x 150 cm.

Die Bewegungsflächen dürfen sich überlagern.

Anforderungen an Toiletten

Das WC-Becken ist mit einem seitlichen Mindestabstand von 20 cm zur Wand und zu anderen Sanitärobjekten anzuordnen.

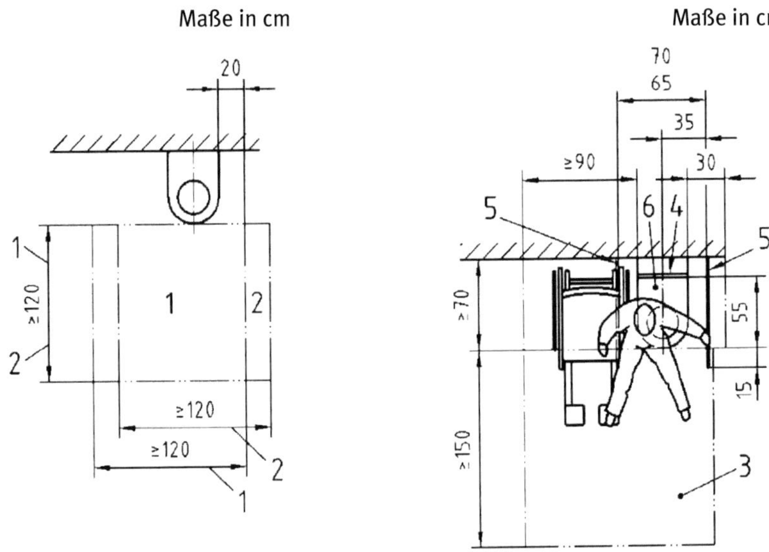

1 Bewegungsfläche vor dem WC-Becken, asymmetrische Anordnung
2 Bewegungsfläche vor dem WC-Becken, symmetrische Anordnung
3 Bewegungsfläche vor dem WC-Becken
4 Rückenstütze
5 Stützgriffe
6 WC-Becken

Abb. 11.13 Bewegungsfläche vor und neben dem WC-Becken

R Die Montagehöhe des WC-Beckens einschließlich Sitz sollte für Rollstuhlnutzer zwischen 46 cm und 48 cm liegen.

Weitere Anforderungen sind zu erfüllen:

- Eine zusätzliche Rückenstütze ist 55 cm hinter der Vorderkante des WCs anzuordnen.
- Die Spülauslösung muss mit der Hand oder dem Arm bedienbar sein, ohne dass der Benutzer die Sitzposition verlässt.
- Berührungslose Spülungen sind so auszuführen, dass ein ungewolltes Auslösen verhindert wird.
- Auch der Toilettenpapierhalter muss ohne Veränderung der Sitzposition erreichbar sein.
- Auf jeder Seite des WC-Beckens ist ein hochklappbarer Stützgriff zu montieren. Das Hochklappen muss mit wenig Kraftaufwand in selbst gewählten Etappen möglich sein. Der herunterklappbare Griff soll 15 cm über die Vorderkante des WC-Beckens hinausragen.
- Der lichte Abstand zwischen Stützgriffen muss 65 cm bis 70 cm betragen und die Oberkante der Stützgriffe 28 cm über der Sitzhöhe liegen.
- Die Befestigung der Stützgriffe muss einer Punktlast von mindestens 1 kN am Griffende standhalten.

Anforderungen an Waschplätze

Waschtische müssen so gestaltet sein, dass mind. 100 cm hoher Spiegel über dem Waschtisch anzuordnen möglich ist, dass dieser sitzend und stehend genutzt werden kann.

R Barrierefreie Waschplätze für Rollstuhlnutzer erfordern die Unterfahrbarkeit von Waschtischen und sollten ausreichenden Beinfreiraum (Breite 90 cm, Tiefe 55 cm) aufweisen. Die Vorderkante des Waschtisches darf max. 80 cm hoch sein.
Bewegungsraum Beinfreiheit siehe Abb. 11.11 und 11.12

Anforderungen an Duschplätze

Barrierefreie Duschplätze sind niveaugleich zum angrenzenden Bodenbereich zu gestalten und dürfen max. 2 cm abgesenkt sein.

Die Rutschhemmung des Duschbodens ist sinngemäß nach GUV-I 8527 mindestens Bewertungsgruppe B zu sichern.

R Waagerechte Haltegriffe in einer Höhe von 85 cm über OFF (Achsmaß) und zusätzlich auch senkrechte Haltegriffe im Duschbereich geben den Nutzern Sicherheit und sind für Rollstuhlnutzer zwingend vorzusehen.

Ein Dusch-Klappsitz mit einer Sitzhöhe von 46 cm bis 48 cm und einer Tiefe von mind. 45 cm ist zu berücksichtigen.

Dieser sollte auf jeder Seite mit einem leicht bedien- und stufenlos hochklappbaren Stützgriff ergänzt werden können. Die Oberkante der Stützgriffe muss 28 cm über der Sitzhöhe liegen.

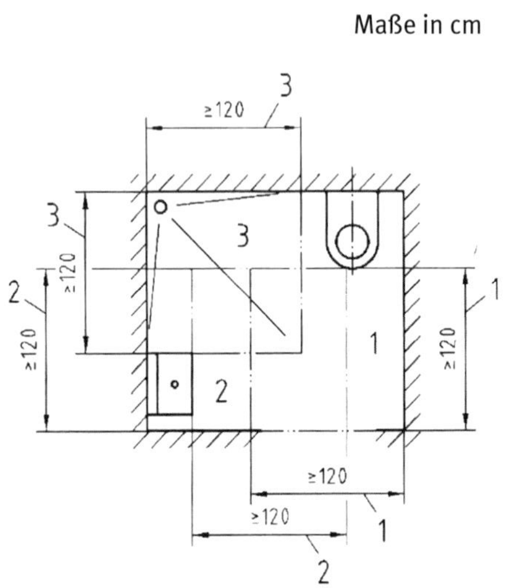

1 Bewegungsfläche vor dem WC-Becken
2 Bewegungsfläche vor dem Waschbecken
3 Bewegungsfläche für die Dusche

Abb. 11.14 Duschplatz

Anforderungen an Badewannen

Die Sanitärräume in barrierefreien Wohnungen sind so auszugestalten, dass zwischen einer Installation von Dusche und Badewanne gewählt und auch nachträglich gewechselt werden kann. Einstiegshöhe sollte 50 cm nicht überschreiten.

R Sie muss mit einem Lifter nutzbar und in der Höhe an das jeweilige Liftersystem angepasst werden können.

Anforderungen an zusätzliche Sanitärräume

R Wohnungen mit Rollstuhlnutzern, die planmäßig für mehr als drei Personen ausgelegt sind, müssen zusätzlich mit einem weiteren Sanitärraum mit Waschbecken und WC-Becken ausgestattet werden.

Freisitz

Verfügt die barrierefreie Wohnung über eine Terrasse, Loggia oder Balkon, muss dieser auch für Menschen mit Rollstuhl und Menschen mit motorischen Einschränkungen nutzbar sein. Dazu sind ein schwellenloser Zugang von der Wohnung aus und eine ausreichende Bewegungsfläche von mind. 120 cm x 120 cm erforderlich.

R Für Rollstuhlnutzer 150 cm x 150 cm notwendig

Brüstungen sind so zu gestalten, dass ab 60 cm Höhe über OFF eine Durchsicht möglich ist.

Normative Verweisungen

Die folgenden zitierten Dokumente sind für die Anwendung dieses Dokuments erforderlich. Bei datierten Verweisungen gilt nur die in Bezug genommene Ausgabe. Bei undatierten Verweisungen gilt die letzte Ausgabe des in Bezug genommenen Dokuments (einschließlich Änderungen).

DIN 4844-1:2005-05	Graphische Symbole – Sicherheitsfarben und Sicherheitszeichen – Teil 1: Gestaltungsgrundlagen für Sicherheitszeichen zur Anwendung in Arbeitsstätten und in öffentlichen Bereichen (ISO 3864-1:2002, modifiziert)
DIN 18041:2004-05	Hörsamkeit in kleinen bis mittelgroßen Räumen
DIN 18650-1:2010-06	Automatische Türsysteme – Teil 1: Produktanforderungen und Prüfverfahren
DIN 18650-2:2010-06	Automatische Türsysteme – Teil 2: Sicherheit an automatischen Türsystemen
DIN 32975:2009-12	Gestaltung visueller Informationen im öffentlichen Raum zur barrierefreien Nutzung
DIN 32976:2007-08	Blindenschrift – Anforderungen und Maße
DIN 32984:2010-02	Bodenindikatoren im öffentlichen Raum
DIN EN 81-70:2005-09	Sicherheitsregeln für die Konstruktion und den Einbau von Aufzügen – Besondere Anwendungen für Personen- und Lastenaufzüge – Teil 70: Zugängigkeit von Aufzügen für Personen einschließlich Personen mit Behinderungen
DIN EN 1154:2003-04	Schlösser und Baubeschläge – Türschließmittel mit kontrolliertem Schließablauf – Anforderungen und Prüfverfahren
DIN EN 12217:2004-05	Türen – Bedienungskräfte – Anforderungen und Klassifizierung
BGR 181:2003-10	BG-Regel – Fußböden in Arbeitsräumen und Arbeitsbereichen mit Rutschgefahr
GUV-I 8527:2010-10	GUV-Informationen – Bodenbeläge für nassbelastete Barfußbereiche

12 Erläuterungen zu DIN 18024 Teil 1

12.1 Anwendungsbereiche und Zweck

DIN 18024-1:1998-01 Barrierefreies Bauen – Teil 1: Straßen, Plätze, Wege, öffentliche Verkehrs- und Grünanlagen sowie Spielplätze; Planungsgrundlagen
Diese Norm gilt für die Planung und Ausführung von barrierefreien Straßen, Plätzen, Wegen, öffentlichen Verkehrsanlagen und öffentlich zugängigen Grünanlagen, Zugängen zu öffentlichen Verkehrsmitteln und Spielplätzen.

12.2 Gegenüberstellung von DIN 18024 und darüber hinausgehenden Anforderungen

Gegenstand der Untersuchung	Anforderungen DIN 18024-1	Sonstige Anforderungen
Einrichtungen		sie können auch vom Nutzer eingebracht werden nach DIN 18022:1989-11;
Ausstattungen	Funktionselemente wie z. B. Orientierungshilfen, Lichtsignalanlagen, Aufzüge, Fahrtreppen, Verkehrszeichen und Schilder, Geräte, Automaten, Telefonhauben, Poller, Abfallbehälter, Fahrradständer, Werbeträger, Umwehrungen;	
Bewegungsflächen allgemeine Grundsätze	– Bewegungsflächen dürfen sich überlagern, ausgenommen vor Fahrschachttüren, – Bewegungsflächen dürfen nicht in ihrer Funktion eingeschränkt sein, z. B. durch Mauervorsprünge, abgestellte Fahrzeuge, Ausstattungen, Türen in geöffnetem Zustand und Bepflanzungen;	

Gegenstand der Untersuchung	Anforderungen DIN 18024-1	Sonstige Anforderungen
Bewegungsflächen 1,50 m breit und 1,50 m tief	– als Wendemöglichkeit, – als Ruhefläche, Verweilplatz, – am Anfang und am Ende einer Rampe, – vor Haus- und Gebäudeeingängen, – vor Fernsprechstellen und Notrufanlagen, – vor Serviceschaltern, – vor Dienstleistungsautomaten, Briefeinwürfen, Ruf- und Sprechanlagen, – vor Durchgängen, Kassen und Kontrollen, – vor und neben Ruhebänken, – vor Bedienungsvorrichtungen, – vor und nach Fahrtreppen und Fahrsteigen, – vor Rahmensperren und Umlaufschranken;	
Bewegungsflächen 1,50 tief	neben der Längsseite des Kraftfahrzeuges des Rollstuhlbenutzers auf Pkw-Stellplätzen;	
Bewegungsflächen 1,50 breit	– auf Gehwegen (ausgenommen Gehwege im Umfeld von Einrichtungen, Schulen und Einkaufszentren) ist eine Breite von 300 cm bis 200 cm empfehlenswert, – auf Hauptwegen, – neben Treppenauf- und -abgängen;	
Bewegungsflächen 130 cm breit	zwischen Umlaufschranken;	
Bewegungsflächen 120 cm breit	– zwischen Radabweisern einer Rampe, – situationsbedingt auf Hauptgehwegen;	
Bewegungsflächen 90 cm	in Durchgang an Kassen und Kontrollen;	

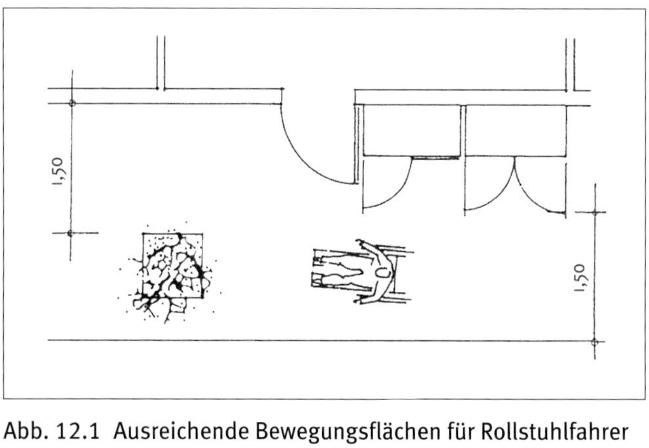

Abb. 12.1 Ausreichende Bewegungsflächen für Rollstuhlfahrer

Gegenstand der Untersuchung	Anforderungen DIN 18024-1	Sonstige Anforderungen
Bewegungsflächen 250 cm tief	entlang von Haltestellen öffentlicher Verkehrsmittel;	
Fahrschachttüren	– so groß wie Fahrkorbgrundfläche, – mindestens 150 cm x 150 cm, ohne Überlagerung mit anderen Bewegungsflächen, – sie darf nicht gegenüber abwärts führenden Treppen und Rampen angeordnet sein;	
Begegnungsfläche 200 cm breit und 250 cm tief	bei Hauptgehwegen, Geh- und Nebengehwegen Begegnungsflächen für Rollstuhlbenutzer in Sichtweite;	
Begegnungsfläche 180 cm breit und 180 cm tief	Begegnungsflächen für Rollstuhlbenutzer neben Baustellensicherungen;	Oberflächenbeschaffenheit von Bewegungs- und Begegnungsflächen: möglichst bei jeder Witterung leicht, erschütterungsarm und gefahrlos begeh- und befahrbar;
Türen	– lichte Breite 90 cm, – lichte Höhe 210 cm;	
Fußgängerverkehrsfläche	– Abgrenzung von Gehwegen an anbaufreien, stärker verkehrsbelasteten Straßen gegen die Fahrbahn durch einen Schutzstreifen von mindestens 75 cm Breite, – Kanten zwischen Fahrbahn und Gehweg in Anlieger- und weniger belasteten Straßen nicht niedriger als 3 cm, – Trennung von Rad- und Gehweg auf gleichem Niveau nebeneinander durch einen 50 cm breiten Begrenzungsstreifen, – Begrenzungsstreifen sollen sich taktil und optisch kontrastierend von den Rad- und Gehwegbelägen unterscheiden, – Tiefe von Muldenrinnen sollte auf das technisch bedingte Mindestmaß begrenzt werden (empfehlenswerte Tiefe 1/30 cm Breite);	

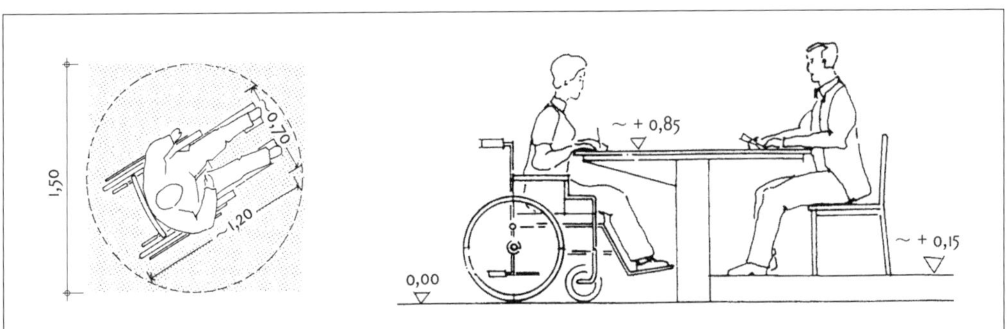

Abb. 12.2 Bewegungsflächen in Büroräumen, an Schaltern und Automaten.

Gegenstand der Untersuchung	Anforderungen DIN 18024-1	Sonstige Anforderungen
Längsgefälle	Gehwege und Verweilplätze nicht mehr als 3 %;	
Quergefälle	– Gehwege 2 %, – Grundstückszufahrten 6 %;	
Richtungsänderung	taktile und optisch kontrastreiche Wahrnehmbarkeit von Richtungsänderungen;	
verkehrsberuhigter Straßenraum	Orientierung durch taktil und optisch kontrastierend wahrnehmbare Leitsysteme;	z. B. E DIN 32984;
Verweilplatz	überdachte Verweilplätze und -bänke, taktil und optisch kontrastierend auffindbar im Bereich von Gehwegen, Treppen- und Rampenanlagen;	
Zugang/Bord	– Bordabsenkungen auf 3 cm Höhe an Zugängen, Fußgängerüberwegen und Furten, z. B. Überquerungsstellen, Schutzinseln, Gehüberfahrten (Grundstückszufahrten), Kraftfahrzeug-Parkflächen und Taxistellplätzen in ganzer Breite, – Übergangsstellen an Fußgängerüberwegen und Furten rechtwinklig zur Fahrbahn, – Gestaltung von Überquerungsstellen so, dass wartende Personen vom fließenden Verkehr her wahrgenommen werden können (Sichtfeld), – Sichthindernisse (z. B. Bepflanzung) im Bereich von Sichtdreiecken nicht höher als 50 cm, – Abdeckungen von Entwässerungs- und Revisionsschächten u. Ä. nicht im Übergangsbereich;	
Lichtsignalanlagen an Furten	– Lichtsignalanlagen nach DIN 32981 u. RiLSA akustisch und optisch kontrastierend sowie taktil auffindbar und benutzbar, – die zugrunde gelegte Querungsgeschwindigkeit sollte nicht mehr als 80 cm/s betragen;	
Aufzug	– lichte Breite 110 cm, – lichte Tiefe 140 cm, – lichte Breite der Fahrschachttüren mindestens 90 cm, – Betrieb auf Nutzungsanforderungen verfügbar, – im Fahrkorb sollte ein Klappsitz und gegenüber ein Spiegel zur Orientierung sein, – zusätzliche Haltestellenansagen bei Personenaufzügen mit mehr als 2 Haltestellen, – Bedientableau und Haltestangen;	
Treppen	– barrierefreie Treppen sollten nicht gewendelt sein, – an barrierefreien Treppen sollten unabhängig von den erforderlichen Umwehrungen/Geländern in 85 cm Höhe beidseitig Handläufe mit 3 cm bis 4,5 cm Durchmesser angebracht werden, – der innere Handlauf am Treppenauge soll nicht unterbrochen sein, der äußere Handlauf 30 cm waagerecht über Anfang und Ende der Treppe hinausragen.	

Gegenstand der Untersuchung	Anforderungen DIN 18024-1	Sonstige Anforderungen
	– Anfang und Ende des Treppenlaufs sollten rechtzeitig und deutlich erkennbar gemacht werden, z. B. durch taktile Kennzeichnung an den Handläufen, – durch taktile Geschoss- und Wegebezeichnungen kann die Orientierung sichergestellt werden, – bei Treppenläufen mit mehr als drei Stufen sollten die erste und die letzte Trittstufe mit einem 50 mm bis 80 mm breiten Streifen über die gesamte Trittbreite optisch kontrastierend markiert sein; bei einer Treppe mit bis zu drei Stufen gilt dies für alle Stufen, – Anzeigen von Niveauwechsel durch taktile und optisch kontrastierende Aufmerksamkeitsfelder nach E DIN 32984, – Stufenunterschneidungen sind unzulässig, – Aufkantungen an freien seitlichen Stufenenden, – Durchgangshöhe unter Treppen mindestens 230 cm, – Fläche unter dem untersten Treppenlauf nur bis zu einer Höhe von 230 cm betretbar;	
Fahrtreppen	– Geschwindigkeit 50 cm/s, Vorlauf mindestens 3 Stufen, – Fahrsteg: Geschwindigkeit 50 cm/s, Steigungswinkel 7° (entspr. 12,3 %), – Betrieb auf Nutzungsanforderungen verfügbar;	
Rampen		
Steigung	nicht mehr als 6 %;	
Zwischenpodest	mit 150 cm Länge nach höchstens 600 cm, beidseitig 10 cm Radabweiser an Rampe und Zwischenpodest;	
Quergefälle	ohne;	
Handläufe	– beidseitig mit 3 cm bis 4,5 cm Durchmesser in 85 cm Höhe, – Handläufe und Radabweiser sollen 30 cm am Anfang und Ende in den Podestbereich waagerecht weitergeführt werden, – keine abwärts führende Treppe in Verlängerung einer Rampe;	
öffentlich zugängige Grünanlagen und Spielplätze		für die Gestaltung von Spielplätzen gilt DIN 18034;
Hauptgehweg Nebengehweg	Erlebnisbereiche, z. B. Wiesen, Irrgärten, Sand-, Matsch-, Wasser- und andere Spielbereiche sowie barrierefreie Freizeitgeräte von Hauptgehwegen aus auch für Blinde und Sehbehinderte wahrnehmbar und mindestens von Nebengehwegen aus erreichbar anordnen;	

Gegenstand der Untersuchung	Anforderungen DIN 18024-1	Sonstige Anforderungen
Absturzsicherung	bei Wegen in seitlich abfallendem Gelände;	
Hauptgehwege	– Lichtraumprofil mindestens 150 cm Breite, 230 cm Höhe, – Wegbreite kann situationsbedingt auf eine Länge von 200 cm auf 120 cm beschränkt sein, – Längsgefälle 4 %, – Quergefälle 2 %, – Begegnungsflächen in Sichtweite, – bei Längsgefälle von 4 % bis max. 6 %, Anordnung von ebenen Ruheflächen, Verweilplätzen oder Begegnungsflächen in möglichst geringen Abständen, – Ruhebänke in Abständen von möglichst nicht mehr als 100 m;	
Nebengehwege	– Lichtraumprofil: mindestens 90 cm Breite, mindestens 230 cm Höhe, – Längsgefälle 6 %, – Quergefälle 2 %, – Begegnungsfläche in Sichtweite, – bei Längsgefällen von 4 % bis 6 %: in möglichst geringen Abständen ebene Ruheflächen, Verweilplätze oder Begegnungsflächen schaffen;	
Sanitäranlagen	– mindestens eine öffentlich zugängige Sanitäranlage in Park- und Freizeitanlagen, – mindestens eine öffentliche zugängige Sanitäranlage bei Spielplätzen, die nicht unmittelbar einer Wohnanlage angeschlossen sind;	
Notruf	durch Meldeeinrichtungen, z. B. gebührenfreie Notrufanlagen, soll unverzüglich Hilfe herbeigerufen werden können;	
Baustellen-einrichtung	Sicherung von Geh- und Notwegen gegenüber Arbeitsstellen nach RAS durch 10 cm hohe Absperrschranken in 100 cm Höhe (Höhe der Oberkante); zusätzlich 10 cm hohe Tastleisten unter Absperrschränken in 25 cm Höhe (Höhe der Oberkante), Unterkante (bei rohrförmiger Ausbildung die Mitte des Rohrquerschnittes) nicht höher als 15 cm;	
Lichteraumprofil von Gehwegen und Notwegen von Baustellen	– im Bereich von Baustellen: mindestens 120 cm Breite und mindestens 230 cm Höhe, – in nichtüberschaubaren Gehwegbereichen 180 cm x 180 cm;	
Haltestelle öffentlicher Verkehrsmittel und Bahnsteige	– Höhenunterschiede und Abstände von Fahrgasträumen zu Bahnsteigen und von Fahrgasträumen öffentlicher Verkehrsmittel zu Haltestellen nicht mehr als 3 cm, – größere Unterschiede sollten durch bauliche oder fahrzeugtechnische Maßnahmen ausgeglichen werden, – taktile und optisch kontrastierende Ausbildung von Einstiegstellen, – Witterungsschutz auch für Rollstuhlfahrer und Sitzgelegenheiten werden empfohlen, – Bewegungsflächen an Haltestellen sollen nicht von Radwegen gekreuzt werden;	weitere Hinweise enthält E DIN 32984;

Gegenstand der Untersuchung	Anforderungen DIN 18024-1	Sonstige Anforderungen
Pkw-Stellplatz	– 3 % der Pkw-Stellplätze, mindestens jedoch ein Stellplatz nach DIN 18040 Teil 1, – bei Anordnung von Pkw-Stellplätzen als Längsparkplätze mindestens 1 Pkw-Stellplatz 750 cm lang und 250 cm breit;	
Öffentliche Fernsprechstellen und Notrufanlagen	– Anfahrbarkeit und Benutzung von Fernsprechzellen und Notrufanlagen auch durch Rollstuhlbenutzer ermöglichen, – Bewegungsfläche, – Ausstattung usw. wie bereits beschrieben;	
Bedienungselement	– z. B. an Geld- und Fahrkartenautomaten, Schalter, Taster, Briefeinwurf- und Codekartenschlitzen und Notschalter anfahrbar und auch mit eingeschränkter Greiffähigkeit leicht nutzbar, – Anbringung in 85 cm Höhe, – Bedienelemente nicht versenkt und nicht scharfkantig, – für blinde und sehbehinderteMenschen durch taktil und optisch kontrastierende Gestaltung leicht erkenn- und nutzbar, – Sensortaste als ausschließliche Bedienungselemente sind nicht barrierefrei nutzbar, – Ablagefläche in 85 cm Höhe;	

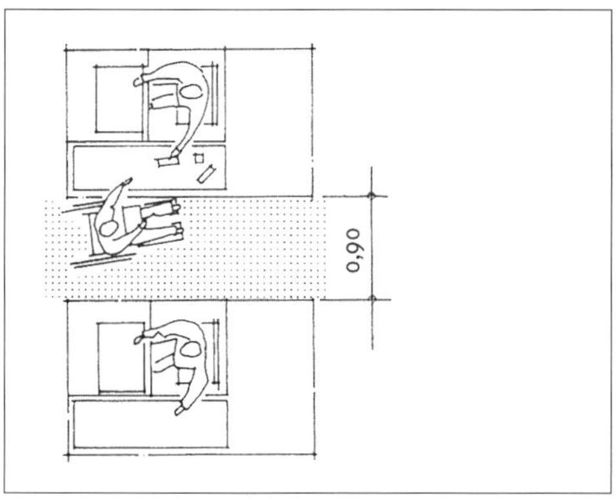

Abb. 12.3 Maße für die rollstuhlgerechte Breite an Serviceschaltern

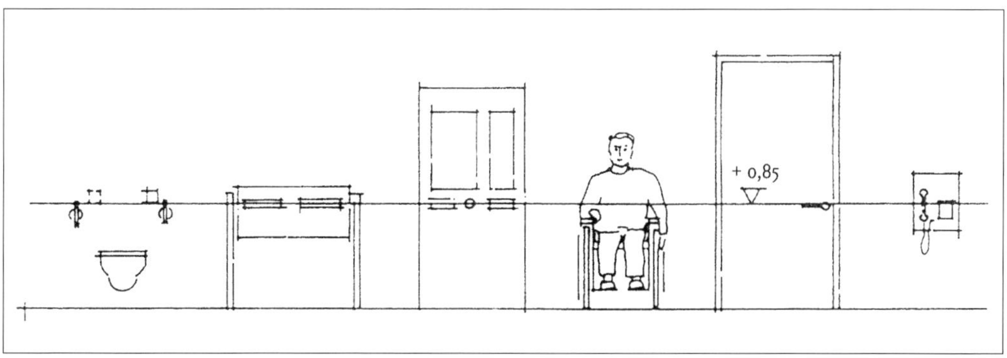

Abb. 12.4 Die richtige Handlaufhöhe hilft Körper- und Sehbehinderten

Gegenstand der Untersuchung	Anforderungen DIN 18024-1	Sonstige Anforderungen
Ausstattung, Orientierung, Beschilderung und Beleuchtung	Ausstattung von Straßen, Plätzen, Wegen, öffentlichen Verkehrsanlagen und Grünanlagen sowie Zugängen zu öffentlichen Verkehrsmitteln und Grünanlagen mit Orientierungshilfen;	für Blinde und Sehbehinderte mit Bodenindikatoren nach E DIN 32984;
Bodenindikator	Bodenbelag mit einem hohen taktilen, akustischen und optischen Kontrast zum angrenzenden Bodenbelag;	
Aufmerksamkeitsfeld	Streifen aus Bodenindikatoren, durch die auf besondere Einrichtungen bzw. Ausstattungen hingewiesen wird;	
Auffangstreifen	Streifen aus Bodenindikatoren, durch den Anfang und Ende einer Gehfläche markiert werden; er kündigt Ein- und/oder Ausgänge an oder verbindet parallel verlaufende Blindenleitstreifen;	
Begleitstreifen	ein zu den Bodenindikatoren taktil, akustisch und optisch kontrastierender Bodenbelag, der neben den Bodenindikatoren verlegt wird, wenn die betreffenden Kontraste zu den angrenzenden Bodenbelägen nicht ausreichen;	
Begrenzungsstreifen	Trennstreifen zwischen unterschiedlichen niveauausgleichenden Verkehrsflächen, z. B. Geh- und Radwege;	
Leitstreifen	– Streifen aus aneinander gereihten Bodenindikatoren, der den Verlauf einer Strecke anzeigt und eine bereichsbegrenzende Funktion hat, – Einsatz und Gestaltung dieser Orientierungshilfen sind vor allem dort, wo Führung durch tastbare Kanten wie Bordsteine und Häuserwände fehlt; – fallbezogen ist jede Maßnahme mit den Verbänden der Betroffenen abzustimmen, da diese am besten helfen können, die Maßnahmen in das ins Gesamtgebiet eingeführte System zu integrieren;	
Ausbildung von Ausstattungen, optisch kontrastierend wahrnehmbar und ohne Unterscheidungen	– auf einen 3 cm hohen Sockel entsprechend den Außenmaßen der Ausstattung (z. B. Telefonhaube), – ohne Unterschneidung bis 10 cm über den Boden herunterreichend, – mit Unterschneidungen mit einer 15 cm breiten Tastleiste (Oberkante in 25 cm Höhe über dem Boden) entsprechend den Außenmaßen der Ausstattung, – Hinweise für Blinde, Sehbehinderte und Menschen mit anderen sensorischen Einschränkungen optisch durch Hell-Dunkel-Kontrast (z. B. weiß auf schwarz) und taktil oder akustisch frühzeitig erkennbar, – Markierungen bei Richtungsänderungen oder Hindernissen, – gute blendfreie Lesbarkeit der Schriftzeichen durch Größe und Art, – Gestaltung und Montage von Haltestelleninformationen und anderen Orientierungshilfen, sodass sie auch durch Blinde (taktil oder akustisch), Sehbehinderte (Großschrift), Rollstuhlfahrer und Kleinwüchsige (Höhe der Anbringung) benutzbar sind,	eine höhere Beleuchtungsstärke als nach DIN 5035-2 ist sinnvoll;

<table>
<tr><th>Gegenstand der Untersuchung</th><th>Anforderungen DIN 18024-1</th><th>Anforderungen DIN 18024-2</th><th>Sonstige Anforderungen</th></tr>
<tr><td></td><td colspan="2">– ausreichend helle Beleuchtung,
– blend- und schattenfreie Beleuchtung von Verkehrsflächen und Treppen mit künstlichem Licht;</td><td></td></tr>
<tr><td>Beleuchtung</td><td colspan="2">– für Sehbehinderte ist ein gutes Beleuchtungsniveau nötig,
– es ist eher eine mittlere Leuchtdichte von ca. 250 cd/m² (Candela je m²) zu empfehlen, wobei Differenzierungen vorzunehmen sind,
– für Warnhinweise: 300cd/m² bis 500 cd/m²,
– Zeichen/Hinweise mit Entscheidungsfunktion: 30 cd/m² bis 399 cd/m²,
– Orientierungshilfen: 3 cd/m² bis 30 cd/m²,
– Orientierung sollte sich auch auf die Schriftgröße erstrecken;</td><td></td></tr>
</table>

13 Auszug aus der Bauordnung Berlin (BauOBln) Begriffsdefinition »Barrierefreies Bauen«

(1) In Gebäuden mit mehr als vier Wohnungen müssen Wohnungen eines Geschosses über den üblichen Hauptzugang barrierefrei erreichbar sein. In diesen Wohnungen müssen die Wohn- und Schlafräume, eine Toilette, ein Bad sowie Küche oder die Kochnische mit dem Rollstuhl zugänglich sein. § 39 Abs. 4 bleibt unberührt.

(2) Bauliche Anlagen, die öffentlich zugänglich sind, müssen so errichtet und instand gehalten werden, dass sie von Menschen mit Behinderung, alten Menschen und Personen mit Kleinkindern über den Hauptzugang barrierefrei erreicht und ohne fremde Hilfe zweckentsprechend genutzt werden können. In diesen baulichen Anlagen sind neben den Rettungswegen im Sinne von § 33 zusätzliche bauliche Maßnahmen für die Selbstrettung von Behinderten im Rollstuhl nur dann erforderlich, wenn die Anlage oder Teile davon von diesem Personenkreis überdurchschnittlich, bezogen auf den Bevölkerungsanteil der Behinderten, genutzt werden. Anderenfalls genügen betriebliche Maßnahmen, die die Rettung mittels fremder Hilfe sicherstellen.

(3) Bauliche Anlagen nach Absatz 2 müssen einen Hauptzugang mit einer lichten Durchgangsbreite von mindestens 0,90 m haben und stufenlos erreichbar sein. Vor Türen muss eine ausreichende Bewegungsfläche vorhanden sein. Rampen dürfen nicht mehr als 6 Prozent geneigt sein: sie müssen mindestens 1,20 m breit sein und beidseitig einen festen und griffsicheren Handlauf haben. Am Anfang und am Ende jeder Rampe ist ein Podest, alle 6 m ein Zwischenpodest anzuordnen. Die Podeste müssen eine Länge von mindestens 1,50 m haben. Treppen müssen an beiden Seiten Handläufe erhalten, die über Treppenabsätze und Fensteröffnungen sowie über die letzten Stufen zu führen sind. Die Treppen müssen Setzstufen haben. Flure müssen mindestens 1,50 m breit sein. Bei der Herstellung von Toiletten muss mindestens ein Toilettenraum auch für Menschen mit Behinderung geeignet und barrierefrei erreichbar und nutzbar sei; er ist zu kennzeichnen. § 39 Abs. 4 gilt auch für Gebäude mit weniger als fünf oberirdischen Geschossen sowie Geschossen, die mit Rollstühlen stufenlos erreichbar sein müssen.

13.1 Unterschiedliche Umsetzung in den einzelnen Bundesländern

Zusätzlich zur Berliner Bauordnung werden hier die einschlägigen Passagen aus den Landesbauordnungen für Baden-Württemberg, Bayern, Brandenburg und Bremen angeführt, um die Unterschiedlichkeit der Regelungen zu zeigen. Die Landesbauordnungen der anderen Länder sind sämtlich im Internet einzusehen, ebenso ergänzende Vorschriften und Regelungen.

Hamburgische Bauordnung	(HBauO)
Hessische Bauordnung	(HBO)
Landesbauordnung Mecklenburg-Vorpommern	(LbauO M-V)
Niedersächsische Bauordnung	(NBauO)
Landesbauordnung Nordrhein-Westfalen	(BauO NRW)
Landesbauordnung Rheinland-Pfalz	(LBauO)
Bauordnung Saarland	(LBO)
Sächsische Bauordnung	(SächsBO)
Bauordnung Sachsen-Anhalt	(BauO LAS)
Landesbauordnung Schleswig-Holstein	(LBO)
Thüringer Bauordnung	(ThürBO)

Landesbauordnung Baden-Württemberg

§ 35 Wohnungen

»(3) In Gebäuden mit mehr als vier Wohnungen müssen die Wohnungen eines Geschosses barrierefrei erreichbar sein. In diesen Wohnungen müssen die Wohn- und Schlafräume, eine Toilette, ein Bad und die Küche oder Kochnische mit dem Rollstuhl zugänglich sein. Die Sätze 1 und 2 gelten nicht, soweit die Anforderungen insbesondere wegen schwieriger Geländeverhältnisse, wegen des Einbaus eines sonst nicht erforderlichen Aufzuges oder wegen ungünstig vorhandener Bebauung nur mit unverhältnismäßigem Mehraufwand erfüllt werden können.«

§ 29 Aufzugsanlagen

»(2) Gebäude mit Aufenthaltsräumen, deren Fußboden mehr als 12,5 m über der Eingangsebene liegt, müssen Aufzüge in ausreichender Anzahl haben, von denen einer auch zur Aufnahme von Rollstühlen, Krankentragen und Lasten geeignet sein muss. Zur Aufnahme von Rollstühlen bestimmte Aufzüge müssen von Behinderten ohne fremde Hilfe zweckentsprechend genutzt werden können. Sie müssen von der öffentlichen Verkehrsfläche stufenlos er-

Wie in den Bauordnungen finden sich entsprechende für Barrierefreiheit bedeutsame rechtliche Regelungen auch in den jeweiligen Gleichstellungsgesetzen der Länder, die die Vorgaben des Behindertengleichstellungsgesetzes – BGG auf Landesebene umsetzen.

Baden-Württemberg	seit 01.06.2005 in Kraft
Bayern	seit 01.08.2003 in Kraft
Berlin	seit 18.05.1999 in Kraft
Brandenburg	seit 20.03.2003 in Kraft
Bremen	am 18.12.2003 Gesetz beschlossen
Hamburg	seit 21.03.2005 in Kraft
Hessen	seit 01.01.2005 in Kraft
Mecklenburg-Vorpommern	seit 01.08.2006 in Kraft
Niedersachsen	seit 03.12.2002 in Kraft
Nordrhein- Westfahlen	seit 01.01.2004 in Kraft
Rheinland-Pfalz	seit 01.01.2003 in Kraft
Saarland	am 26.11.2003 Gesetz verabschiedet
Sachsen	seit 29.05.2004 in Kraft
Sachsen-Anhalt	seit 21.11.2001 in Kraft
Schleswig-Holstein	am 21.12.2002 Gesetz verabschiedet
Thüringen	am 16.12.2005 Gesetz verabschiedet.

reichbar sein und stufenlos erreichbare Haltestellen in allen Geschossen mit Aufenthaltsräumen haben. Haltestellen im obersten Geschoss und in den Untergeschossen können entfallen, wenn sie nur unter besonderen Schwierigkeiten hergestellt werden können.«

Bayrische Bauordnung (BayBO)

Art. 46 Wohnungen

»(2) In Gebäuden mit mehr als zwei Wohnungen müssen die Wohnungen eines Geschosses barrierefrei erreichbar sein. In diesen Wohnungen müssen die Wohn- und Schlafräume, eine Toilette, ein Bad und eine Küche oder Kochnische sowie der Raum mit Anschlussmöglichkeit für eine Waschmaschine mit dem Rollstuhl zugänglich sein. Die Sätze 1 und 2 gelten nicht, soweit die Anforderungen, insbesondere wegen schwieriger Geländeverhältnisse, wegen des Einbaus eines sonst nicht erforderlichen Aufzugs oder wegen ungünstiger vorhandener Bebauung, nur mit unverhältnismäßigem Mehraufwand erfüllt werden können.«

Art. 39 Aufzüge

»(6) In Gebäuden mit mehr als fünf Vollgeschossen müssen Aufzüge in ausreichender Zahl und Größe so eingebaut und betrieben werden, dass jedes Geschoss von der Eingangsebene aus erreichbar ist. Mindestens einer der Aufzüge muss auch zur Aufnahme von Rollstühlen oder Lasten geeignet sein. Dieser Aufzug ist so einzubauen, dass er von der öffentlichen Verkehrsfläche und möglichst von allen Wohnungen im Gebäude zu erreichen ist. Die Sätze 1 und 2 gelten nicht für das oberste Vollgeschoss und beim nachträglichen Ausbau von Dachgeschossen in bestehenden Gebäuden.«

Brandenburgische Bauordnung (BbgBO)

§ 45 Barrierefreies Bauen

»(1) In Wohngebäuden mit mehr als vier Wohnungen müssen die Wohnungen eines Geschosses barrierefrei sein. In Gebäuden mit Aufzügen und mit mehr als vier Wohnungen müssen die Wohnungen eines Geschosses barrierefrei sein.«

»(6) Lassen sich die Anforderungen der Absätze 1 bis 4 nur mit unverhältnismäßig hohem Aufwand oder unzumutbaren Mehrkosten verwirklichen, so kann die Bauaufsichtsbehörde zulassen, dass die Anforderungen auf einen Teil der baulichen Anlagen beschränkt werden, wenn dabei die zweckentsprechende Nutzung durch die auf barrierefreie Zugänglichkeit angewiesenen Personen gewährleistet bleibt. Im Fall des Absatzes 1 muss die Zugänglichkeit der Wohnungen für die Benutzer von Rollstühlen bleiben.«

Bremische Landesbauordnung (BremLBO)

§ 47 Wohnungen

»(6) In Gebäuden mit mehr als zwei Wohnungen müssen die Wohnungen eines Geschosses barrierefrei erreichbar sein. In diesen und in den nach § 38 Abs. 7 sowie § 53 Abs. 3 Nr. 2 barrierefrei erreichbaren Wohnungen müssen die Wohn- und Schlafräume, eine Toilette, ein Bad und die Küche oder Kochnische mit dem Rollstuhl zugänglich und nutzbar sein. Satz 1 gilt nicht, soweit die Anforderungen, insbesondere wegen schwieriger Geländeverhältnisse, wegen des Einbaus eines sonst nicht erforderlichen Aufzugs oder wegen ungünstiger vorhandener Bebauung, nur mit unverhältnismäßigem Mehraufwand erfüllt werden können.«

§ 38 Aufzüge

»(7) In Gebäuden, in denen oberhalb des vierten oberirdischen Geschosses Aufenthaltsräume vorhanden oder möglich sind, müssen Aufzüge in ausreichender Zahl und Größe so eingebaut und betrieben werden, dass mit Ausnahme des obersten Geschosses jede Ebene erreichbar ist. Unberücksichtigt bleiben Räume, die mit Aufenthaltsräumen im vierten

oberirdischen Geschoss eine Nutzungseinheit bilden sowie Zubehörräume zu Nutzungseinheiten.
Mindestens einer der Aufzüge muss auch zur Aufnahme von Lasten, Krankentragen und Rollstühlen geeignet und von der öffentlichen Verkehrsfläche sowie in allen Geschossen barrierefrei erreichbar sein. Satz 1 gilt nicht bei nachträglichem Ausbau oberster Geschosse nach § 2 Abs. 6 Satz 1 in den bei In-Kraft-Treten dieses Gesetzes bestehender Gebäude.«

»(8) Alle Aufzüge, die barrierefrei erreichbar sind, müssen unabhängig von einer entsprechenden Verpflichtung nach Absatz 7 zur Aufnahme von Rollstühlen geeignet sein. Haltestellen im obersten Geschoss und in den Untergeschossen können entfallen, wenn sie nur unter besonderen Schwierigkeiten hergestellt werden können.« [6]

14 Anhang

Anlage 1
Checkliste für eine Wohnraumanpassung

Allgemeines	JA	NEIN
Entspricht die Wohnungsgröße Ihren Bedürfnissen?		
Hat die Wohnung Zentral- oder Etagenheizung und fließendes Wasser?		
Fühlen Sie sich in der Wohnung sicher? Türen, Fenster einbruchhemmend?		
Ist die Raumbeleuchtung ausreichend hell, sind genügend Steckdosen vorhanden?		
Kommen Sie ohne Schwierigkeiten in den Keller und zu den Mülltonnen?		
Haben Sie die Möglichkeit, im Notfall schnell Hilfe zu holen?		
Sind die Türen ausreichend breit?		
Hauseingang	**JA**	**NEIN**
Ist der Zugang zu Ihrem Wohnhaus trittsicher und frei von Stolperfallen?		
Ist der Hauseingang stufenfrei?		
Lässt sich die Haustür leicht öffnen und schließen?		
Ist die Haustür überdacht?		
Sind Klingelschilder, Hausnummern und Eingangstüren ausreichend beleuchtet?		
Hausflur und Treppenhaus	**JA**	**NEIN**
Können Sie den Briefkasten bequem erreichen?		
Ist der Bodenbelag im Flur und auf den Treppen trittsicher?		
Sind der Flur und die Treppen hell genug beleuchtet?		
Brennt die Treppenhausbeleuchtung lange genug?		
Ist der Handlauf beidseitig angebracht?		
Haben die Stufen Unterscheidungen?		
Gibt es einen Aufzug im Haus?		

Wohnzimmer	JA	NEIN
Können Sie im Sitzen ins Freie schauen (max. Höhe 60 cm)?		
Ist der Austritt auf Balkon oder Terrasse schwellenfrei ausgeführt?		
Gibt es einen Telefon- bzw. Internetanschluss?		
Bietet der Raum genügend Freiraum, um leicht an die Sitzgelegenheiten zu gelangen?		
Haben die Sitzmöbel die richtige individuelle Höhe?		
Können Sie bequem Platz nehmen und wieder aufstehen?		
Sind Steckdosen an jeder Wand verfügbar, die 50 cm von der Ecke entfernt angebracht sind?		
Ist ein höhenverstellbarer Tisch vorhanden, der ggf. mit einem Rollstuhl unterfahrbar ist?		
Ist der Tisch voll umfahrbar?		
Schlafzimmer	**JA**	**NEIN**
Ist genügend Platz vor dem Kleiderschrank?		
Können Sie den Lichtschalter auch im Dunkeln erreichen?		
Hat Ihr Bett eine angenehme Höhe? (Oberkante von ca. 55 cm inkl. Auflage)		
Haben Sie neben dem Bett genug Abstellfläche?		
Ist neben dem Bett Platz für Telefon und/oder Notruf?		
Ist das Lattenrost verstellbar?		
Wird der Schrankraum ausreichend beleuchtet?		
Küche	**JA**	**NEIN**
Haben Sie ausreichend Platz in der Küche?		
Ist die Küche frei von Stolperfallen oder störenden Möbelkanten?		
Haben die Arbeitsflächen die richtige Höhe für Sie?		
Können Sie bequem im Sitzen arbeiten?		
Können Sie alle Schränke gut erreichen?		
Ist die Beleuchtung über den Arbeitsflächen ausreichend?		
Sind alle Bereiche des ständigen Gebrauchs zentral zusammengefasst?		
Sind alle Schalter außerhalb des Stoßkantenbereiches montiert? (Sie dürfen nicht mit Armlehnen von Rollstühlen kollidieren und müssen gut erkennbar sein.)		
Zeigt die Herdplatte ihren Betriebsstatus an?		
Sind alle Schalter über eine gut sichtbare Kontrastmarkierung und ertastbare Kennzeichnung ersichtlich?		

Bad und WC	JA	NEIN
Ist Ihr Bad groß genug, auch für einen Rollstuhl?		
Ist die Tür ausreichend breit, auch für einen Rollstuhl?		
Ist der Fußboden rutschfest, auch bei Feuchtigkeit?		
Sind Haltegriffe an Badewanne, Dusche und WC vorhanden?		
Verfügt die Duscharmatur über einen Thermostat?		
Können Sie das Waschbecken auch im Sitzen benutzen?		
Hängt der Spiegel in der richtigen Höhe?		
Sind Ablagen und Schrank gut zu erreichen?		
Können Sie die Toilette bequem benutzen (mind. 48 cm inkl. Sitz)?		
Ist eine bodengleiche Dusche installiert?		
Ist eine günstige Verstellbarkeit des Duschkopfes und der Armaturen gegeben (ergonomische Formgebung)?		
Sind große Glasflächen kontrastreich gekennzeichnet?		
Ist die Zugangstür für den Notfall auch von außen zu entriegeln?		
Sind zusätzliche Heizelemente angebracht, die eine konstante Raumtemperatur von 26 °C ermöglichen sowie einen kurzfristigen Temperaturanstieg auf 32 °C?		

Balkon, Terrasse und Garten	JA	NEIN
Sind Balkon, Terrasse oder Garten schwellenfrei zu erreichen?		
Ist ein handhabbarer Schutz gegen Sonne und Regen vorhanden?		
Ist der Bodenbelag rutschfest ausgeführt?		
Ist eine Bewegungsfläche von mind. 1,50 m x 1,50 m vorhanden?		

Anlage 2
Auswahl wichtiger Adressen und Links

Bundesländer

Baden-Württemberg

Innenministerium
Abt. Bau- und Wohnungswesen
Dorotheenstr. 6
70173 Stuttgart
www.innenministerium.baden-wuerttemberg.de

Bayern

Oberste Baubehörde im Stadtministerium des Innern
Abt. IIB, Planung und Baurecht
Franz-Josef-Strauß-Ring 4
80539 München
www.innenministerium.bayern.de/bauen/obb/

Berlin

Senatsverwaltung für Stadtentwicklung
Beratungsstelle »Bauen für Behinderte«
Behrenstr. 42
10117 Berlin
www.stadtentwicklung.berlin.de

Brandenburg

Ministerium für Infrastruktur und Raumordnung
Abt. 2: Stadtentwicklung und Wohnungswesen
Henning-von-Treskow-Str. 2-8
14467 Potsdam
www.mir.brandenburg.de

Bremen

Behörde des Senators für Bau, Umwelt und Verkehr
Abt. 8: Beteiligungen, Recht, Hochbau
Ansgaritorstr. 2
28195 Bremen
www.bauumwelt.bremen.de

Hamburg

Behörde für Stadtentwicklung und Hochbau
Abt. Öffentlicher Hochbau
Stadthausbrücke 8
20355 Hamburg
www.fhh.hamburg.de/stadt/Aktuell/behoerden/stadtentwicklung-umwelt/start.html

Hessen

Ministerium für Wirtschaft, Verkehr und Landesentwicklung
Abt. VI 3 Baurecht, Referat VI2,
Oberste Bauaufsichtsbehörde
Kaiser-Friedrich-Ring 75
65185 Wiesbaden
www.wirtschaft.hessen.de

Mecklenburg-Vorpommern

Ministerium für Arbeit, Bau und
Landesentwicklung
Abt. 2: Bauleitplanung und Bauwesen
Schloßstraße 6-8
19053 Schwerin
www.am.mv-regierung.de

Niedersachsen

Ministerium für Soziales, Frauen,
Familie und Gesundheit
Abt. Bauen und Wohnen
Heinrich-Wilhelm-Kopf-Platz 2
30159 Hannover
www.ms.niedersachsen.de

Nordrhein-Westfalen

Ministerium für Städtebau und
Wohnen, Kultur und Sport
Abt. II: Bauen
Elisabethstr. 5-11
40217 Düsseldorf
www.mswks.ntw.de

Rheinland-Pfalz

Ministerium der Finanzen
Abt. 5: Bauwesen
Kaiser-Friedrich-Str. 5
55116 Mainz
www.fm.rip.de

Saarland

Ministerium für Umwelt
Abt. C: Landes- und Stadtentwicklung,
demografischer Wandel
Keplerstr. 18
66117 Saarbrücken
www.umwelt.saarland.de

Sachsen

Staatsministerium des Inneren
Abt. 5: Bau- und Wohnungswesen
Wilhelm-Buck-Str. 2
01095 Dresden
www.smi.sachsen.de

Sachsen-Anhalt

Ministerium für Bau und Verkehr
Abt. 4: Staatlicher Hochbau und Bauaufsicht
Turmschanzenstr. 30
39114 Magdeburg
www.sachsen-anhalt.de

Schleswig-Holstein

Innenministerium
Abt. 6: Ausländer- und
Migrationsangelegenheiten,
Städtebau und Ortsplanung, Bauwesen
Düsternbooker Weg 92
24105 Kiel
www.schleswig-holstein.de

Thüringen

Ministerium für Bau und Verkehr
Abt. 2: Städte- und Wohnungsbau,
Raumordnung u. Landesplanung
Werner-Seelenbinder-Str. 8
99096 Thüringen
www.thueringen.de

Zusätzliche Links

Deutscher Landkreistag
www.landkreistag.de

Deutscher Städtetag
www.staedtetag.de

Deutscher Städte- und Gemeindebund
www.dstgb.de

Baumodell der Altenhilfe und der Behindertenhilfe
www.baumodell-bmfsfj.de

Wirtschaftskraft Alter
(mit DIN «barrierefreies Bauen«)
www.wirtschaftskraft-alter.de

Modellprogramm »neues Wohnen«
www.modellprogramm-wohnen.de

Deutsches Institut für Normung
www.din.de

Hilfe und Pflege zu Hause
www.hilfe-und-pflege-imalter.de

Bundesministerium für Familie, Senioren, Frauen und Jugend (BMFSFU)
www.bmfsfj.de

Bundesnetzwerk Bürgerliches Engagement (BBE)
www.b-b-e.de

Senioren-Initiativen

Informations- und Ideenpool für Initiative älterer Menschen
www.senioren.initiative.de

Erfahrungswissen für Initiativen
www.efi-programm.de

Kooperationsprojekt »Ge-Mit-Generationen miteinander im Freiwilligendienst«
www.ge-mit.de

Modellprogramm Generationsübergreifende Freiwilligendienste des BMFSFU
www.zentrum-zivilgesellschaft.de/modellprogramm/

Behindertengruppen und Organisationen

Bundesarbeitsgemeinschaft (BAG:WfbM)
www.bgwfbm.de

Bundesverband behinderter Pflegekinder e. V.
www.mittendrin-magazin.de

Bundesverband behinderter und chronisch kranker Eltern – bbe e. V.
www.behinderte-eltern.com

Bundesverband der Organtransplantierten e. V.
www.bdo-ev.de

Bundesverband Deutscher Schmerzhilfe e. V.
www.schmerzhilfe.de

Netzwerk der Rollstuhlfahrer e. V.
www.rollinetzwerk.de

Sehbehinderung

BHD, Bundesverband für Rehabilitation und Interessenvertretung Behinderter LV Berlin-Brandenburg/Mecklenburg-Vorpommern/Sachsen
www.bdh-berlin.de

Berufsförderungswerk Halle gGmbh
www.bfw-halle.de

Blindenführhundehalterverein e. V.
www.dbfv.org

Evangelischer Blinden- und Sehbehindertendienst in Deutschland e. V. (EBS Deutschland)
www.ebs-deutschland.de

Verein zur Förderung der Blindenbildung gegr. 1876 e. V.
www.vzfb.de

Gehörbehinderung

Bundesverband im Deutschen
Schwerhörigenbund e. V.
www.schwerhoerigen-
netz.de/bundesjugend/default.asp

Deutscher Gehörlosen Bund e. V. (DGB)
www.gehoerlosen-bund.de

Institut für Hörgeschädigte
www.ifh-straubingen.de

Geistige Behinderung

Behindertenzentrum Zentrum zur Förderung
geistiger Behinderter e. V.
www.behindertenzentrum-berlin.de

Bundesvereinigung Lebenshilfe für Menschen
mit geistiger Behinderung e. V.
www.lebenshilfe.de

Körperbehinderung

Bundesverband Selbsthilfe
Körperbehinderter e. V.
www.bsk-ev.org

Deutsche Gesellschaft für Muskelkranke e. V.
DGM
www.dgm.org

Fördergemeinschaft der Querschnittsgelähm-
ten in Deutschland e. V.
www.fgq.de

Muskelschwund Network
www.muskelschwund.net

Mehrfachbehinderung

Betreutes Wohnen für Menschen mit erworbe-
nen Hirnschädigungen
e-mail pnebel@gmx.de

Verein für Körper- und Mehrfachbehinderter
Aachen e. V.
www.vkm-aachen.de

Nerven/Demenz

Deutsche Alzheimer Gesellschaft e. V.
www.deutsche-alzheimer.de

Alzheimer Angehörigen-Initiative e. V.
www.alzheimerforum.de/aai/aai.html

Bundesverband der Angehörigen psychisch
Kranker e. V.
www.psychatrie.de

Deutsche Gesundheitshilfe e. V. Dachverband
www.gesundheitshilfe.de

Anlage 3
Richtlinie für taktile Schriften

Anbringung von Braille und erhabener Profilschrift und von Piktogrammen
(Fassung vom 27. Mai 2007)

1. Zweck der Beschriftungen mit Braille und erhabener Profilschrift

Die Beschriftungen von Handläufen, Türen und Aufzugtableaus sowie von ergänzenden Lageplänen und Reliefs im Außenbereich mit Braille und erhabener Profilschrift sowie Piktogrammen dienen der Wegeleitung und Orientierung von blinden und hochgradig sehbehinderten Personen in Verkehrsanlagen und öffentlich zugänglichen Gebäuden. In Ergänzung zur Wegeleitung über taktile und visuelle Bodenindikatoren (siehe DIN 32984) ermöglichen sie blinden und sehbehinderten Menschen die unabhängige Benutzung von Verkehrsanlagen und öffentlichen Einrichtungen wie Rathäusern, Schulen, Kultureinrichtungen etc. Diese Beschriftungen sind jedoch nur dann nutzbar, wenn sie zum einen durch ihre taktilen Eigenschaften leicht lesbar sind und zum anderen durch eine Anbringung an immer wiederkehrenden Orten überhaupt gefunden werden können. Diese Richtlinie trifft hierfür allgemeingültige Festlegungen.

2. Zu verwendende Schriften und Zeichen

Die Informationen für Blinde und Sehbehinderte sind in Brailleschrift, erhabener Profilschrift und/oder durch Sonderzeichen und/oder Piktogramme darzustellen.

2.1. Brailleschrift

Für die Beschriftung von Schildern ist der Braille-Großdruck nach E-DIN 32976 zu verwenden.

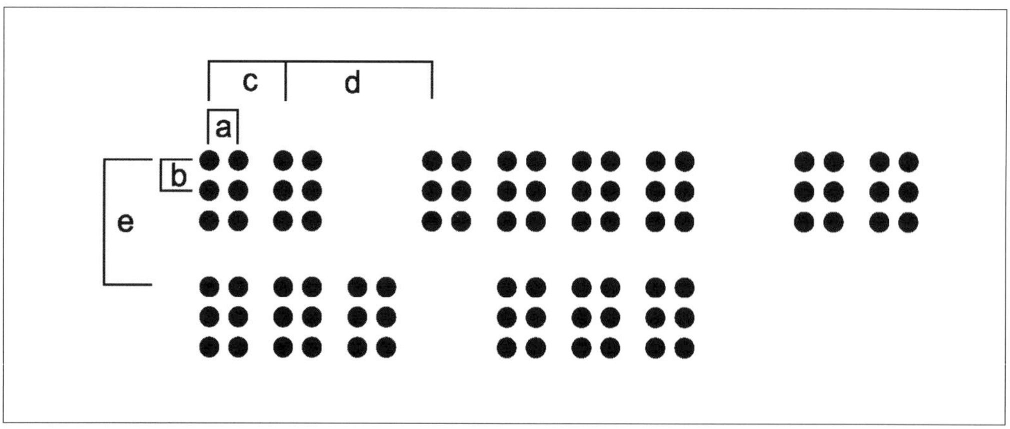

Bild 1 – Maßschema

Die Maße sind wie folgt:

- Der Punktabstand (a) in horizontaler Richtung von Punktmitte zu Punktmitte beträgt 2,7 mm;
- der Punktabstand (b) in vertikaler Richtung von Punktmitte zu Punktmitte beträgt 2,7 mm;
- die Zeichenbreite (c) von Punktmitte des Punktes 1 zur Punktmitte des Punktes 1 vom benachbarten Zeichen beträgt 6,6 mm;
- das Maß (d) von Punktmitte des Punktes 1 des letzten Zeichens eines Wortes zur Punktmitte des Punktes 1 des ersten Zeichens des nächsten Wortes beträgt das Zweifache von c, also 13,2 mm;
- die Zeilenhöhe (e) von Punktmitte des Punktes 1 zur Punktmitte des Punktes 1 des Zeichens in der nächsten Zeile beträgt 10,8 mm;
- der Punktdurchmesser beträgt etwa 1,5 mm (Basisdurchmesser des Prägestiftes bzw. 1,8 mm Durchmesser in der Matrize) (vgl. DIN 32976 Punkt 3.2.2).
- Die einzelnen Punkte der Blindenschrift müssen in der Draufsicht betrachtet halbkugelförmig sein und dürfen keine Grate haben.
- Die Erhabenheit der Punkte beträgt 0,6 mm bis 0,7 mm, mindestens aber 0,5 mm, gemessen von der Basis der Unterlage (vgl. DIN 32976 Punkt 3.3).

– In der Regel sollten keine Großbuchstaben (durch das Großschreibezeichen markiert) verwendet werden.

– Zur Verbesserung der Lesbarkeit mehrzeiliger Texte kann der in der DIN 32976 vorgeschriebene Zeilenabstand gegebenenfalls vergrößert werden.

– Verwendet werden soll die Vollschrift (mit den Lautgruppenkürzungen au, ei, eu, ch, sch, äu, ie, st) gemäß dem »System der deutschen Blindenschrift (Voll- und Kurzschrift)«, herausgegeben von der Brailleschriftkommission der deutschsprachigen Länder (Marburger Systematiken der Blindenschrift, Teil 1, Marburg, Deutsche Blindenstudienanstalt, 1998, ISBN 3-89642-022-4).

– Für fremdsprachliche Bezeichnungen wie »CHECK IN« ist in jedem Fall das Basissystem der deutschen Blindenschrift (d. h. ohne die Lautgruppenkürzungen) zu verwenden.

Befindet sich die Blindenschrift in einer Vertiefung, so ist ein Freiraum von mindestens 10 mm bis 15 mm in Abhängigkeit von der Höhe des begrenzenden Randes einzuhalten. Dies gilt ebenso für Abstände zu erhabenen Linien auf taktilen Plänen.

2.2. Erhabene Profilschrift

Für die erhabene Profilschrift ist eine serifenlose Schrift wie beispielsweise »Helvetica« zu verwenden. Es ist dabei grundsätzlich nur eine erhabene Gestaltung zulässig. Eingravierte Schriften sind für tastende Finger schwerer erkennbar und daher für die Beschriftung ungeeignet.

Befindet sich die erhabene Profilschrift in einer Vertiefung, ist zwischen erhabenen Buchstaben bzw. Ziffern und Rand der Vertiefung ein Freiraum von mindestens 10 mm bis 15 mm in Abhängigkeit von der Höhe des begrenzenden Randes einzuhalten. Dies gilt ebenso für Abstände zu erhabenen Linien auf taktilen Plänen.

Aus Gründen der leichteren Les- und Erkennbarkeit sind im Wesentlichen nur Großbuchstaben zu verwenden, Kleinbuchstaben sollten nur in begründeten Einzelfällen (wie bei Angaben zu Hausnummern, Räumen z. B. »2 b«) benutzt werden.

Die Schrifthöhe beträgt zwischen 10 mm und 50 mm, für Handlauf- und Mehrwortbeschrif-

Tabelle 1 – Abmessungen

Höhe H	10 mm bis 50 mm	Vorzugsweise 10 mm bis 13 mm
Basisbreite B	B = 0,18 x H (± 0,03)	Mindestens jedoch B = 1,2 mm
Mindestabstand A	0,4 x H bis H 18; > H 18 = 0,3 x H	bei 10 bis 13 mm: 4 bis 5 mm bezogen auf die tastbare Oberkante
Erhabenheit E	1 mm bis 2,5 mm	für H bis 13 mm: 1,2 mm

tungen vorzugsweise 10 mm bis 13 mm, gemessen an der Oberkante des Profils. Die Basisbreite (Strichbreite) der erhabenen Profilschrift ist 1,3 mm bis 1,7 mm, mindestens jedoch 1,2 mm. Der Strich weist im Profil eine Prismenform mit leicht gerundeter Oberkante auf. Die tastbare Reliefhöhe der Zeichen (Erhabenheit) muss mindestens 1 mm, für Buchstaben und Ziffern in Prismenform bis 18 mm Höhe vorzugsweise 1,2 mm betragen.
Für Buchstaben und Ziffern über 25 mm Schrifthöhe ist die Prismenform nicht mehr zwingend notwendig, die Erhabenheit sollte zwischen 2 mm bis 2,5 mm liegen und scharfe Kanten müssen vermieden werden. Die Basisbreite dieser Buchstaben und Ziffern sollte proportional mit der Zeichengröße wachsen (siehe Tabelle 1).

Es ist keine reine Proportionalschrift zu verwenden. Der horizontale Abstand zwischen zwei Zeichen muss proportional mitwachsen. Bei Schriften in Prismenform muss der Mindestabstand 4 mm betragen, gemessen an der breitenmäßig größten Ausdehnung der tastbaren Oberkante der Buchstaben und Ziffern. Bei nichtprismenförmigen Schriften sollte der Basisabstand mindestens bei 4 mm bis 6 mm liegen, gemessen an der breitenmäßig größten Ausdehnung der tastbaren Oberkante der Buchstaben und Ziffern.

Nebeneinanderstehende und taktil leicht zu verwechselnde Buchstaben und Ziffern müssen gut unterscheidbar sein. Die Abstände zwischen dem Buchstaben »I« und benachbarten Buchstaben »M, N« sowie den geraden Kanten von »B, E, K, L, R« und der Ziffer »1« sowie der Abstand zwischen »A« und den Buchstaben »V, W, Y« sind deshalb im Interesse der besseren taktilen Lesbarkeit um 10 % zu verbreitern. Der Abstand zwischen den Buchstaben »O« bzw. »A« und »V«, »W« und »Y« darf zu Gunsten einer besseren optischen Lesbarkeit verringert werden (Kerning). Die Ziffer »4« muss oben offen sein und der Anstrich der Ziffer »1« sollte unter 45° geneigt sein (siehe Bild 2).
Eckige Ziffern und Buchstaben (wie sie beispielsweise häufig in digitalen Anzeigen verwendet werden) sind nicht zulässig.
Bei mehrzeiligen Texten in erhabener Profilschrift ist der Zeilenabstand mindestens ≥ 4 mm zu wählen.

Wenn diese erhabene Schrift auch optisch gelesen werden soll (siehe Tür- und Aufzugbeschilderung 3.2. und 3.3.), so ist die bevorzugte Farbe der Schriftzeichen und Ziffern zur optimalen Lesbarkeit für hochgradig sehbehinderte Personen in schwarz auf hellem Hintergrund (entsprechend der DIN 32975) auszuführen.

2.3. Sonderzeichen

Als Sonderzeichen können offene Pfeile (einschließlich geknickter Pfeile) und eindeutig die Richtung anzeigende Dreiecke (gleichschenklige, aber keine gleichseitigen Dreiecke) zur Anzeige der Gehrichtung sowie große Punkte statt der Gedankenstriche zur Trennung von Informationsblöcken verwendet werden (siehe 3.1.1.3.).

Anmerkung: Pfeile mit Zusatzinformationen werden zur Anzeige der Gehrichtung bei akus-

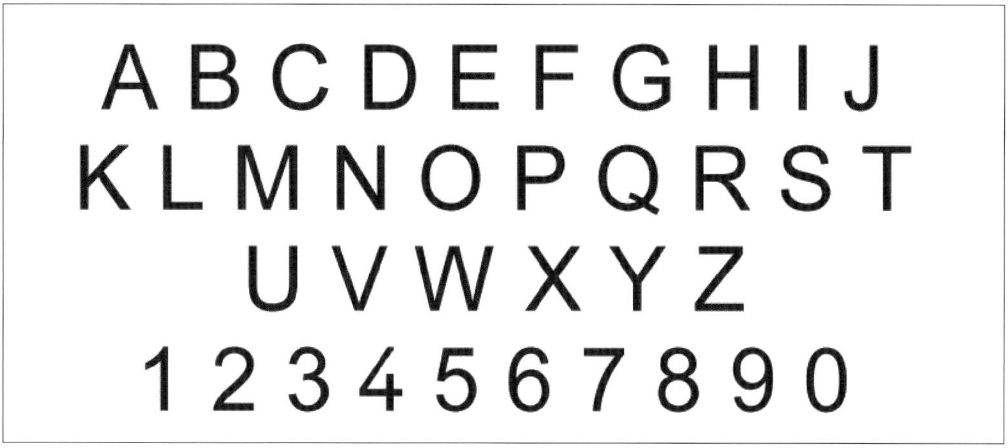

Bild 2 – Schrifttypen

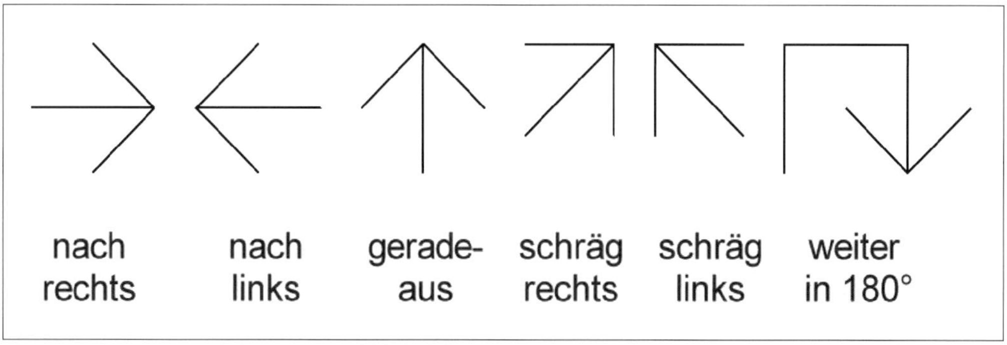

Bild 3 – Beispiele Pfeile

tischen und taktilen Ampeln verwendet (siehe DIN 32981).

2.4. Piktogramme

Piktogramme sind häufig durch blinde und hochgradig Sehbehinderte schwer zu erschließen und sollten nur verwendet werden, wenn sie ausreichend groß (>25 mm), stark konturiert, einfach und klar gestaltet sind. Beispiele für verständliche Piktogramme sind »ein Männlein« für WC Herren, »eine Frau mit Rock« für WC Damen sowie »eine Glocke« für Notruf. Piktogramme wie das »Rollstuhlsymbol« oder »Rauchverbot« sollten – falls sie für blinde Menschen überhaupt verwendet werden – Mindestmaße von 80 mm nicht unterschreiten und immer durch Braille- und/oder erhabene Profilschrift ergänzt werden.
Die Erhabenheit der Piktogramme sollte mindestens 1,2 mm betragen.

3. Darstellung der Informationen

3.1. Handlaufbeschriftungen

Die Informationen sind auf den Handläufen so anzubringen, dass die ertastende Hand sie leicht entdecken und lesen kann. Das bedeutet:

- Der blinde und hochgradig Sehbehinderte sollte die Handlaufbeschriftung immer an einer bestimmten Stelle des Handlaufs finden: Bei Treppenhandläufen an der Schräge des Handlaufs oberhalb der ersten resp. letzten Stufe bzw. direkt neben dem Handlaufknick, bei Handläufen in Fluren neben der betreffenden Tür in der Regel an der Seite, wo sich die Türklinke befindet. Bei längeren Handläufen, die weit in Gänge oder Zugangsflure hineinreichen, kann am Beginn des Handlaufs eine zusätzliche Information angebracht werden.

- Die Handlaufschilder sind so zu gestalten, dass bei runden Handläufen die erhabene Profilschrift nach oben weist (Position 12 Uhr) und die Braillebeschriftung hinter dem Handlauf zur Wand weist. Sie ist hierbei auf dem Kopf stehend zu montieren. Bei schmalen hohen Handläufen ist die Information hinter dem Handlauf (wandseitig) auf dem Kopf stehend anzubringen, da sie nur so von der umgreifenden Hand gelesen werden kann. Bei flachen, breiten Handläufen ist sie oben auf dem Handlauf nach oben weisend anzubringen, wobei die Beschriftung in Richtung des Handlaufs auszurichten ist.
- Die Schriftgröße für die erhabene Profilschrift auf Handläufen sollte zwischen 10 mm und 13 mm Schrifthöhe, gemessen an der tastbaren Oberkante, liegen (siehe 2.2.).
- In Bereichen mit starkem Publikumsverkehr (große Bahnhöfe, Flughäfen, Kaufhäuser, Theater etc.) sollten Handlaufbeschriftungen mit erhabener Profilschrift aus Gründen einer schnelleren Erfassbarkeit auf 15 bis in Einzelfällen maximal 20 Ziffern und Buchstaben begrenzt werden.
- Der Inhalt der Information auf den Handläufen ist in jedem Fall mit den örtlichen Blinden- und Sehbehindertenverbänden abzustimmen, um die für Blinde und sehbehinderte Menschen relevanten Informationen zu ermitteln.

3.1.1. Handlaufbeschriftungen auf Bahnhöfen und in größeren Verkehrsanlagen

An Treppen von Bahnhöfen und komplexen Verkehrsanlagen sollten Handlaufbeschriftungen an allen vier Enden (oberes und unteres Ende, jeweils rechts und links) der Treppe angebracht werden. Hierbei soll der blinde oder hochgradig Sehbehinderte immer am Anfang des in Laufrichtung rechten Handlaufs zuerst eine orientierende Information erhalten, wohin die Treppe führt (Grobinformation). Am Ende des jeweiligen rechten Handlaufs ist dann eine weiterführende Information vorzufinden, in welche Richtung er/sie weiterzugehen hat, um den entsprechenden Zielpunkt (z.B. den Ausgang, andere Gleise, das Reisezentrum, das WC etc.) zu finden (Detailinformation).

3.1.1.1. Darstellung der Information auf den Handlaufschildern

Die Informationen auf den Handlaufschildern sind grundsätzlich so kurz wie möglich zu halten, und aus der Situation entstehende, selbstverständliche Informationen sollten nach Möglichkeit weggelassen werden. Wenn beispielsweise am Anfang der Treppe auf Ausgänge hingewiesen wurde, ist am jeweiligen Ende der Treppe die Angabe der Straße oder eines Platzes mit der entsprechenden Richtungsinformation ausreichend:

ALEXANDERPLATZ:
RECHTS – RATHAUSSTRASSE: LINKS

Wenn am Anfang einer Treppe auf einen S-Bahnsteig mit Ost-/Westrichtung hingewiesen wird, so kann insbesondere für die Beschriftung mit erhabener Profilschrift am Ende der Treppe auf »S-BAHN« aus Platzgründen verzichtet werden:

WEST: RECHTS – OST: LINKS

Die Richtungsinformationen (»LINKS, RECHTS, SCHRÄG LINKS, GEGENÜBER«) sind nach Möglichkeit auszuschreiben. Falls sie jedoch aus Platzgründen gekürzt werden müssen, so sollte dies bei »LINKS« und »RECHTS« zu »LI« und »RE« oder »L« und »R« erfolgen. Spezielle Richtungsinformationen wie »GEGENÜBER« oder »SCHRÄG RECHTS«, »IN 50 M« etc. müssen in jedem Fall aus Verständlichkeitsgründen ausgeschrieben werden.

Die Informationen in erhabener Profilschrift müssen in vielen Fällen entsprechend den reduzierten Möglichkeiten (Beschränkung auf 15 bis max. 20 Zeichen) von den Angaben in Brailleschrift auf den Handläufen abweichen. So könnte beispielsweise die obige Information in erhabener Profilschrift wie folgt dargestellt werden:

ALEX: R – RATH.: L

Oder die folgende Brailleinformation könnte für die erhabene Profilschrift wie folgt verkürzt werden:

Braille:

BAHNHOFSTR., ZENTRUM, GLEISE 1, 2:
LINKS – GRONAUER STR.: RECHTS

Erhabene Profilschrift:

ZENTRUM: L – GRONAUER: R

bzw.

INFO: L – GRONAUER: R (falls z. B. links ein Info-Punkt vorhanden sein sollte).

In diesen Fällen ist mit den ortskundigen Blinden und Sehbehinderten nach einer eindeutigen Lösung zu suchen.

3.1.1.2. Grob- und Detailinformation

Die Informationen am jeweils rechten Handlauf am Anfang einer Treppe soll darauf hinweisen, wohin die Treppe führt, z. B.:

AUSGANG, GLEISE 1 – 8, ÜBERGANG ZUR U 3

Die Informationen am jeweils rechten Handlauf am Ende einer Treppe sollten eine zusätzliche Richtungsinformation enthalten, z. B.:

GLEISE 8 BIS 10: RECHTS – HAUPTSTRASSE, U 3: LINKS

oder auf Bahnsteigebene:

GLEIS 10: RECHTS – GLEIS 9: LINKS

Die einzelnen Zielpunkte sind dabei durch Kommata zu trennen.

3.1.1.3. Systematik bei Aufzählungen

- Aufzählungen, die Zielpunkte mit gleicher Richtungsinformation angeben, werden durch Kommata getrennt.
- Für die Richtungsangaben eignen sich sowohl Wortangaben als auch Pfeildarstellungen (Pfeil nach rechts, links, geradeaus etc. geknickte Pfeile: rechts, links abbiegen – siehe Sonderzeichen 2.3.).
- Die Pfeilsymbole sind dabei vor bzw. hinter der Zielpunktinformation in Braille- und/ oder Profilschrift (z. B. AUSGANG, GLEIS 9) anzuordnen.
- Vor der verbalen Richtungsangabe (»RECHTS, LINKS, GEGENÜBER« etc.) steht ein Doppelpunkt.
- Informationsblöcke (Zielpunkte mit gleicher Richtungsinformation) werden voneinander durch einen Gedankenstrich oder einen dicken erhabenen Punkt (siehe Sonderzeichen 2.3.) getrennt.
- Falls mehrere Informationsblöcke zu lang sein sollten, um auf eine Zeile zu passen, sind sie über einen Zeilenumbruch unter Weglassung des Gedankenstrichs zu trennen. Die Trennung darf hierbei nicht innerhalb der Aufzählung eines Informationsblocks erfolgen, da dies den Sinn der Information entstellen kann.
- Schließt sich an die Treppe ein Blindenleitsystem mit Richtungsverzweigungen an, so

können diese durch mehrfache Richtungsangaben dargestellt werden, z. B.

»U 3: LINKS-LINKS – AUSGANG: LINKS-RECHTS«.

3.1.1.4. Standortbestimmung

In vielstöckigen, unübersichtlichen Verkehrsanlagen ist zur Orientierung der Blinden und hochgradig Sehbehinderten in der ersten Zeile des Handlaufschildes die betreffende Ebene, in der er/sie sich gerade befindet, anzugeben, z. B.:

EBENE UNTERGESCHOSS

EBENE ERDGESCHOSS

EBENE OBERGESCHOSS 1

BAHNSTEIGEBENE etc.

Aus Gründen einer eindeutigen Zuordnung zu einer Standortangabe sollte die Angabe der Ebene dann immer als erste Information eines Handlaufschildes erscheinen und ausgeschrieben werden. Um Verwechslungen mit Richtungsangaben zu vermeiden, sollte sie nicht mit »EG« oder »OG 1« abgekürzt dargestellt werden. Wenn die Richtungsangabe unmittelbar der Ebenenangabe folgt, sollte diese durch ein kleines vorangestelltes Dreieck angezeigt werden, z. B.:

EBENE: OBERGESCHOSS 1 ▶ GLEISE 11 BIS 16: RECHTS – S 5, 7, 9: LINKS

Die taktile Beschriftung muss die Bezeichnungen (z. B. zur Bezeichnung der Ebenen) verwenden, die mit der optischen Beschilderung im Wegeleitsystem identisch sind, um Rückfragen an sehende Fahrgäste durch die Verwendung derselben Begriffe zu erleichtern. Die Bahnsteigebene ist aus Sicherheitsgründen immer als solche zu bezeichnen (Beispiel »OBERE BAHNSTEIGEBENE«).

3.1.2. Handlaufbeschriftungen in Gebäuden

3.1.2.1. Handlaufbeschriftungen zur Anzeige des Stockwerks

Zur Anzeige des Stockwerks sind Brailleziffern (einschließlich Zahlenzeichen), Ziffern in erhabener Profilschrift oder bei Gebäuden bis zu fünf Stockwerken auch eine Punktanordnung wie auf einem Spielwürfel (1 – 5) zu verwenden. Die Angabe des Stockwerks sollte am Beginn bzw. Ende der Schräge aller Handläufe erfolgen. Die Markierungen können dabei entweder je nach Form des Handlaufs auf dem Handlauf (nach oben weisend) als auch hinter dem Handlauf (zur Wand bzw. zum Treppenauge weisend) angebracht werden. Bei Montage hinter dem Handlauf ist die Beschriftung auf dem Kopf stehend anzubringen. Bei Montage auf dem Handlauf muss die Ausrichtung der Beschriftung in Handlaufrichtung erfolgen.

3.1.2.2. Handlaufbeschriftungen mit Richtungsangaben

Werden weitere Informationen und Richtungsangaben auf den Handläufen in Gebäuden gegeben, so ist analog zu 3.1.1. ff. zu verfahren.

3.1.2.3. Handlaufbeschriftungen zur Anzeige von Räumen

Je nach Form der Handläufe kann die Beschriftung entweder oben auf dem Handlauf (nach oben weisend) oder hinter dem Handlauf (wandseitig) erfolgen. Bei Montage hinter dem Handlauf ist die Beschriftung auf dem Kopf stehend anzubringen.

3.2. Beschriftung von Räumen

Die Beschriftung von Räumen ist grundsätzlich mit Braille- und erhabener Profilschrift auszuführen. Die erhabene Profilschrift muss auch von hochgradig Sehbehinderten gut lesbar sein (siehe 2.2.).

3.2.1. Beschriftungen an der Wand

Aus lesetechnischen Gründen sollte die Beschriftung mit Braille- und erhabener Profilschrift auf den Schildern an der Wand in einer Höhe zwischen 1450 mm und 1600 mm angebracht werden. Bei niedrigerer Anbringung sind die Schilder schräg (in einem Winkel zwischen 45 und 30 Grad zur Wand) zu befestigen, um eine ergonomische Handhaltung zu erzielen.
Die Beschilderung sollte neben der betreffenden Tür in der Regel an der Seite der Türklinke liegen.

3.2.2. Beschriftungen auf dem Türblatt

Beschriftungen auf dem Türblatt werden in der Regel in einer Höhe zwischen 1500 mm und 1700 mm angebracht. Werden lediglich Zimmernummern in Braille- oder erhabener Profilschrift angegeben, so können sie auf den betreffenden Schildern ergänzt werden. Bei längeren Angaben ist jedoch die Wandbeschilderung (3.2.1.) oder die Handlaufbeschriftung (3.1.2.3.) vorzuziehen.

3.3. Beschriftung von Anforderungsknöpfen

3.3.1. Beschriftung an Aufzügen

3.3.1.1. Beschriftung innen im Aufzug

Die Bedientasten von Aufzügen sollten deutlich hervorstehen und über Tasten mit einem Druckpunkt ausgelöst werden (im Unterschied zu Sensortasten oder Touch-screens). Dabei müssen die Tasten einen genügenden Druckwiderstand und Arbeitsweg aufweisen, um beim Lesen der Punktschrift nicht versehentlich ausgelöst zu werden. Bei horizontal montierten Tableaus mit ergonomischer schräger Oberfläche sind Bezeichnungen der Tasten in Braille- und in erhabener Profilschrift anzubringen. Wenn die Beschriftung auf den Tasten nicht möglich ist, ist diese oberhalb der Bedientasten zuerst in erhabener Profilschrift und darunter in Brailleschrift vorzusehen. Bei vertikal montierten Tableaus ist die Brailleschrift rechts und erhabene Profilschrift links neben den Tasten anzuordnen. Die Schrift muss auch von hochgradig Sehbehinderten lesbar sein (siehe 2.2.).
Sollten Sensorbedientasten in unvermeidlichen Ausnahmefällen zum Einsatz kommen, so dürfen die Tasten selbst in keinem Fall mit Braille- und/oder erhabener Profilschrift markiert werden. Die Beschriftung ist analog zu horizontalen bzw. vertikalen Bedientableaus anzuordnen, und es muss immer ein Quittungston zur Bestätigung der Eingabe ausgegeben werden.

3.3.1.2. Beschriftung außen am Aufzug

Die Anforderungsknöpfe sind als taktil gut ertastbare erhabene Pfeilsymbole oder spitzwinklige Dreiecke auszubilden. Oberhalb resp. unterhalb der Pfeile sollten zusätzlich die jeweiligen Bezeichnungen in Brailleschrift angebracht werden.
Außen in der – vom Fahrkorb aus gesehen – rechten Türlaibung ist das jeweilige Stockwerk in Braille und erhabener Profilschrift analog 3.2.1. in einer Höhe zwischen 1450 mm und 1600 mm anzuzeigen. Bei Drehtüren ist die Beschriftung an der öffnenden Seite anzubringen. Bei stark frequentierten, großen oder mit zweiseitig öffnenden Türen versehenen Aufzügen sollte die Stockwerksanzeige beidseitig angebracht werden.

3.3.2. Beschriftung von einzelnen Anforderungsknöpfen

Einzelne Anforderungsknöpfe sind analog der Anforderungen an Bedientasten in horizontalen Tableaus (siehe 3.3.1.1.) zu beschriften.

3.3.3. Beschriftung von mehreren Bedienelementen

Bei mehreren nebeneinander oder übereinander angeordneten Bedienelementen, wie Hebeln, Schalterleisten etc., sind die Beschriftungen analog der Anforderungen an Bedientasten in Aufzugtableaus (siehe 3.3.1.1.) anzuordnen.

3.4. Beschriftung von taktilen Lageplänen und Reliefdarstellungen sowie Modellen im Außenbereich

Die Beschriftung von Legenden zu taktilen Lageplänen, Reliefen und Modellen im Außenbereich sollte in den Abmessungen den Festlegungen in 2.1., 2.2. und 2.3. entsprechen.
Tastsymbole sind für Blinde schwer erkennbar (vgl. 2.4.) und sollten daher nicht zu ähnlich gestaltet werden. Beispielsweise sind ein Quadrat mit Kreuz für einen Aufzug, ein Quadrat mit einer Diagonale für eine Telefonzelle und ein ausgefülltes Quadrat für Säulen leicht zu verwechseln.
Bezüglich der Informationsinhalte wird auf die Punkte 3.1.1.3. und 3.1.1.4. verwiesen.
Der Inhalt ist in jedem Fall mit den örtlichen Blinden- und Sehbehindertenverbänden abzustimmen, um die für Blinde und sehbehinderte Menschen relevanten Informationen zu ermitteln.

DBSV e. V., Berlin

Quellenverzeichnis

[1] Wohnformen im Überblick. Berlin: apercu Verlagsgesellschaft mbH, 6. Aufl. 2007/08, S. 16

[2] Reha-Einkaufsführer, Meckenheim: aweto Verlag, 2007/2008

[3] Kalksandsten, Wohnen im Alter/Bewährte Wege – Neue Herausforderungen. Berlin: Bundesministerium für Familie, Senioren, Frauen und Jugend, Januar 2008

[4] Wohnen ohne Barrieren – Komfort für alle. Broschüre, Ministerium für Bauen und Verkehr des Landes Nordrhein-Westfalen, 2006

[5] Seidler, Hannes: Bauliche Anforderungen für Schwerhörige. Infoblatt des Ortsverbands Schwerhöriger Dresden e. V.

[6] Rodejohann, Jo.: Barrierefreiheit als Vorraussetzung für ein selbstbestimmtes Leben und Wohnen bis ins hohe Alter. Broschüre, Sozialwerk Berlin e. V., 2007

[7] Reggentin, Heike; Dettbarn-Reggentin, Jürgen: Demenzkranke in Wohngruppen betreuen und fördern. Stuttgart: Kohlhammer Verlag, 2006

[8] Marquardt, Gesine: Kriterienkatalog Demenzfreundliche Architektur. Möglichkeiten der Unterstützung der räumlichen Orientierung in stationären Altenpflegeeinrichtungen. Herausgeber Peter Schmieg, Berlin. Logos Verlag, 2007

[9] Wied, Susanne: Farbräume – Vom klinischen Weiß zu pflegenden Farben. Mannheim: Huber Verlag, 2000

[10] Holfeld, Monika: Erhalten und Gestalten – Ästhetik am Plattenbau. Berlin: HUSS-MEDIEN, Verlag für Bauwesen, 2006

[11] Mohr, Paul: Farbtherapie. Jopp Werner 2005

[12] Doser, Michael: Beleuchtung in Krankenhäusern, Altenheimen und generationsübergreifenden Lebensräumen. Düsseldorf: VDI-Verlag, Sonderdruck aus VDI-Richtlinie 6998, 2005

[13] Pollok, Annie: Gärten für Menschen mit Demenz. Köln: Broschüre, Kuratorium Deutsche Altershilfe, 2007

[14] Wohnberatung in Nordrhein-Westfalen, Themenschwerpunkt: Wohnberatung für Menschen mit Demenz, LAG Wohnberatung NRW 2006

[15] Sicher, selbständig und behaglich wohnen. – Wohnberatung für sehbehinderte und blinde Menschen, Broschüre, Ministerium für Arbeit, Gesundheit und Soziales des Landes Nordrhein-Westfalen

[16] www.nullbarierre.de: Hilfsmittel, 2007

[17] Rheinländer, Udo: Broschüre Bauen ohne Barrieren, Checkliste. Petersberg: Michael Imhof Verlag, Mai 2003

[18] Barrierefreies Bauen Teil 1, 2, 3. Planungsgrundlagen, München: Broschüre, Bayrische Architektenkammer 1998

[19] Becker, Klaus W.: Wege zum barrierefreien Lebensraum. www.lagh-hamburg.de, Stand Feb. 2007

[20] Europäisch Wohnen, Generation 50 Plus – neue Ideen für altersgerechtes Wohnen im Eigentum. Frankfurt: KfW Bankengruppe, Jahresthema 2006

[21] Tyll, Susanne: Wohnberatung für Menschen mit Demenz. Landesarbeitsgemeinschaft Wohnberatung NRW, 2007

[22] Betreutes Wohnen für ältere Menschen. Qualitätssiegel, NRW, 2006

[23] Broschüre Bauen ohne Barrieren, Barrierefreie Umgestaltung vorhandenen Wohnraumes. Petersberg: Michael Imhof Verlag, Mai 2003

[24] Auf der Suche nach einem Heim. Broschüre, Bundesministerium für Familie, Senioren, Frauen und Jugend, 2000

[25] Barrierefreies Bauen, Broschüre, Senatsverwaltung für Stadtentwicklung, 2007

[26] Wohnen im Alter – Wohnberatung, Broschüre, Albatros e. V., Berlin 2008

[27] Kohaupt, Bernd; Schulz, Armin: Unbehinderte Mobilität – Leitfaden, Broschüre, Hessische Straßen- und Verkehrsverwaltung 2006

[28] Technische Grundsätze zum barrierefreien Bauen, BBR-Online-Publikation, Bundesamt für Bauwesen und Raumordnung, Juni 2006,

[29] Planungsgrundlagen Barrierefreie Planung v. Gutjahr, HEWI, RINN, Planungsordner für Architekten

[30] Holfeld, Monika: Generationsübergreifendes Wohnen. Broschüre, Siemens AG, 2007

[31] Heinze Service Normen

[32] DIN-Norm Beuth Verlag

Stichwortverzeichnis

Barrierefreie Lebensräume

Jetzt diesen Titel zusätzlich als E-Book downloaden und 80 % sparen!

Als Käufer dieses Buchtitels haben Sie Anspruch auf ein besonderes Kombi-Angebot: Sie können den Titel zusätzlich zum Ihnen vorliegenden gedruckten Exemplar für nur 20 % des Normalpreises als E-Book beziehen.

Der BESONDERE VORTEIL: Im E-Book recherchieren Sie in Sekundenschnelle die gewünschten Themen und Textpassagen. Denn die E-Book-Variante ist mit einer komfortablen Volltextsuche ausgestattet!

Deshalb: Zögern Sie nicht. Laden Sie sich am Besten gleich Ihre persönliche E-Book-Ausgabe dieses Titels herunter.

In 3 einfachen Schritten zum E-Book:

❶ Rufen Sie die Website **www.beuth.de/e-book** auf.

❷ Geben Sie hier Ihren persönlichen, nur einmal verwendbaren E-Book-Code ein:

21939D4BB82C747

❸ Klicken Sie das „Download-Feld“ an und gehen dann weiter zum Warenkorb. Führen Sie den normalen Bestellprozess aus.

Hinweis: Der E-Book-Code wurde individuell für Sie als Erwerber dieses Buches erzeugt und darf nicht an Dritte weitergegeben werden. Mit Zurückziehung dieses Buches wird auch der damit verbundene E-Book-Code für den Download ungültig.